Y0-ABF-360

全集自序

從我出版第一部小說『窗外』到今天，已經足足過去了二十六年。有時，眞不相信，四分之一個世紀，就在我的塗塗寫寫中悄然而逝。這二十六年，不管我生命中有多少風風雨雨，多少喜怒哀樂，我的『寫作』，却一直是我生命中的一條主線。在我沮喪時，我會逃遁到寫作裡去，當我歡樂時，我會表現到寫作裡去，當我寂寞時，我用寫作塡補空虛，當我充實時，我又迫不及待要拾起筆來，寫出我的感覺……因而，這漫長的二十六年，我雖然偶爾會蟄伏、會休息，却從不曾眞正停止過寫作。就這樣，細細數來，從『窗外』開始，到『我的故事』爲止，二十六年來，我已出版了四十四本書。

去年年初，因爲開放大陸探親，我有幸在離鄉三十九年後，首次回大陸。到了北京，發現我的四十幾部作品，被出版得亂七八糟。當時，就有一種強烈的願望，要好好整理一下這些作品。

返台後，又因爲有好幾部作品需要再版，我和鑫濤，就決定藉再版之便，重新整理我的作品，改換版本形式，統一編排，出版這套『瓊瑤全集』。

因爲時代已經不同，出版品也隨著時代進步，現在的紙張、字體、編輯、版本形式……都遠勝以往。再加上，我過去的作品，有的書太薄（如『月滿西樓』），有的書太厚（如『幸運草』）。有的排版太密，有的又排得太鬆，有的字體太小，有的又太大。這一次，我們把所有的缺失更正，做完全的調整。作品內容，也有更改，例如，『六個夢』一書中，居然有七個故事，這是件挺荒謬的事，如今，抽出一個故事，還原成『六個夢』。又例如，『月滿西樓』只是一部中篇，勉強成書，總覺份量不夠，現在，加入另外幾部中篇，重新結集。

在我這所有的作品中，最特別的是『不曾失落的日子』。這部書嚴格說來，是一部我自己『殘缺的自傳』，有『童年』部份，缺掉了成長以後的過程。今年春天，我將此書重新寫過，把我成長以後的部份補齊，改名爲『我的故事』。這部書，在我的全集中取代了『不曾失落的日子』。因而，四十四部書，經過整理後，變成四十三部。至於『不曾失落的日子』中的散文部份，以後，可能會滙集我的其他散文，出版一部散文專輯。

當然，重新編撰一套全集，是件工程浩大的事，以往的書中，錯字別字漏字都很多，借此機會，全部修正。這樣浩大的工程，不是一朝一夕就能完成。但，我們總算開始了這件工作。在重選封面，重選字體，重選版本形式……的時候，我雖忙碌，卻也興奮。過去的作品，不管好不好，都是我生命中最重要的一部份。重新編撰，重新出版，也算我的一種『重生』吧！

從來不曾覺得自己的作品寫得好，也從來不曾自滿過。每次出書，都戰戰兢兢，如履薄冰。生怕自己的作品禁不起讀者的考驗，和時間的考驗。現在，在『全集』出版前夕，這種情懷，仍然强烈。總覺得自己渺小平凡，寫出的每部書，也都是一些渺小平凡的故事。儘管書中常有『轟轟烈烈』的感情，那也只是『平凡人』的感情。

且讓我把這套『瓊瑤全集』，獻給全天下平凡的，和不平凡的朋友們！

瓊瑤寫於一九八九年七月三十一日

於台北可園

《第一部》

廢墟之魂

1

方絲縈走上了那座橋。

站在橋欄杆旁邊，她默默的望着橋下的流水。橋下，河道並不太寬，但是，遍佈着石塊和小鵝卵石的河岸却佔地頗廣。溪水潺湲的流着，許多高聳的岩石突出了水面，挺立在那兒，帶着股倨傲的神態。流水從岩石四周奔流下去，激起了無數小小的泡沫和洄漩。五月的陽光遍洒在河水上，閃耀着萬道光華。那流水琤琤淙淙的奔流聲，像一支輕輕柔柔的歌。

站在那兒，方絲縈佇立了好一會兒。那流水，那泡沫，那岩石，和那洄漩都令她眩惑，令她感動，令她沉迷。她撫摸着橋欄杆，她深呼吸着那郊外帶着松、竹、泥土混合氣息的空氣。然後，她慢慢的向橋的那一邊走去，橋的那一邊已遠離了市區，一條寬寬的泥土路向前平伸着，泥土路的左邊，是生長着松林、竹子的山坡。右邊，是遼闊的田野，以及疏疏落落分佈着的一些小農舍。

走過了橋，她回頭看了看，橋柱上刻着：

『松竹橋　民國四十四年重建』

她微微顰眉，『松竹橋』，名字倒不錯，但是，爲什麼不用木材建造呢？水泥的橋多煞風景！不過，這是實用的，她可以從橋這邊的泥地上看出車痕頻繁，這兒是台北市的外圍，許多有錢的人不喜歡台北市的繁囂，反而願意結廬於台北近郊，何況這兒是出名的風景區呢！她相信再走過去，一定可以發現不少的高級住宅，甚至樓台亭閣，畫棟雕樑。

她走過去了，幾步之外，路邊豎着一塊指路牌，上面寫着：

『松竹寺』

牌子上的箭頭指向山坡上的一條小徑，小徑兩邊都是挺直的松樹。松竹寺！這就是那座小有名氣的寺廟，很多信徒、很多遊客都常去的。她呢？也要去看看嗎？她在那小徑的入口處停頓了片刻，然後，她搖了搖頭，拋開了那條小徑，她仍然沿着那條寬闊的泥路向前走去。

午後的陽光明朗而炙熱，五月，已不再是涼爽的季節。方絲縈不由自主的放慢了腳步，慢得不能再慢，她的額上已沁出了汗珠，她站住，用小手帕拭去了額上的汗。前面，有着好幾棟白色的建築，很新，顯然是最近才造好的，造得很考究，很漂亮。她看着那些房子，然後，她輕輕的鎖了鎖眉頭，自己對自己說：

『妳要做什麼呢？妳想到那兒去呢？』

她沒有給自己答案。但是，她又機械化的向前面走去了，走得好緩慢，走得好滯重。越過了這幾棟花園洋房，兩邊的田野就全是茶園了。茶園！她眩惑的看着那一株株的茶樹，該快到採茶的季節了吧！她模糊的想着。又繼續走了一大段，接着，她猛的站住了，她的視線被路邊一個建築物所吸引了。建築物？不，那只能說曾經是建築物而已——那是一堆殘磚敗瓦，一個火燒後的遺址。

她瞪視着那堆殘破的建築，從那遺剩的磚瓦和花園的鏤花鐵門上看起來，這兒一定原是棟豪華的住宅。從大路上有條石子路通向那鏤花的鐵門，門內還有棵高大的柳樹。現在，那門是半開着的，雜草在圍牆的牆脚下茂盛的生長着，那鏤花的門上已爬滿了不知名的藤蔓，垂着長長的捲鬚和綠色的枝葉。在那石子路邊，還豎着一塊木牌，由於雜草叢生，那木牌幾乎被野草所淹沒了。方絲縈身不由己的走了過去，拂開了那些雜草，她看到木牌上雕刻着的字迹：

『含煙山莊』

是這個雅致的名字感動了她嗎？是人類那份好奇的本性支配了她嗎？她無法解釋自己的情緒，只是，在一眼看到『含煙山莊』這四個字的時候，她就由心底湧上了一股奇異的情緒；含煙山莊，含煙山莊，這兒，曾經住過一些怎樣的人？曾發生過怎樣的故事？誰能告訴她？一場火，怎會有一場火？

她走向了那鏤花的鐵門，從開着的門口向內望去，她看到了一個被雜草所踩躪了的花園，在遍地的雜草中，依舊有一兩株紅玫瑰在盛開着，好幾棵高大的榕樹，多年沒有經過修剪，垂着一條條的氣根，像幾個蒼老的老人飄拂的長鬚。那些綠樹濃蔭，很給人一種『庭院深深深幾許』的感覺。榕樹後面，是那棟被燒毀的建築，牆倒了，屋頂塌了，窗子上的玻璃多已破碎。可是，仍可看出這棟屋子設計得十分精緻，那是棟兩層樓的建築，房間似乎很多，有彎曲的迴廊，有小巧的陽台，有雕花的欄杆，還有彩色的玻璃窗。可以想見，當初這兒是怎麼一番繁華景象，花園內，一定充滿了奇花異卉，房子裏……房子裏會住着一些怎樣的人呢？她出神的看着那棟屋子的空殼，那被煙燻黑了的外牆，那燒成黑炭似的門窗，那倒在地上的橫樑……野草任意的滋生着，帶着荊棘的藤蔓從窗子中由內而外、由外而內的攀爬着……呵！這房子！這堆廢墟！現在是沒有一個人了！她發出深深的嘆息，一切『廢墟』都會給人一種淒涼的感受，帶給人一份難以排遣的蕭索和落寞。她踏進了花園（如果那還能算是花園的話），走到了那兩株紅玫瑰的旁邊，五月，正是玫瑰盛開的季節，這兩株玫瑰也開得相當絢爛。只是，雜在這些野草和荊棘中，看來別有種楚楚可憐的味道。她俯身下去，摘下了兩朵玫瑰，握在手中，她凝視着那嬌柔鮮艷的花瓣，禁不住又發出了一聲嘆息。玫瑰的香味濃而馥郁，她拿着玫瑰花，走向那棟廢墟。

她是相當累了，她在郊外幾乎走了一個下午，她從旅舍出來的時候是下午兩點鐘，現在，太陽都已經偏西了。她走上了幾級石階，然後，在一段已倒塌的石牆上坐了下來，握着玫瑰，托着下巴，她環視四周，被周圍那份荒蕪的景象深深的震懾住了。

她不知道她這樣坐了多久，但是，暮色已不知不覺的游來。落日在廢墟的殘垣上染上了一抹柔和的金黃，傍晚的風帶着幾絲涼意對她襲來。她用手抱住了裸露的胳膊，看着那聳立未倒的殘壁在地上投下的陰影越來越大，看着一條長尾巴的蜥蜴從那些藤蔓中穿過去，再看着那荒煙蔓草中的玫瑰，正在晚風的吹拂下顫動……她看着看着，不自禁的想起了以前唸過的兩個句子：

『原來是姹紫嫣紅開遍，似這般都付與斷井頹垣……』

於是，一股沒來由的熱浪衝進了她的眼眶，她的視線模糊了，她開始幻想起來，幻想這屋子中原有的喜悅，原有的笑語，和……原有的愛情。她幻想得那麼逼眞，一段故事，一段湮沒了的故事……她幾乎相信了那故事的眞實性，看到了那男女主角的愛情生活，當然，這裏面有痛苦，有掙扎，有眼淚，有誤會，有爆發……淚水滑下了她的面頰，她閉上了眼睛，不由自主的，又發出了一聲深長的嘆息。

忽然間，她被一陣窸窣的聲音所驚動了，張開眼睛，她對聲音的來源看去，不禁猛的大吃了一驚。在那兒，在一片斷牆與磚瓦的陰影中，有個男人正慢慢的站起身來……她是那樣吃驚，吃驚得幾乎破口尖叫，因爲，她一直沒有發現，除了她之外，這兒還有另外一個人，而且，這個人顯然比她更早就到了這兒了，却不聲不響的蜷伏在那牆角裏，像個幽靈。她用手蒙住了嘴，阻止了自己的喊聲，瞪大了眼睛望着那男人，那男人從陰影中走出來了，他一隻手拿着一根手杖，另一隻手扶着牆，面對着她。她的心跳得强而猛烈，她知道自己沐浴在落日的光芒下，無所遁形，他看到了她，或者，早就看到她了，因爲他一直蟄伏在那兒呵！可是，立即，她發現她錯了，那男人正緩慢的向前移動，一面用手杖敲擊着地面，一面用手摸索着周圍的牆壁，他的眼睛睜着，但是他視若無睹……他是個瞎子！

她吐出一口長氣，這才慢慢的把蒙在嘴上的手放了下來，却又被另一種愴惻的感覺所抓住了。她仍然緊緊的盯着那男人，看着他在那些廢墟中困難的、顚躓的、踉蹌的移動。他不很年輕，大約已超過了四十歲，生活很明顯的在他臉上刻下了痕迹，他的面容在落日的餘暉中顯得非常的淸晰，那是張憂鬱的面孔，是張飽經憂患的面孔，也是張生動而易感的面孔。而且，假如不是那對無神的眸子，他幾乎是漂亮的。他有對濃黑的眉毛，挺直而富有個性的鼻子，至於那緊閉着的嘴，却很給人一種倔强和壞脾氣的感覺。他的服裝並不襤褸，相反的，却十分考究和整潔，西裝穿得很好，領帶也打得整齊，他那根黑漆包着金頭的手杖也擦得雪亮。一切顯示出一件事實——他並不是個流浪漢，而是個上流社會的紳士，但是，他爲什麼蜷縮在這廢墟之中？

他在滿地的殘磚敗瓦和荊棘中摸索前進，他幾度顚躓，又掙扎着站穩，落日把他的影子長長的投射在荒草之中，那影子瘦長而孤獨。那份摸索和掙扎看起來是淒涼的，無助的，近乎絕望的。淚水重新濕潤了方絲縈的眼眶，怎樣的悲劇！人生還有比殘廢更大的悲哀嗎？眼看他直向一堆殘磚撞上去，方絲縈不禁跳了起來，沒有經過思索，她衝上前去，剛好在他被磚瓦絆倒之前扶住了他，她喘息着喊：

『哦！小心！』

那男人猛的一驚，他站住，怔在那兒，接着，他徒勞的用那對無神的眸子望向方絲縈，用警覺而有力的聲音說：

『是誰？是誰？』

一時間，方絲縈沒有答話，她只是楞楞的看着自己面前那張男性的面孔，她活了三十年，這還是第一次，她看到一個男人的臉上，有這樣深刻的痛苦和急切的期盼。由於沒有得到答案，他又大聲說：

『是誰？剛剛是誰？』

方絲縈回過神來了，吸了一口氣，她用穩定的聲音說：

『是我，先生。』

『妳！』那人壞脾氣的說：『但是，「妳」是誰？』

『我姓方，方絲縈。』方絲縈無奈的介紹着自己，心底却有份荒謬的感覺。介紹自己！她爲什麼向他介紹自己？『你不認得我，』她語氣淡漠的說：『我只是路過這兒，看到這棟火後的遺址，一時好奇，走進來看看而已。』

『哦，』他很專心的傾聽着她。『那麼，我剛剛聽到的嘆息不是幻覺了？那麼，這兒有一個活着的人，並不是什麼幽靈了？』他悶悶的說，像是說給他自己聽。

『幽靈？』方絲縈皺皺眉頭，深思的看着他。『你在等待一個幽靈嗎？』她衝口而出的說。因爲，他的臉上明顯的有着失望的痕迹。

『什麼？』他的聲音中帶着點惱怒。『妳說什麼？』

『哦，沒什麼。』方絲縈答着，研究的看着面前這張臉，這是個易怒的人呵！『我只是奇怪，你爲什麼坐在一堆廢墟裏？』

『那麼妳呢？妳爲什麼到這堆廢墟裏來？』

『我說過，我好奇。』她說：『我本來是到松竹寺去玩的。』

『一個人？』

『是的，我在台灣沒什麼朋友，我是個華僑，到台灣來度假的，我在美國住了十幾年了。』

『哦。』他看來對她的身世絲毫不感興趣，但他仍然仔細的傾聽她，用一種屬於盲人的專注。

『可是，妳的國語說得很好。』

『是嗎？』她嘴角飄過了一抹隱約的微笑。她知道，她的國語說得並不好，有五六年的時間，她住在完全沒有中國人的地方，不說一句國語，以至如今，她的國語中多少帶點外國腔調。

『是的，很好。』他出神的說，嘆了口氣。『妳身上戴了朵玫瑰花嗎？我聞到了花香。』

『有兩朵玫瑰，我在花園裏摘的。』

『花園——』他楞了楞。『那兒還有花嗎？』

『是的，有兩株玫瑰，長在一堆荒草裏。』

『荒草——』他的眉心中刻上了許多直線條的紋路。『這裏到處都是荒草了吧？』

『是的，荒草和廢墟。』

『荒草和廢墟！』他的聲音蒼涼而空洞，低低的說：『這裏曾經是花木扶疏的。』

『我可以想像。』方絲縈有些感動，這男人的神色撼動了她。『你一定很熟悉這個地方。』

『熟悉?!豈止熟悉？這是我的地方！我的房子，我的花園，我的家。』

『哦！』方絲縈瞪視着他。『那麼，你失去了很多的東西了？』

『一個世界。』他低聲的說，幾乎只有他自己聽得到。

『怎樣失火的？』方絲縈掩飾不住自己的好奇和關切。不等回答，她又急切的問：『有人葬身火窟嗎？』

『不，沒有。』

『那還好。』她吐出一口氣來。『花園和房屋是可以重建的。』

『重建！』他打鼻子裏哼了一聲。『沒有人能重建含煙山莊，再也沒有人了！除非……』他噤住了，把頭轉向天空，突然醒悟似的說：『天氣不早了，是嗎？』

『是的，太陽都已經下山了。』

『那——我得走了。』他匆忙的說，探索的用手杖去碰觸那遍是雜草碎石的地面，這份無助深深的引起了方絲縈的憐憫，她本能的扶住了他。

『你住在什麼地方？』她問。

『就在附近，幾步路而已。』

『那麼，我送你回去，反正我沒事。』

『不！』他很快的說，幾乎是惱怒的。『我可以自己走，我對這兒熟悉得像自己的手指！而且，我還不要回去呢！我要去接我的女兒。』

『女兒！』方絲縈頓了頓，緊緊的盯着面前這個男人。『你有個女兒嗎？多大了？她在什麼地方？你要到那裏去接她？』

那男人的眉峯很快的鎖在一起。

『這關妳什麼事嗎？』他率直的說：『妳倒是很喜歡管閒事的呵！』

方絲縈的臉驀的漲紅了。她掉頭望向天際，太陽已經沉落了，最後的一抹彩霞還掛在遠山的頂端，留下一筆淡淡的嫣紅。

『我只是隨便問問，』她輕輕的說。『我說過，我在這兒沒有朋友，所以，我……』

她沒有講完她的話，但是，那男人顯然已經了解了她那份孤寂，因爲，他眉峯的結放開了，一個近乎溫柔的表情浮上了他的嘴角，這表情緩和了他面部僵直的肌肉，使他看起來和煦而慈祥。

『我抱歉。』他匆促的說。『我的脾氣一直很壞。』爲了彌補他剛才的失禮，他又自動的答覆了方絲縈的問題。『我女兒今年十歲，就在這兒的國民小學讀書，平常她都自己走回家，今天我旣然出來了，就不妨去接接她。』

『我送你去，好嗎？』方絲縈熱切的說。『我沒有事，一點事都沒有。』

『如果妳高興。』那男人說，聲調却是淡漠的，不太熱中的。

方絲縈看了他一眼，她知道，他一定以爲碰到了個最無聊的人，一個無所事事而又愛管閒事的人！但，她並不在乎他的看法。望着他，她說：

『注意，你前面有一堆石頭，你最好從這邊走！』她攙扶了他一下。『我攙你走，好嗎？』

『不用！』他大聲說。

方絲縈不再說話了，他們繞出了那堆廢墟。一經走到花園裏，沒有那些絆脚的木頭和石塊，那男人的脚步就快了起來。方絲縈發現他確實對這兒很熟悉，而且，她這時才發現她剛才忽略了的地方，這花園中間有條水泥路，却並沒有被雜草所盤據，顯然是因爲常有人走的關係。那麼，他是眞的常到這廢墟中來了？一個失明的男人，經常到一堆廢墟裏來做什麼？是憑弔過去？還是找尋過去？她不禁悄悄的，也是深深的，研究着旁邊這個男人的臉譜。現在，那男人專注的走着路，似乎根本忘記了她的存在，那張臉是憂鬱、冷漠、嚴肅，而莫測高深的。

沿着那條大路，他們走了沒有多遠，方絲縈就看到路邊有棟相當豪華的花園洋房，兩扇大大的紅門，高高的圍牆，修剪得像一個個小亭子似的榕樹從圍牆頂端露了出來。圍牆裏有棟兩層樓的建築，外壁上貼着講究的花磚，有美麗的壁燈，和別致的圓形窗子。那圍牆的紅門上掛着一塊黑底金字的牌子，是：

『柏宅』

方絲縈再看了一眼身邊的男人。

『這路邊的大房子是你的家嗎？柏先生？』她問。

那男人驚跳了一下。

『妳怎麼知道我姓柏？』他迅速的問。

『這很簡單，你說你的家就在附近，這棟房子是附近唯一考究的建築，從你的服飾看來，你應該是棟考究住宅的主人。而這房子的大門上，掛着「柏宅」的牌子。』

『唔，』那人放鬆了面部的肌肉。『妳的聯想力倒很豐富。妳做什麼的？一個作家？』

『沒那份才華，却很有寫作的興趣。』她說，凝視着他。『我在美國學的是教育，當了五年的小學老師。』

『妳可以改行學寫作，妳彷彿在搜尋故事！妳探訪一座廢墟，妳發現了一個瞎子，妳希望從他身上找出故事，然後去寫一本簡愛，咆哮山莊，或是蝴蝶夢。』他冷冷的說，聲音裏帶點諷刺味道。

『哼！』方絲縈不由自主的哼了一聲。『你錯了，柏先生，我對你的故事不感興趣。』

『是嗎？』

方絲縈不再說話了，他們沉默的走了一大段路。然後，方絲縈看到了那所小學校，成羣的孩子正三三兩兩的從校門口湧出來。這所學校位於一個小鎮市的頂端，門口的牌子是：

『正心國民小學』

顯然，他們來晚了，孩子們已經放學了，大部分的孩子都往鎮裏面跑，也有一兩個是往他們來的方向走的。他們站住了，方絲縈仔細看着那些孩子，穿著白襯衫、藍短褲或藍裙子，這些孩子們喊喊喳喳的像一羣小鳥，彼此追逐着，嬉戲着，打打鬧鬧……這是多麼活潑而喜悅的一羣！

『他們已經放學了。』那盲人說。

『是的，』方絲縈的呼吸有些急促，她急於想見到這男人的女兒是怎樣一個孩子。『你的女兒可能已經回家了。』

『可能。』那男人說，並不怎麼在意。

『她高嗎？矮嗎？漂亮嗎？』方絲縈熱心而迫切的在孩子中搜尋着。『她是什麼樣子的？』

『我還希望有人告訴我她是什麼樣子的呢！』那男人喃喃的說。

『啊！』方絲縈驚異的看着他。『你竟然不知道……啊！』一股憐恤而愴惻的情緒從她胸口湧了上來。是的，他是瞎子！他不知道自己的女兒長得什麼樣子！但是……他瞎了很多年了嗎？

『我要回去了，她一定早到家了。』那男人轉過了身子。

『哦，等等！』方絲縈喊着，因爲，她一眼看到校門口有個小女孩，正一個人孤獨的走出校門，那是個瘦瘦小小而蒼白稚弱的小東西，梳着長長的髮辮，帶着一臉早熟的寥落。是這孩子嗎？她的心跳着，相信自己的判斷，是這孩子！一定的！那孩子長得多像她父親，她從沒看過這樣酷似的相像！濃眉大眼和挺直的鼻梁，連那股憂鬱的神情都是她父親的再版。『我看到你的孩子了！』她喘息的說。『她果然是個漂亮的孩子！』

『妳怎能斷定……』那父親的話還沒說完，就被孩子的一聲驚呼所打斷了。那女孩已經發現了他們，她喊了一聲，就狂奔着跑了過來，一面喘着氣喊：

『爸爸！爸爸！』

她一下子衝到了父親的身邊，用她的兩隻小手緊緊的抓住她父親那隻沒有拿手杖的手，她的眼睛大而明亮，帶着一種狂喜和受寵若驚的神情，仰視着她的父親。她那蒼白的小臉現在紅潤了，被喜悅和激動所染紅了。她的呼吸急迫而短促。

『爸爸！你來接我嗎？是嗎？爸爸！』她嚷着，環繞在她父親的膝下。她是多麼瘦小呵！十歲？她看來不足六歲，像株風吹一吹就會折斷的小草。那蒼白的皮膚幾乎是半透明的，這是個多脆弱的小生命呀！

『我出來散步，順便來看看妳放學沒有。』那父親說，並沒有被女兒那份狂喜所感染，他的聲調是平平淡淡的。這平淡幾乎觸怒了方絲縈。你竟看不出你的女兒是多麼愛你嚒？傻瓜！你竟不知道她那小心靈在怎樣渴望着愛嚒？傻瓜！你可曾好好照顧過這孩子嚒？殘酷的父親哪！如果你

『看』不見，你最起碼感覺得到呵！

『哦，爸爸！』那孩子沒有因父親的平淡而失望，她仰視着父親的那對眸子裏閃耀着單純的信賴和崇拜，除了信賴與崇拜之外，還有層薄薄的敬畏。她悄悄的把面頰倚在父親的手背上，激動的說：『你一個人走來的嗎？亞珠和老尤沒有陪你嗎？』

『那位阿姨陪我走來的，妳去謝謝她去！』那盲人準確的指出她所站的位置。

那小女孩轉過臉來對着她，一時間，方絲縈竟有把她攬進懷裏來的衝動，多美麗的小東西！多惹人疼愛的小東西！她是願意犧牲世上一切，來博得這樣一個小東西的笑靨的。

『噢，阿姨，謝謝妳！』那孩子對她微微彎腰，但她捨不得離開父親的身邊，她的小手仍然緊緊的攥住她父親的手。只這樣馬馬虎虎的交代了一句，她就把她那張被喜悅燃燒得發亮的小臉又轉向了父親，興高采烈的說：『我攙你回去！爸爸！你要走小心一點，當心你脚邊，那兒有個坑哪！』

『好，妳帶着我走吧，亭亭。』那父親讓女兒攙住他的手，但是，顯然的，他這只是爲了撫慰那孩子而已，他並不眞的需要幫助。『我們回去吧！天不早了。』

『再見！阿姨！』

那孩子沒忘記對她拋下一句再見，然後，她攙着父親的手，向那條寬寬的泥土路上走去了。

方絲縈目送着這父女二人的背影。暮色已經蒼茫的籠罩了下來，那兩人的身影像是走在一層濃霧裏，飄浮而虛幻。在這一剎那，方絲縈心頭竟湧上了一股莫名其妙的酸楚，她有種强烈的、被遺棄似的感覺。眼看着那父女二人的身子小了，遠了，被暮色所吞噬了……她呆呆的佇立着，不能移動，眼眶却逐漸的濕潤了。

2

經過了一番佈置，方絲縈這間小小的單身宿舍也就十分清爽，而且雅潔可喜了。窗子上，掛着簇新的、淡綠色條紋花的窗帘，床上，鋪着米色和咖啡色相間的床罩，一張小小的籐茶几，鋪了塊鈎針空花的桌巾，兩張籐椅上放了兩個黑緞子的靠墊，那張小小的書桌上，有盞米色燈罩的小檯燈，一個綠釉的花瓶裏，插了幾枝翠綠色的、方絲縈剛從後面山坡上摘來的竹子。一張小梳妝台上放着幾件簡單的化妝品。

一切佈置就緒，方絲縈在書桌前的椅子裏沉坐了下來，環室四顧，她有種迷茫的，不敢相信的情緒。想想看，幾個月前，她還遠在天的那一邊，有高薪的工作，有豪華的公寓住宅。而現在，她却待在台灣一所郊區的小學校裏，做一個小學教員，這簡直是讓人不能置信的！她還記得介紹她到這學校裏來的那個教育部的張先生，對她說的話：

『我不瞭解妳，方小姐，以妳的資歷，教育部很容易介紹妳到任何一所大學去當講師，妳爲什麼偏偏選中這所正心國民小學？小學教員待遇不高，而且也不容易教，妳還得會注音符號。』

『我會注音符號，你放心，張先生，我會勝任愉快的。』這是她當時的回答。『我不要當講師，我喜歡孩子，大學生使我很害怕呢！』

『但是，妳爲什麼偏選擇正心呢？別的學校行嗎？』

『哦，不。我只希望是正心，我喜歡那兒的環境。』

現在，她待在正心小學的教職員宿舍裏了，倚着窗子，她可以看到遠處的青山，可以看到校外的山坡，和山坡上遍佈的茶園，以及那些疏疏落落的竹林。是的，這兒的環境如詩如畫，但是，促使她如此堅決留下來教書的原因僅是這兒的環境嗎？還是其他不可解的理由呢？她也記得這兒的劉校長，那個胖胖的，好脾氣的，四十餘歲的婦人，對她流露出來的詫異和驚奇。

『哦，方小姐，在這兒教書是太委屈妳了呢！』

『不，這是我希望已久的工作。』她說，知道自己那張國外的碩士文憑使這位校長吃驚了。

『那麼，妳願擔任六年級的導師嗎？』

『六年級？畢業班我怕教不了，如果可以，五年級行嗎？最好是科任。』五年級，那孩子暑假之後，應該是五年級了。

就這樣，她負責了五年級的數學。

這是暑假的末了，離開學還有兩天，她可以輕鬆的走走，看看，認識認識學校裏別的老師。

她走到梳妝台前面，滿意的打量着自己，頭髮鬆鬆的挽在頭頂，淡淡的施了點脂粉，戴着副近視眼鏡，穿了身樸素的，深藍色的套裝。她看起來已很有『老師』樣子了。

拿了一個手提包，她走出了宿舍。她要到校外去走走，這正是黃昏的時候，落日下的原野令人迷惑。走出校門，她沿着大路向前走，大路的兩邊都是茶園，矮矮的植物在田野中一棵棵整齊的栽種着。她看着那些茶樹，想像着採茶的時候，這田野中遍佈着採茶的姑娘，用頭巾把斗笠綁在頭上，用布纏着手脚，彎着腰，提着茶籃，那情景一定是很動人的。

走了沒多久，她看到了柏宅，那棟房子在落日的光芒下顯得十分美麗，圍牆外面，也被茶園所包圍着。她停了片刻，正好柏宅的紅門打開了，一輛六四年的雪弗蘭開了出來，向着台北的方向疾馳而去，揚起了一陣灰塵。六四年的雪弗蘭！現在是一九六五年，那人相當闊氣呵！方絲縈想着。在美國，一般留學生沒事就研究汽車，她也感染了這份習氣，所以，幾乎任何車子，她都可以一眼就叫出年份和車名來。

越過了柏宅，沒多久，她又看到那棟『含煙山莊』了。這燒毀的房子誘惑着她，她遲疑了一下，就走進了那扇鐵門，果然，玫瑰依然開得很好，她摘了兩枝，站在那兒，對那廢墟凝視了好一會兒。然後，轉過身子，她走了出去。落日在天際燃燒得好美，她深吸着氣，夠了，她覺得渾身漲滿了熱與力量。

『我永不會懊悔我的選擇！』

她對自己說着。

回到宿舍，她把兩枝玫瑰插進了書桌上的花瓶裏，玫瑰的嫣紅襯着竹葉的翠綠，美得令人迷惑。整晚上，她就對着這花瓶出神。夜幕低垂，四周田野裏，傳來了陣陣蛙鼓及蟲鳴，她傾聽着，然後，她發出一聲低低的、柔柔的嘆息。打開書桌抽屜，她抽出了一疊信箋，開始寫一封英文的信，信的內容是：

『親愛的亞力：

我很抱歉，我已經決定留在臺灣，不回美國了，希望你不要跟我生氣，我祝福你能找到比我更好的女人。我無法解釋一切是怎麼回事，只是……只是一件偶然，那個五月的下午，我會心血來潮的跑到郊外去。然後我竟被一堆廢墟和一個小女孩所迷住了……』

她沒有寫完這封信，丟下筆來，她廢然長嘆。這是無法解釋清楚的事，亞力永遠無法明白這是怎麼回事，她講不清楚的。他會當她發了神經病！是的，她對着案頭的兩朵玫瑰發楞，天知道，她爲什麼留下來呢？海外正有一個男人希望和她結婚，她已過了三十歲了，早就該結婚了。天知道！她可能眞的發了神經病了！

開學三天了。

站在教室中，方絲縈一面講課，一面望着那個坐在第一排正中的女孩子。她正在講授着鷄兔同籠，但是，那女孩的眼睛並沒有望向黑板，她用一隻小手托着下巴，眼睛迷迷濛濛的投向了窗外，她那蒼白的小臉上有某種專注的神情，使方絲縈不能不跟着她的視線向窗外望去。窗外是校園，有棵極大的榕樹，遠方的天邊，飄浮着幾朵白雲。方絲縈停止了講書，輕輕的叫了聲：

『柏亭亭！』

那女孩渾然未覺，依然對着窗外出神。方絲縈不禁咳了一聲，微微抬高聲音，再喊：

『柏亭亭！』

那孩子仍然沒有聽到，她那對黑眼珠深邃而幽黑，不像個孩子的眼睛，她那專注的神情更不像個孩子，是什麼東西佔據了這孩子的心靈？方絲縈蹙緊了眉頭，聲音提高了：

『柏亭亭！』

這次，那孩子聽到了，她猛的驚跳了起來，站起身子，她用一對充滿了驚惶的眸子，一瞬也不瞬的看着方絲縈。她那小小的、沒有血色的嘴唇微微的顫抖着，瘦削的手指神經質的抓着書桌上的課本。她張開嘴來，輕輕的吐出了一句：

『哦，老師？』

這個怯生生的、帶着點乞憐意味的聲調把方絲縈給折倒了。她不由自主的放鬆了緊蹙的眉頭，走到這孩子的桌子前面。柏亭亭仰起臉來望着她，一臉被動的、等待責罵的神情。

『妳沒有聽書，』方絲縈的聲音意外的溫柔。『妳在看什麼呢？』

柏亭亭用舌尖潤了潤嘴唇，方絲縈那溫柔的語氣和慈祥的眸子鼓勵了她。

『那棵樹上有個鳥窩，』她低低的說：『一隻母鳥不住的叼了東西飛進去，我在看有沒有小鳥。』

方絲縈轉過頭，眞的，那棵樹的濃密的枝葉裏，一個鳥窩正穩穩的建築在兩根枝椏的分叉處。方絲縈掉回頭來，出神的看了看柏亭亭，她無法責備這個孩子。

『好了，坐下去吧，上課要用心聽，否則，妳怎麼會懂呢？』她停了停，又加了一句：『放學之後，到教員休息室來，我要和妳談一談。』

『哦？老師？』那孩子的臉上重新湧上了一層驚惶之色。

『不要怕，』她用手在那孩子的肩上撫慰的按了按，這肩膀是多麼的瘦小呵！『沒什麼事，只是談談而已。坐下吧！我們回到書本上來，別再去管那些小鳥了。』

下午五點鐘，降旗典禮行過了。方絲縈坐在教員休息室裏，看着柏亭亭慢吞吞的走進來。她的桌子上攤着柏亭亭的作業本，她從沒看過這麼糟的一本練習，十個四則題幾乎沒有一個做對，而且錯得荒謬，使她詫異她的四年級是怎樣讀過來的。現在，望着這孩子畏怯的站在她面前，那兩隻瘦小的胳膊從白襯衫的短袖下露出來，瘦弱得彷彿碰一碰就會折斷。她心中不禁湧起了一股强烈的、難言的憐惜和顫慄。這是怎樣一個孩子呢？她在過着怎樣的一種生活？她的家長竟沒有注意到她的孱弱嗎？

『老師。』柏亭亭輕輕的叫了聲，低垂着頭。

『過來，柏亭亭。』方絲縈把她拉到自己的身邊，仔細的審視着那張柔弱而美麗的小臉。『我上課講的書妳都懂嗎？』

『哦，老師。』那孩子低喚了一聲，頭垂得更低更低了。

『不懂嗎？』方絲縈盡量把聲音放得溫柔。『妳如果不懂，應該要問我，知道嗎？妳的練習做得很不好呢！』

那孩子低低的嘆了口氣。

『怎麼？妳有什麼問題？告訴我。』她耐心的問。

『我只是不懂，』那孩子嘆着氣說：『幹嘛要把鷄和兔子關在一個籠子裏呢？那多麻煩呵！而且，鷄的頭和兔子的頭根本不同嘛，幹嘛要去算多少個頭，多少個脚呵！我家老尤養了鷄，也養了小兔子，牠們從來沒有讓人這樣麻煩過，我很容易數清牠們的！』她又嘆了口氣。

『哦！』方絲縈楞住了，面對着那張天眞的小臉，她竟不知怎樣回答了。『這只是一種方法，教妳計算的一種方法，懂嗎？』她笨拙的解釋。

那孩子用一對天眞的眸子望着她，搖了搖頭。

『教我們怎樣把問題弄複雜嗎？』她問。

『噢，數學就是這樣的，它要用各種方法，來測驗妳的頭腦，訓練妳計算的能力，妳必須接受這種訓練，將來妳長大了，會碰到許多問題，需要妳利用妳所學的來解決。知道嗎？』

『我知道，』柏亭亭垂下了眼瞼，又嘆了口氣。『我想，我是很笨的。』

『不，別這樣想，』方絲縈很快的說，把那孩子的兩隻小手握在她的手中。她的眼睛無限溫柔的停在她的臉上。『我覺得妳是個非常聰明而可愛的孩子。』

柏亭亭的面頰上飛上了兩朵紅暈，她很快的揚起睫毛，對方絲縈看了一眼，那眼光中有着嬌羞，有着安慰，還有着喜悅。她的嘴角掠過了一抹淺淺的笑意，那模樣是楚楚動人的。

『告訴我，妳家裏有些什麼人？』方絲縈不自禁的問，她對這孩子的瘦弱懷疑。

『爸爸，媽媽，亞珠，和老尤。』柏亭亭不假思索的回答，接着，又解釋了一句：『亞珠是女傭，老尤是司機和園丁。』

『哦，』方絲縈楞了楞，又仔細的打量着柏亭亭。『但是——』她輕聲說：『妳媽媽喜歡妳嗎？』

那孩子驚跳了一下，她迅速的揚起睫毛來，直視着方絲縈，那對黑眼睛竟是灼灼逼人的。

『當然喜歡！』她幾乎是喊出來的，臉色因激動而發紅，呼吸急促，她看來十分激怒而充滿了敵意。『他們都喜歡我，爸爸和媽媽！』垂下眼睫毛，她用那細細的白牙齒緊咬了一下嘴唇，又抬起頭來，她眼中的敵意消失了，取而代之的，是一種近乎哀懇的神色。『方老師，』她低低的說：『妳不要聽別人亂講，妳不要聽！我爸爸和媽媽都疼我，眞的！我不騙妳，眞的！』

她的小臉上有股認眞的神情，竟使方絲縈心頭掠過了一陣痛楚。不要聽別人亂講，這話怎麼說呢？她審視着這孩子，又記起了那個五月的下午，那盲父親，和這孩子……她吸了口氣。

『好吧！柏亭亭，沒有人懷疑妳的父母不愛妳哦！』她摸了摸那孩子的頭髮，有個髮辮鬆了，她讓她背對着自己，幫她把髮辮紮好。再把她的臉轉過來。『回去問妳爸爸媽媽一件事，好嗎？』

『好的。』

『去問問妳爸爸和媽媽，每天能不能讓妳在學校多留一小時，我要給妳補一補算術。妳放學後到我房裏去，我給妳從基本再弄起，要不然，妳會跟不上班，知道嗎？』

『好的，老師。』

『那麼，去吧！』

『再見，老師。』那孩子再望了她一眼，眼光中有着某種特殊的光芒，某種溫柔的、孩子氣的、依戀的光芒，這眼光絞緊了方絲縈的心臟。她知道，這孩子喜歡她，她更知道，這孩子一定生活在寂寞中，因爲一丁點兒的愛和關懷就會帶給她多大的快樂！望着她退向教員休息室的門口，她忍不住又叫住了她：『還有句話，柏亭亭！』

『老師？』那孩子站住了，掉過頭來望着她。

『妳有弟弟妹妹嗎？』

『沒有。』

『妳爸爸媽媽就妳這一個孩子？』

『是的。』

『有爺爺奶奶嗎？』

『奶奶三年前死了，爺爺早就死了，我從來沒見過他。』

『哦。』方絲縈沉思的望着柏亭亭。『好了，沒事了，妳去吧。』

柏亭亭走了。方絲縈深深的沉坐在椅子裏，仍然對着柏亭亭消失的門口出神。她手裏握着一支鉛筆，下意識的用牙齒咬着鉛筆上的橡皮頭，把那橡皮頭咬了一個好大的缺口。直到另一位女教員走過來，才打斷了她的沉思。

『我看到妳在問柏亭亭話，這孩子有麻煩嗎？』那女教員笑吟吟的問。

『哦，』方絲縈抬起頭來，是教五年級國文的李玉笙，這是個脾氣很好，也很年輕的女教員，她在正心教了三年了，除教國文外，她還兼任柏亭亭班的導師。『沒什麼，』方絲縈說：『數學的成績不好，找她來談談，這是個很特殊的孩子呢！』

『是的，很特殊！』李玉笙說，拉了張椅子，在方絲縈對面坐了下來。『如果妳看到她的作文，妳絕不會相信那是個十一歲孩子寫的。』

『怎麼？寫得很好？』

『好極了！想像力豐富得讓妳吃驚！』李玉笙笑着搖了搖頭，嘆口氣說：『這種有偏才的孩子最讓人傷腦筋，她一直是我們學校的問題孩子，每年，我們都爲她的升班不升班開會討論，她的數學始終不好，國文却好得驚人！不過，別讓那孩子騙倒妳，那是個小鬼精靈！』

『騙倒我？』方絲縈不解的說：『妳的意思是什麼？她撒謊嗎？』

『撒謊?!』李玉笙誇張的笑了笑。『她對撒謊是第一等的能手！妳慢慢就會知道了。』

『怎麼呢？』方絲縈不解的蹙起了眉。

李玉笙的身子俯近了些。

『妳是新教員，一定不知道她家的故事。』李玉笙說，一臉的神祕。自從有人類以來，女性就有傳佈故事的本能。

『故事？』方絲縈的眉頭蹙得更緊了。『什麼故事？』她深深的凝視着李玉笙，眼前浮起的却是那個盲人的影子。

『柏亭亭的父親是柏霈文，妳知道柏霈文吧？』

方絲縈搖了搖頭。

『嗨，妳眞是什麼都不知道哦！』李玉笙說。『柏霈文在這兒的財勢是人盡皆知的，妳看到學校外面那些茶園嗎？那全是柏家的！他家還不止這些茶園，在台北，他還有一家龐大的茶葉加工廠。這一帶的人都說，誰也無法估計柏霈文的財產。也是太有錢了，才會好好的把一棟大房子放火燒掉！』

『什麼？』方絲縈吃了一驚。『妳說什麼？放火燒掉？誰放火？』

『妳有沒有注意到一棟燒掉的房子？叫含煙山莊？』

『是的。』

『那原來也是柏家的房子，據說，是柏霈文自己放火把它燒掉的！』

『柏霈文自己？』方絲縈的眉心已緊緊的打了個結。『爲什麼？』

『有人說，因爲那棟房子鬧鬼，也有人說，因爲那房子使柏霈文想起他死去的妻子，就乾脆放一把火把它燒掉。不過，燒了之後，柏霈文又後悔了，所以常常跑到那堆廢墟裏去，想把他妻子的鬼魂再找回來。』

『他的妻子？』方絲縈張大了眼睛。『妳是說，他的太太已經死掉了？』

『他的頭一個太太，也就是柏亭亭的生母，現在這個太太是續弦。』

『哦。』方絲縈嚥了一口口水。眼睛茫然的看着書桌上柏亭亭的練習本。

『據說，柏亭亭不是柏霈文的女兒。』李玉笙繼續說，似乎有意要把這個故事一點點的洩露，來引起聽故事的人一步步的驚奇。

『什麼？』果然，方絲縈迅速的抬起頭來，驚訝得張大了嘴。『妳說什麼？』

『是這樣的，聽說，柏霈文的第一個太太是個很美麗也很害羞的小東西，但是，並不是什麼好出身，原來是柏霈文在台北的工廠裏的一個女工，可是，柏霈文對她發了瘋似的愛上了，他不顧家庭的反對，把她娶回家來。婚後兩年，生了柏亭亭，一件意外就爆發了。據說，柏霈文發現他太太和他手下一個管茶園的人有隱情，一怒之下把他太太趕出了家門。誰知他太太當晚就投了河。至於那個管茶園的人，也被柏霈文趕走了。所以，大家都說，柏亭亭是那個茶園管理人的女兒，不是柏霈文的。』

『哦！』方絲縈困難的說：『但是……』她想起了柏亭亭和她父親的相像。

『也就是這原因，』李玉笙自顧自的說了下去，沒有注意到方絲縈的困惑。『柏亭亭從小就不得父親的歡心，等到有了繼母之後，柏亭亭的日子就更不好過了。何況，柏霈文又瞎了……』

『他瞎了很多年嗎？』

『總有六七年了。』

『怎麼瞎的？』

『弄不清楚。』李玉笙搖搖頭。『聽說是火災的時候受了傷，反正這是個傳奇式的家庭，什麼故事都可能發生，誰知道他怎麼瞎的？』

『那繼母不喜歡柏亭亭嗎？』

李玉笙含蓄的笑了笑。

『柏亭亭一定告訴妳，她母親很愛她，是嗎？』她說：『我不說了，妳如果對這孩子有興趣，妳會在她身上發掘出許多故事。妳是學教育，研究兒童心理的，這孩子是個最好的研究對象，妳不妨跟她多接近接近，然後，我相信，』她抿着嘴一笑，望着方絲縈。全校都知道，方絲縈到正心來教書，只是爲了對孩子有『興趣』，並不像他們別的教員，是爲了必須『工作』。『她會使妳大大驚奇的！妳試試看吧！』

李玉笙站起身來，看了看窗外，太陽早就落下山去了，暮色已從窗外湧了進來，教員休息室裏，別的教員早就走了。

『哦，』她驚覺的說：『一聊就聊得這麼晚，我必須馬上走了。』她是住在台北的，匆匆的拿起了手提包，她說：『再見。』

『再見！』

方絲縈目送她的離去。然後，她仍然坐在那張椅子裏，一個人對着那暮色沉沉的窗外，默默的、出神的、長久的注視着。

3

門上有輕微的剝啄之聲。

『進來！』方絲縈喊，從書桌上抬起頭來。

房門推開了，柏亭亭背着書包走進屋裏，反身關好了房門，她對方絲縈送來一個甜甜的微笑，輕聲說：

『我來了，老師。』

『好，坐下吧，亭亭。』方絲縈把籐椅推到她面前，讓她坐好，然後審視著她，微笑的說：『妳知不知道，補了一個禮拜的課，妳已經進步很多了？可見妳平常不是做不好，只是不肯做，不肯用心而已。』

柏亭亭垂下睫毛，輕輕的嘆了口氣。

『瞧！又嘆氣了，』方絲縈好笑的說：『跟誰學的？這麼愛嘆氣！妳爸爸嗎？』

『爸爸——啊！』那孩子忽然想起了什麼，從書包裏抽出了一個信封，遞給方絲縈，說：『差點忘了，爸爸要我把這個給妳。』

『是什麼？』方絲縈狐疑的接過信封，打開來，裏面是一疊一百元一張的鈔票，數了數，剛好十張。方絲縈的微笑消失了，看着柏亭亭，她說：『這是做什麼？』

『爸爸說，不能讓妳白白幫我補習，這是一點小意思，算是補習費。』

『補習費？』方絲縈啞然失笑，把鈔票裝回信封裏，她交還給柏亭亭，說：『拿去還給妳爸爸，知道嗎？告訴妳爸爸，方老師給妳補習，不是爲了補習費，方老師也不缺錢用，有了這個，反而不自然了，懂嗎？拿回去吧！』

『可是——』柏亭亭急急的說：『爸爸要我給妳，拿回去，爸爸會生氣。』

方絲縈楞了楞。

『妳爸爸——』她猶豫的說：『常常跟妳生氣嗎？』

『不，不是的！』那孩子用有力的聲音喊著說：『爸爸從不跟我生氣，從不！他愛我，妳知道嗎？』她喘口氣，凝視著方絲縈，然後，她忽然換了語氣，用一種軟軟的、溫柔的、孩子氣的語調說：『昨天是我的生日。』

『是嗎？』方絲縈又楞了楞，她不知道這孩子葫蘆裏在賣什麼藥。

『是的，我自己都忘了。』那孩子睜大了眼睛望著她，那對眼睛好坦白，好天真。『一直到放學回家以後，我看到餐廳裏放著一個三層的大蛋糕，滿房間都是蠟燭和花，我嚇呆了，爸爸才把我舉起來，說：「生日快樂，我的小東西！」』那孩子又嘆口氣，顯得無限的滿足和喜悅：『爸爸總是叫我小東西，我想，那是因為他眼睛看不見了，不知道我長得多高了的原因。後來，媽媽把一個好漂亮的，紮着紅色綢結的盒子放在我懷裏，妳猜！方老師，』那孩子的眼睛興奮的發著光。『裏面是什麼東西？』

『是什麼？』方絲縈聽得出神了。

『一個大洋娃娃！』那孩子喘着氣說。『有好長好長的、金色的頭髮，有會睜會閉的眼睛，還有白顏色、空紗的大裙子，噢，老師，妳不知道那有多美，下次我帶來給妳看，好嗎？那是我媽媽自己到台北去買的，她知道我最喜歡洋娃娃，從小，她就給我買好多洋娃娃，各種各樣的。我有一個櫃子，專門放洋娃娃，每個洋娃娃我都給她取了名字。有個黑娃娃我就叫她小黑炭，有個醜娃娃我就叫她小醜，妳猜我給這個新的娃娃取名字叫什麼？』

『叫什麼？』

『金鬈兒。這名字好嗎？如果妳看到她那一頭的金鬈兒和她那個小翹鼻子！』

『名字取得很好，』方絲縈說，怔怔的望著面前這張充滿了稚氣的臉龐，在這一刻，這張臉完全是孩子氣的，找不着一絲一毫她最初在這孩子臉上看到的那份成人的憂鬱了。『妳有這麼多洋娃娃，妳媽媽為什麼還送妳洋娃娃呢？』

『怎麼！』那孩子的濃眉抬得高高的。『洋娃娃不能只有一個的，她們會悶呀！當然越多越好，這樣，她們可以一塊兒玩，一塊兒吃，一塊兒睡，就不會悶了。』

方絲縈憐惜的看着柏亭亭，這是獨生孩子的苦惱！

『妳平常很悶嗎？亭亭？』她輕柔的問。

『哦，不！』那孩子立刻回答。『我不會悶。媽媽總是陪着我，早上，她幫我梳頭，紮小辮子，雖然亞珠也可以幫我梳，但是媽媽怕她弄痛我，然後陪我吃早飯，看著我走出大門去上學，晚上她陪我作功課，照顧我上床，我睡了，她還在床邊爲我唱催眠曲……哦，』她的眼睛陶醉的望向窗外，幸福的光彩把那張小臉燒得發亮。『她是世界上最好的媽媽！』

『噢，』方絲縈定了定神，說：『有這樣的好媽媽是妳的幸福。好了，我們不談妳媽媽了，拿出妳的算術書來吧！』

『唉！』柏亭亭嘆了一聲，無限依戀的把眼光從窗外收回來，懇求似的看着方絲縈，說：『一定要拿出書來嗎？妳不喜歡聽我說話？』

『哦，我喜歡，亭亭。』方絲縈急忙說，把那孩子的兩隻手抓在自己的手裏。『可是，亭亭，功課也是很重要……』她忽然止住了，瞪視著柏亭亭的雙手，她受驚的、激動的大聲喊：『亭亭！』

柏亭亭猛的吃了一驚，迅速的，她想把自己的兩隻手抽回來，但是，方絲縈已經緊緊的抓住了這雙手，不容她再逃走了。

『亭亭！』方絲縈喘著氣：『怎麼弄的？告訴我，這是怎麼回事？』

在那雙小手上，遍是青紫的瘀血和傷痕，手心，手背，手腕上都有，而且都一條條的腫了起來，顯然是由於某種戒尺類的東西打擊而成的。現在，因為方絲縈的緊握，那孩子已經痛得不住向肚子裏吸氣，但是，她忍耐着，用最勇敢的眸子直瞧著方絲縈，她清晰的說：

『我——摔了一跤。』

『摔了一跤？』方絲縈嚷著，激動得不能自已。『摔跤能造成這樣的傷痕嗎？亭亭，妳最好對我說實話，要是妳再不說實話的話，我就帶妳去找妳父親，我要弄清楚這是怎麼回事！』

『不要！老師！』那孩子受驚了，恐慌了，她拉住了方絲縈，緊張而哀求的喊：『不要！老師！不要告訴我爸爸！求妳！老師，妳千萬不要！』

『但是，妳是怎麼弄的？妳說，妳告訴我！』方絲縈抓住那孩子的肩膀，搖撼著她。『有人打妳嗎？有人欺侮妳嗎？說呀！』

『老師！』那孩子崩潰了，所有的偽裝一剎那間離開了她，她淒楚的喊了一聲，眼淚迅速的湧進了眼眶裏。她的臉色蒼白，嘴唇顫抖，小小的身子抖動得像寒風中的落葉。她的聲音懇求的、悲哀的喊著：『求妳不要問吧！老師，求求妳不要問吧！求求妳！』

『走！』方絲縈站起身來，一把拉住那孩子。『我們到妳家裏去，我要找妳父母談！』

『不要！』那孩子哭喊著，抱住了方絲縈，把她那淚痕狼藉的小臉緊倚在方絲縈的懷裏，哭泣著，抽噎著說：『別告訴爸爸，求妳！好老師，求求妳！爸爸不知道，爸爸什麼都不知道，他瞎了，他看不見！妳別告訴他，他會很生氣，他會受不了，醫生說過他不能生氣，妳知道嗎？老師！求求妳別讓他知道。媽媽這樣做，就是爲了要氣他……哦，老師！』她把頭緊埋在方絲縈懷中，泣不成聲。

方絲縈的心臟痙攣了起來。

『妳是說……妳是說……』她的呼吸急促：『這是妳母親弄的？她打妳？』她困難的，不信任的問。

『噢，老師，妳一定不告訴爸爸吧！妳一定不告訴他！好嗎？老師！』那孩子繼續哭泣着，哀求着。

『哦，亭亭。』方絲縈嚥了口口水，閉了一下眼睛，她必須先平定一下自己。用手托起柏亭亭的下巴，她審視著那張滿是淚痕的、瘦弱的、憔悴的臉孔。誰知道這樣一個小小的孩子，她身心上到底有多大的重負！『妳對我說實話，我答應妳，不告訴妳爸爸。』她說：『是誰打妳？妳母親嗎？』

那孩子輕輕的點了點頭。

方絲縈的心臟一陣絞痛，她緊閉了一下眼睛，把頭轉開去，半晌，她才回過頭來，眼裏已漾滿了淚。

『可是，妳剛剛還說妳母親很愛妳，是世界上最好的母親！』

『老師！』那孩子可憐兮兮的看着方絲縈，帶著濃重的、乞諒的意味。

『都是妳編造出來的，是嗎？』

柏亭亭再點了點頭。

『生日呢？』方絲縈追問。『也都是妳編造出來的，是嗎？昨天根本不是妳的生日，是嗎？』

那孩子慚愧的低垂了頭。

『爲什麼編造出這些事來？』

那孩子默然不語。

『爲什麼？』

柏亭亭的頭垂得更低了。

『我不要妳認爲媽媽不愛我。』她的聲音低得像耳語。『我怕妳會告訴爸爸。』

『妳母親常打妳嗎？爲什麼？』

那孩子揚起睫毛來，一對淚汪汪的眸子裏帶著成人的憂鬱，一刹那間，這張小臉就不再是天眞和稚氣的了。這是張懂事的、穎慧的、成熟的臉孔。

『妳一定知道，那不是我的眞媽媽。』她幽幽的說，聲音恢復了平靜，沒有埋怨，也沒有仇恨。『我不能要求她像眞媽媽一樣愛我，是不是？而且，爸爸對她不好，她生氣，就拿我出氣，她要用我來氣爸爸。』她搖搖頭，用一種可愛的、忍讓的神情看著方絲縈。『我不給她機會，我不讓爸爸知道！妳幫我保密，好嗎？方老師！』

方絲縈的心被這孩子絞痛了，鼻子裏好酸楚好酸楚。怎樣一個孩子！大人們造了些什麼孽，讓這樣一個瘦瘦小小的孩子承擔身心雙方面的折磨！她審視着這個孩子，好長久好長久一段時間。然後，她把這孩子緊緊的攬在胸前，用手撫摸著她那柔軟的頭髮，微帶顫慄的說：

『好，亭亭，我跟妳約定，我不把這件事告訴妳爸爸。但是，妳答應我一件事，以後永遠不要對我撒謊，把一切事情都告訴我，好嗎？』

『好。』

『再有，』方絲縈打了個冷顫：『別去招惹妳母親，如果她再要打妳，逃開吧！亭亭，逃得遠遠的，逃到我這兒來吧！知道嗎？傻孩子！別讓她再碰妳！別讓她碰妳一根手指頭！知道嗎？亭亭！』

那孩子抬起頭來看着她，眼光裏已充滿了孺慕的依戀。孩子都是些敏感的小動物，他們知道誰眞正疼愛自己。

『好的，老師。』她說。又猶豫的、慢吞吞的說：『妳也別去找我媽媽，好嗎？我媽媽並不壞，妳知道，她只是心情不好，不能都怪她，妳知道。有時候爸爸和她吵得很兇，他罵她，』她眼裏閃著驕傲的光。『說她趕不上我親媽媽的一根頭髮！呵，如果我的親媽媽沒死呵！』她深深的嘆氣，不再說了。

方絲縈眩惑的望着面前這個孩子，怎樣一個家庭呢？她不願去想。但是，怎樣一個孩子呵！

『老師！』

柏亭亭推開了方絲縈的房門，走了進來，這是中午休息的時間。方絲縈正斜倚在床上冥想着。

『什麼事？亭亭？』

『我爸爸請妳今天晚上到我們家去吃晚飯，他要我放學之後就帶妳回去，好不好，老師？』

『吃晚飯。』方絲縈一楞。『有什麼事嗎？是什麼特別的日子嗎？』

『不是，爸爸說，就是要請妳來吃晚飯。』

『爲什麼呢？』方絲縈深思的微笑著。『妳對妳爸爸說了我些什麼？』

『我就告訴爸爸，說妳很喜歡我。爸爸問了我好多，我都告訴他了。』

『問了些什麼呢？』

『他問妳和不和氣，脾氣好不好，書教得好不好，還問妳漂不漂亮。』

『妳怎麼說呢？』方絲縈微笑的問。

『我說，』那孩子走到床邊來，親暱的依偎着方絲縈，甜甜的微笑著。『我說，妳是全世界最好，最溫和，最漂亮的老師！』

『哦，』方絲縈不禁笑了起來。『妳這孩子！』

『妳去吧！好嗎？』柏亭亭搖著方絲縈的胳膊，央求着。『妳去吧，好嗎？今天晚上媽媽也不在家。』

『妳媽媽不在家？』方絲縈注意的問。

『她到台中去了，要過三天才回來。』

『她常常不在家嗎?』

『是的。』

方絲縈沉思了片刻，然後，她點了點頭，說：

『好的，我去。』

『好啊!』柏亭亭歡呼了一聲，對方絲縈做了一個愉快而喜悅的表情，接着，就又忽然沉下了臉，小心翼翼的說：『妳可不能洩露我們的祕密喲。』

『當然啦!』方絲縈說：『妳放心吧!』

『好，那我放學後到教員休息室來找妳!我們走回去就行了，只有幾步路遠。』

『我知道。』

那孩子笑了笑，顯得十分興奮。轉過身子，她一溜煙的跑出去了。她跑出去之後好久，方絲縈還能感到她所留下的笑語之聲，像銀鈴般在屋子裏迴響著：

『妳是全世界最好，最溫和，最漂亮的老師!』

她搖了搖頭，從床上站起身來，走到梳妝台前面，鏡子裏出現一張深思的、略帶憂鬱的臉龐，那對眼睛是迷惑而困擾的。她審視着自己，然後，她慢慢的把長髮挽在頭頂上，梳成一個老式的髮髻，再戴上眼鏡，淡淡的抹上口紅……她的手停在空中，對着鏡子，她喃喃的、不安的、嘲弄的說：

『妳這是在幹什麼？方絲縈？那是個瞎子！他根本看不見妳啊！』

摔開了口紅，她沉坐在椅子裏，陷進了頹然的沉思之中。

4

牽着柏亭亭的小手，方絲縈跨進了柏家的大門。

那是個佔地頗廣的花園，中間留着寬寬的、供汽車進出的道路。花圃裏種滿了菊花、木槿、扶桑，和茶花。兩排整齊的龍柏沿着水泥路的兩邊栽種着，幾株榕樹修剪成十分整齊的圓形和傘狀。一眼看去，這花園給人一種整潔、清爽，和豪華的感覺，但是，却缺少一份雅致，尤其——方絲縈忽然發現，整個花園中，沒有一株玫瑰，對於酷愛玫瑰的方絲縈來說，這總是個缺陷。

房子是棟兩層樓的建築，旁邊有着車庫，那輛淺藍色的雪弗蘭正停在車庫裏。走上幾級台階，推開了兩扇大大的玻璃門，方絲縈置身在一間華麗的客廳之中了。客廳中鋪着柚木地板，一套暗紅色的沙發，沙發前是厚厚的紅色地毯。客廳兩面是落地的玻璃窗，垂着白紗的窗帘。另兩面牆則是原始的紅磚砌成，掛了幅抽象派的畫。客廳的陳設顯得相當的富麗堂皇，可是，和那花園一樣，給方絲縈的感覺，是富麗有餘，而雅致不足。如果這間客廳交給她來佈置，她一定會採取米色和咖啡色的色調，紅色可以用來佈置臥室，用來佈置客廳，總嫌不夠大方。

『老師，妳坐啊！』柏亭亭喊着說，一面提高聲音叫：『亞珠！亞珠！』

一個面貌十分清麗可喜的女傭，穿了件藍色的圍裙，走了出來，笑瞇瞇的看着方絲縈。

『亞珠，這是方老師，妳倒茶啊！』柏亭亭說，一面壓低了聲音問：『我爸爸呢？』

『在樓上。』亞珠指了指樓上，對柏亭亭鼓勵的微笑着。方絲縈看得出來，這女傭相當喜愛着她的這位小女主人。『妳媽媽上午就走了。』她自動的加了句，笑意在那張善良而年輕的臉上顯得更深了。

『眞的？』那孩子挑高了眉毛，喜悅立即燃亮了她的小臉。拎着書包，她很快的說：『我上樓找爸爸去！』一面回過頭來對方絲縈抛下了一句：『老師！妳等一等，我馬上陪爸爸下來啊！』

方絲縈看着柏亭亭三步併作兩步的奔上樓梯，她在沙發上坐了下來。這才注意到樓梯在餐廳那邊，餐廳與客廳是相連的，中間只隔着一扇白色鏤空的屏風。

亞珠送上了一杯茶，帶來一陣茶葉的清香，她接過茶杯，那是個細緻的白瓷杯子，翠綠色的茶葉把整杯水都染成了淡綠色。她輕輕的啜了一口，好香，好舒暢，是柏家茶園中的產品吧！她想起李玉笙提起過的柏家的茶園，和茶葉加工廠。那口茶帶着一股清洌的香甜一直竄進了她的肺腑，她忽然有一陣精神恍惚，一種難以解釋的、奇異的情緒貫穿了她，這兒有着什麼？她猛的坐正了身子，背脊上透過了一絲涼意，有個小聲音在她腹內說：

『離開這兒！離開這兒！離開這兒！』

為什麼？她抗拒着，和那份難解的力量抗拒着。覺得頭腦有些兒昏沉，視線有些兒模糊，神志有些兒迷茫……彷彿自己做錯了一件什麼大事，體內那個小聲音加大了，仍然在喊着：

『離開這兒！離開這兒！離開這兒！』

這是怎麼了？我中了什麼魔？她想着，用力的甩了一下頭，於是，一切平靜了，消失了。同時，柏亭亭牽着她父親的手，從樓梯上走了下來。那孩子滿臉堆着笑，那盲人的臉孔却是平板的，嚴肅的，毫無表情的。

『爸爸，方老師在這兒！』柏亭亭把她父親帶到沙發前面來。

『柏先生，你好，』方絲縈說，習慣性的伸出手去，但是，立即，她發現對方是看不見的，就又急忙收回了那隻手。

『哦！』柏霈文的臉色陡的變了，一種警覺的神色來到他的臉上，他很快的說：『我們見過嗎？我好像在什麼地方聽過妳的聲音。』

『是的，』方絲縈坦白的說：『幾個月以前，我曾經在含煙山莊的廢墟裏碰到了你，我曾經和你聊過天，還陪你走到學校門口。』

『哦，』柏霈文又哦了一聲，大概是含煙山莊幾個字觸動了他某根神經，他的臉扭曲了一下，同時，他似乎受了點兒震動。『妳就是那個想收集寫作資料的女孩。』他自語似的說。

『你錯了，』方絲縈有些失笑的說：『我從沒說過我想收集寫作資料，而且，我也不是「女孩」，我已經不太年輕了。』

『是嗎?』柏霈文深思的問了一句，在沙發裏坐了下來。一面轉頭對他女兒說：『亭亭，妳沒有告訴我，這位方老師就是那天陪我到學校去的阿姨啊!』

『噢，』柏亭亭張大了眼睛，看看方絲縈，她有些兒驚奇。『我不記得了，爸爸，我沒認出來。』

『孩子那兒記得那麼多。』方絲縈打岔的說，一面環顧四周，想改變話題。『你的客廳佈置得很漂亮，柏先生。』她的話並不太由衷。

『妳覺得好嗎?』柏霈文問。『是紅色的吧?我想，這是我太太佈置的。』他輕聳了一下肩。『紅色、黑色、藍色，像巴黎的咖啡館!客廳，該用米色和咖啡色。』

『哦。』方絲縈震動了一下，緊緊的看着柏霈文。『你爲什麼不把它佈置成米色和咖啡色呢?』

『做什麼?顏色是給能欣賞的人去欣賞的，反正我看不見，什麼顏色對我都一樣。那麼，讓能看得見的人按她的喜好去佈置吧，客廳本不是爲我設置的。』

方絲縈心頭掠過一抹惻惻，看着柏霈文，她一時不知道該說什麼好。

『我女兒告訴我，妳對她很關懷。』

『那是應該的，她是我學生嘛!』方絲縈很快的說，一說出口，就覺得自己的話有些近乎虛僞的客套，因此，她竟不由自主的臉紅了。

『僅僅因爲是學生的關係嗎?』柏霈文並沒有放過她，他的問話是犀利的。

『當然也不完全是，』方絲縈不安的笑了笑，轉頭看看站在一邊，笑靨迎人的柏亭亭。伸過手去，她把那孩子攬進了自已的懷中，笑着說：『我和你女兒有緣，我一看到她就喜歡她。』

『我很高興聽到妳這句話。』柏霈文說，臉上浮起了一個十分難得的微笑，然後，他對柏亭亭說：『亭亭！去告訴亞珠開飯了，我已經餓了，我想，我們的客人也已經餓了。』

亭亭從方絲縈懷中站起來，飛快的跑到後面去了。這兒，柏霈文忽然用一種壓低的、迫切的語氣說：

『告訴我，方小姐。這孩子很可愛嗎？』

『噢！』方絲縈一楞，接着，她用完全不能控制的語氣，熱烈的說：『柏先生，你該瞭解她，她是你的女兒哪！』

『妳的意思是說……』

『她是世界上最可愛的孩子！』方絲縈幾乎是喊出來的。

『多奇怪，』柏霈文深思的說。『她說妳是世界上最好的老師，妳說她是世界上最可愛的孩子，我看……』他沉吟了片刻。『妳們是眞的有緣。』

方絲縈莫名其妙的臉紅了。

柏亭亭跑了回來。很快的，亞珠擺上了碗筷，吃飯的一共只有三個人，柏霈文、柏亭亭，和方絲縈。可是，亞珠一共做了六個菜一個湯，內容也十分豐盛，顯然，亞珠是把方絲縈當貴客看待的。

方絲縈非常新奇的看着柏霈文進餐，她一直懷疑，不知道一個盲人如何知道菜碗湯碗的位置。可是，她立刻發現，這對柏霈文並非困難，因為柏亭亭把她父親照顧得十分周到，她自己幾乎不吃什麼，而不住的把菜夾到她父親的碗裏，一面說：

『爸，這是鷄丁。』

『爸，這是青菜和鮮菇。』

『爸，我給你添了一小碗湯，就在你面前。』

她說話的聲音是那樣溫柔和親切，好像她照顧父親是件很自然的事，並且，很明顯她竭力在避免引起被照顧者的不安。這情景使方絲縈那麼感動，那麼驚奇。她不知道柏亭亭上學的時候，是誰來照顧這盲人吃飯。像是看穿了方絲縈的疑惑，柏亭亭笑着對她說：

『爸爸平常都不下樓吃飯的，今天是為了方老師才下樓，我們給爸爸準備了一個特製的食盒，爸爸吃起來很方便的。』

『哦。』方絲縈應了一聲，她不知如何答話，只覺得眼前這一切，使她的心內充滿了某種酸楚的情緒，竟不知不覺的眼眶濕潤了。

一餐飯在比較沉默的空氣中結束了。飯後，他們回到了客廳中，坐下來之後，亞珠重新沏上兩杯新茶。握着茶杯，方絲縈注視着杯中那綠色的液體，微笑的說：

『該是柏家茶園的茶葉吧？』

柏霈文掏出一支煙來，準確的燃着了火。他拿着打火機的手在空中停了一下。他那茫無視覺的眼睛雖然呆滯，但是，他嘴角和眉梢的表情卻是豐富的。方絲縈看到了一層嘲弄似的神色浮上了他的嘴角。

『妳已經聽說過柏家的茶園了。』他說。

『是的。這兒是個小鎮市，柏家又太出名了。』方絲縈直視着柏霈文，這是和盲人對坐的好處，你可以肆無忌憚的打量他，研究他。

『柏家最好的茶是玫瑰香片，可惜妳現在喝不着了。』柏霈文出神的說。

『怎麼呢？』方絲縈盯着他。

『我們很久不出產這種茶了。』柏霈文神色有點蕭索，他沉默了好一會兒，似乎在深思着什麼，然後，他忽然轉過頭去說：

『亭亭，妳在這兒嗎？』

『是的。』那孩子急忙走過去，用手抓住她父親的手。『我在這兒呢！』

『好的，』柏霈文說，帶着點兒命令的語氣。『現在妳上樓去吧！去做功課去，我有些話要和方老師談談，妳不要來打擾我們！』

『好的。』柏亭亭慢慢的、順從的說，但是多少有點兒依戀這個環境，因此遲遲沒有移動。又對着方絲縈不住的眨眼睛，暗示她不要洩露她們間的祕密。方絲縈對她微笑點頭，示意叫她放心。那盲人忍耐不住了，他提高聲音說：

『怎麼，妳還沒有去嗎？亭亭！』

『哦，去了，已經去了。』那孩子一疊連聲的喊着，一口氣衝進飯廳，三步併作兩步的跑上樓去了。

等柏亭亭的影子完全消失之後，方絲縈靠進了沙發裏，啜了一口茶，她深深的看着面前這個男人，慢吞吞的、詢問的說：

『哦？柏先生？』

柏霈文深吸了一口煙，一時間沒有說話，只是沉默的噴着煙霧。好一會兒，他才突然說：

『方小姐，妳今年幾歲？』

方絲縈怔了怔，接着，她有些不安，像逃避什麼似的，她支吾的說：

『我告訴過你我並不很年輕，也不見得年老。在國外，沒有人像你這樣魯莽的問一位小姐的年齡。』

『現在我們不在國外。』柏霈文聳了一下肩，但，他拋開了這個問題，又問：『妳還沒有結婚？爲什麼？』

方絲縈再度一怔。

『哦，柏先生，』她冷淡的說：『我不知道你想要知道些什麼？難道你請我來，就是要調查我的身世嗎？』

『當然不是，』柏霈文說：『我只是奇怪，像妳這樣一位漂亮的女性，爲什麼會放棄美國繁華的生活，到鄉間來當一個小學教員？』

『漂亮？』方絲縈抬了抬眉毛：『誰告訴你我漂亮？』

『亭亭。』

『亭亭？』方絲縈笑笑。『孩子的話！』

『如果我估計得不錯，』柏霈文再噴了一口煙，率直的說：『在美國，妳遭遇了什麼感情的挫折吧？所以，妳停留在這兒，爲了休養妳的創傷，或者，爲了逃避一些事，一段情，或是一個人？』

方絲縈完全楞住了，瞪視着柏霈文，她好半天都不知道該說什麼。過了好久，她才輕輕的呼出一口氣來，軟弱的叫了一聲：

『哦，柏先生！』

『好了，我們不談這個，』柏霈文很快的說：『很抱歉跟妳談這些。我只是很想知道，妳在短時間之內，不會回美國吧？』

『我想不會。』

『那麼，很好，』柏霈文點了點頭，手裏的煙蒂幾乎要燒到了手指，他在桌上摸索着煙灰缸，方絲縈不由自主的把煙灰缸遞到他的手裏，他接過來，滅掉了煙蒂，輕輕的說：『謝謝妳。』

方絲縈沒有回答，她默默的啜着茶，有些兒心神恍惚。

『我希望剛才的話沒有使妳不高興。』柏霈文低低的說，聲音很溫柔，帶着點兒歉意。

『哦，不，沒有。』方絲縈振作了一下。

『那麼，我想和妳談一談請妳來的目的，好嗎？』

『是的。』

『我覺得——』他頓了頓。『妳是眞的喜歡亭亭那孩子。』

『是的。』

『所以，我希望，妳能搬到我們這兒來住。』

『哦？柏先生？』方絲縈驚跳了一下。

『我的意思是，請妳住到我們這兒來，做亭亭的家庭教師。我猜，這孩子的功課並不太好，是嗎？』

『她可以進步的——』

『但，需要一個好老師。』柏霈文接口說。

方絲縈不安的移動了一下身子。

『哦，柏先生……』她猶豫的說：『我不必住到你家來，一樣可以給這孩子補習，事實上，現在每天……』

『是的，我知道。』柏霈文打斷了她。『妳每天給她補一小時，而且拒收報酬，妳不像是在美國受教育的。』

方絲縈沒有說話。

『我知道，』柏霈文繼續說：『妳並不在乎金錢，所以，我想，如果我告訴妳，報酬很高，妳一定還是無動於衷的。』

方絲縈仍然沒有說話。

『怎樣？方小姐？』柏霈文的身子向前傾了一些。

『哦，』方絲縈困惑的皺了皺眉頭。『我不瞭解，柏先生，假若你覺得一個小時的補習時間不夠，我可以增加到兩小時或三小時，我每晚吃完晚飯到這兒來，補習完了我再回去，我覺得，我沒有住到你這兒來的必要。』

柏霈文再掏出了一支煙，他的神情顯得有些急切。

『方小姐，』他咬了咬嘴唇，困難的說。『我相信妳聽說過一些關於我的傳說。』

方絲縈垂下了頭。

『是的。』她輕聲說。

『那麼，妳懂了嗎？』他的神色黯淡，呼吸沉重。『那是一個失去了母親的孩子。』

『是的。』方絲縈也咬了咬嘴唇。

『所以，妳該瞭解了，我不止要給那孩子找一個家庭教師，還要找一個人，能夠眞正的關切她，愛護她，照顧她，使她成爲一個健康快樂的孩子。』

『不過，我聽說……』方絲縈覺得自己的聲音乾而澀。『你已給這孩子找到了一個母親了。』

柏霈文一震，一長截煙灰落在襯衫上了。他的臉拉長了，陡然間顯得又憔悴又蒼老，他的聲音是低沉而壓抑的。

『這也是我要請妳來的原因之一，』他說，帶着一份難以抑制的激動。『告訴妳，那不是一個尋常的孩子，如果她受了什麼委屈，她不會在我面前洩露一個字，那怕她被折磨得要死去，她也會抱着我的脖子對我說：「爸爸，我好快樂！」妳懂了嗎？方小姐。』

方絲縈倏然把頭轉向一邊，覺得有兩股熱淚直衝進眼眶裏，視線在一刹那間就成爲模糊一片。一種感動的、激動的，近乎喜悅的情緒掠過了她。啊，這父親並不是像她想像那樣懵懂無知，並不是不知體諒，不知愛惜那孩子的啊！她閃動着眼瞼，悄悄的拭去了頰上的淚，在這一瞬間，她瞭解了，瞭解了一份屬於盲人的悲哀！這人不止要給女兒找一個保護者，這人在向她求救啊！

『怎樣呢？方小姐？』柏霈文再迫切的問了一句。

『噢，我……』方絲縈心情紊亂。『我不知道……我想，我必須要考慮一下。』

『考慮什麼呢？』

『你知道，我是正心的老師，亭亭是我的學生，我現在再來做亭亭的家庭教師，似乎並不很妥當，會招致別人的議論……』

『哼！才無稽呢！』柏霈文冷笑的說：『小學教員兼家庭教師的多的是，妳絕不是唯一一個。如果妳眞在乎這個，要避這份嫌疑的話，那麼，辭掉正心的職位吧！正心給妳多少待遇，我加倍給妳。』

方絲縈不禁冷冷的微笑了起來，心裏湧上了一層反感，她不瞭解，爲什麼有錢的人，總喜歡用金錢來達到目的，彷彿世界上的東西，都可以用錢買來。

『你很習慣於這樣「買」東西吧？』她嘲弄的說。『很可惜，我偏偏是個……』

『好了，別說了。』他打斷了她，站起身來，他熟悉的走到落地長窗的前面，用背對着她。他的聲音低而憂鬱。『看樣子我用錯了方法，不過，妳不能否認，這是人類最有效的解決問題的方法。好了，如果我說，亭亭需要妳，這有效嗎？』

方絲縈的心一陣酸楚，她聽出這男人語氣裏的那份無奈、請求的意味。她站起身來，不由自主的走到柏霈文的身邊。落地長窗外，月色十分明亮，那些盛開的花在月色下搖曳，洒了一地的花影。方絲縈深吸了一口氣，看着一株修長的花木說：

『多好的玫瑰！』

『什麼？』柏霈文像觸電般驚跳起來。『妳說什麼？玫瑰？在我花園中有玫瑰？』

『哦，不，我看錯了。』方絲縈凝視着柏霈文那張突然變得蒼白的臉孔。『那只是一株扶桑而已。我不知道……你不喜歡玫瑰嗎？爲什麼？你該喜歡它的，玫瑰是花中最香、最甜、最美的，尤其是黃玫瑰。』

柏霈文的手抓住了落地窗上的門鈕，他臉上的肌肉僵硬。

『妳喜歡玫瑰？』他泛泛的問。

『誰不喜歡呢！』她也泛泛的回答。面對着窗外，她又站了好一會兒。然後，她忽然振作了。回過頭來，她直視着柏霈文，用下定決心的聲音說：『我剛剛已經考慮過了，柏先生，我接受了你的聘請。但是，我不能放棄正心，所以，我住在你這兒，每天和亭亭一起去學校，再一起回來。我希望有一間單獨的房間，每月兩千元的待遇，和——全部的自由。』她停了停，再加了句：『我這個星期六搬來！』掉轉身子，她走到沙發邊去拿起了自己的手提包。

柏霈文迫切的回過頭來，他的臉發亮。

『一言為定嗎？』他問。

『一言為定！』

5

星期六下午沒課，方絲縈剛吃過午飯，柏亭亭就竄進了屋裏來，嚷着說：

『方老師！馬上走吧，老尤已經開了車來接妳了。』

『哦！』方絲縈輕蹙了一下眉梢，又微微一笑。『妳爸爸記得倒挺清楚的。』

『妳的箱子收拾好了嗎？我去叫老尤來搬！』柏亭亭喊著，又一溜煙的跑出去了。

方絲縈站在室內。一時間，有份迷惘而荒謬的感覺。怎麼回事？自己眞的要搬到柏家去住嗎？這好像是不可能的，是荒誕不稽的，是缺乏考慮的。她還記得劉校長和李玉笙她們聽到這消息後所露出的驚訝之色，她也體會出她們都頗不贊成。但是，沒有人對她說什麼。她知道，在劉校長她們的心目裏，她始終是個怪異的、不可解的人物，是個讓她們摸不清、想不透的人物。事實上，自己眞的有些荒唐！搬到柏家去住，她每根神經都在向她提示，這個決定是不妥當的。那是個太複雜的家庭，她捲進去，必定不會有好結果！可是，她無法抵制那股強大的、要她住進去的誘惑力。那柏宅有些兒魔力，那含煙山莊、那廢墟、那盲人、那孩子、那逝去的故事……在在都有着魔力，她抗拒不了！或者，有一天，她眞會寫下一本小說，像簡愛一般，有廢墟、有盲人、有家庭教師……她猛的打了個冷戰，多奇異的巧合！現在，所缺的是一個瘋婦，那柏宅的大院落裏，可眞藏着一個瘋婦嗎？

柏亭亭跑回來了，來回的奔跑使她不住的喘着氣，額上，一綹頭髮被汗水濡濕了，靜靜的貼在那兒。臉龐也因奔跑而紅潤，眼睛却興奮的閃着光。在她後面，一個年約四十歲，瘦瘦高高的男人正站在那兒，穿著件整潔的白襯衫，灰色的西服褲，身子是瘦削而挺拔的。方絲縈接觸了那人的眼光，她不禁瑟縮了一下，這眼光是銳利的。

『是方小姐嗎？我是老尤，柏先生讓我來接妳。』

『哦，謝謝你。』方絲縈說，推了推鼻梁上的眼鏡，她希望自己看起來威嚴一點。『箱子在那兒，麻煩你了。』

老尤拎起了箱子，先走出去了。方絲縈到校長室去，移交了宿舍的鑰匙。然後，她坐進了汽車，挽着柏亭亭那瘦小的肩膀，她看着車窗外面，那道路兩旁，全是飛快的，而後退的茶園。柏家的茶園！她的精神又恍惚了起來，自己到底在做些什麼事呢？

這段路程只走了三分鐘。亞珠跑來打開了大門，車子滑進柏家的花園，停在正房的玻璃門前面。柏亭亭首先鑽出車子，嚷着說：

『方老師，我帶妳去妳的房間，別管那箱子，老尤會拿上來的。』

牽着方絲縈的手，她們走進了客廳，柏亭亭的脚步是連跑帶跳的。客廳中闃無一人，柏亭亭拉着方絲縈向樓上衝去。猛然間，她收住了脚步，仰頭向上看，歡愉立即從她的臉上消失，那小小的嘴唇變得蒼白了。方絲縈也詫異地站住了，跟著柏亭亭的視線，她也仰頭向上看，然後，她和一個女人的視線接觸了。

那是個相當美麗的女人，與方絲縈心中所想像的『後母』完全不同。她有張橢圓形的臉龐，尖尖的小下巴，一對又大又亮的眼睛，挺秀的眉毛，和小巧的嘴。這張臉幾乎沒什麼可挑剔的，如果硬要找毛病的話，只能說她的神情過於冷峻，過於嚴苛，過於淡漠。她的身材也同樣美好，纖穠合度，高矮適中。她穿了件粉紅色滾藍邊的洋裝，寬袖口，小腰身，相當漂亮，相當時髦，也相當配合她。她的頭髮蓬蓬鬆鬆的，梳成了很多小鬈，給她平添了幾分慵懶的韻致，緩和了她面部的冷峻。在她耳朵上，垂着兩個粉紅色的大圈圈耳環，搖搖晃晃的，顯得俏皮，顯得嬌媚。她很會妝扮自己，而且，她還很年輕，大概頂多三十出頭而已。那身妝束把她的年齡更縮小了一些。方絲縈很爲她惋惜，如果柏霈文的眼睛不瞎，他怎可能冷淡這樣一個年輕美貌的妻子！

在她打量這女人的同時，對方也在靜靜的打量着她。方絲縈猜想，自己給對方的印象，一定遠不如對方給自己的。近視眼，梳著老式的髮髻，穿著那樣一身黑色的旗袍，該是個典型的教員樣子吧！她在對方臉上看出了一抹隱約的、輕蔑的笑意。然後，那女人靜靜的說：

『歡迎妳來，方小姐。』

『是柏太太吧？』她說，慢慢的走上樓去，仍然牽着柏亭亭的手。

『是的，』柏太太微笑了一下，那微笑是含蓄的，莫測高深的。『亭亭會帶妳去妳的房間，』她說，適度的表示了她僱主的身分。『我很忙，不招待妳了，希望妳在我們家住得慣，更希望亭亭不會使妳太麻煩。』

『她不會，』方絲縈微笑的說，迎視着對方的眼睛，這對眼睛多大，多美，多深沉！『亭亭是個乖孩子，我跟她已經很熟了。』

『是嗎？』柏太太笑了笑，眼光從柏亭亭身上掃過去，方絲縈立即覺得那隻抓住自己的小手痙攣了一下。出於下意識，她也立刻安慰的把那隻小手緊握了一下。於是，在這一瞬間，一種奇異的、瞭解的情感聯繫了她和亭亭，彷彿她們成爲了聯盟者，將要並肩對抗一些什麼。柏太太扶著欄杆，開始走下樓梯，她的背脊挺直，步伐嫻雅而高貴。方絲縈眩惑的望着她，覺得這走路的姿勢，這神情都那麼熟悉，一種典型的、貴婦人的樣子。她一面下樓，一面說：『那麼，很好，讓亭亭帶妳去吧。』她的眼睛已不再看方絲縈，而直視着那正拎着皮箱走上樓來的老尤說：『老尤，準備車子，送我去台北。』

『是的。』老尤應了一聲，逕自把箱子送到樓上去了。

方絲縈牽着柏亭亭繼續上樓，她聽到柏太太的聲音，在樓下凊晰的吩咐着：

『亞珠，不要等我吃晚飯，我不回來吃。』

一上了樓，亭亭又恢復了她的活潑，她高興的指給方絲縈看，那一間是她父親的房間，那一間是她母親的，那一間是她的。方絲縈發現這幢房子設計得相當精緻，樓上有個小廳，陳設著一套很小的沙發，放了一個花架，和電話機等，除了這小廳之外，只有四個房間，是兩兩相對的，中間是走廊。陽台成爲環形，圍繞着整棟房子，方絲縈猜想，每間房間一定都有門通向陽台。柏霈文和他的妻子住對面對的兩間，方絲縈和柏亭亭就住了剩下的對面對的兩間，柏亭亭隔壁是柏太太，方絲縈隔壁是柏霈文。

『妳爸爸和媽媽怎麼不住一間房？』方絲縈問。

『他們一直這樣住的。』柏亭亭不以爲奇的說，一面告訴方絲縈，『妳住的房間原來是客房，現在給妳住，我們就沒有客房了。』

『你們家常常有客人來住嗎？』

『不常常，只有高叔叔，每年來住一兩次。』

『高叔叔？』

『是的，高叔叔，他是爸爸的好朋友！』柏亭亭說：『他在南部開農場，不常來的。他來也沒關係，可以睡樓下。』拉着她，柏亭亭一下子衝進了爲方絲縈準備的房間，興奮的喊：『妳看！方老師，妳喜歡嗎？』

方絲縈有一陣暈眩，她必須扶住牆，以穩定自己。這是怎樣一間房間！她置身在一座宮殿裏了，一座夢寐已久的宮殿！她意亂神迷的打量着這房間，地上，鋪着的是純白的地毯，窗子上，垂着黑底金花的窗帘，一張有白色欄杆的、美麗的雙人床，一個白色金邊的梳妝台，一張小小的白色書桌……所有的顏色都是白、黑與金色混合的，但是，那張床上，却鋪着一床大紅色的床罩，因此，也緩和了黑白顏色所造成的那份『冷』的感覺，給整個房間增添了不少溫暖。在牆上，有個很小的骨董架，放了幾件磁器的擺設，架子的正中，是個長方形的格子，裏面放着一個大理石的塑雕——希臘神話故事裏的尤莉特西和她的愛人奧非厄斯，雕刻得十分精緻和傳神。這種種種種，倒都也罷了，最讓方絲縈激動的，是床邊的一個白色金邊的小床頭櫃上，放了盞有白紗燈罩的檯燈，檯燈旁邊，有個黑色大理石的花瓶，裏面插着一瓶鮮艷的黃玫瑰。

『妳喜歡嗎？方老師？妳喜歡嗎？』柏亭亭仍然在喊著，迫切的搖著方絲縈的胳膊。

『哦，我喜歡，眞——喜歡。』方絲縈說，靠在牆上，覺得好乏力。她望着那兩扇落地的玻璃窗，玻璃窗外，果然是陽台，那麼，這陽台可以通往任何一個房間了。陽台上，放着好幾盆菊花，這正是菊花初開的季節，那些黃色的花朶在陽光下絢爛的綻開着。越過這陽台再往外看，就是那高低起伏的山坡，和那一片片的茶園了。

『老師，妳一定不喜歡……』那孩子敏感的說。

『哦，不，不，我喜歡，眞的。』方絲縈慌忙打斷了她，把她攬在懷裏，低低的問：『告訴我，亭亭，這房間本來就是這樣子佈置的嗎？』

『當然不是。』那孩子笑了。『只有地毯沒換，其他的家具都是新換的，爸爸指定的家具店裏買的。』

『那座塑像呢？』方絲縈指着那個大理石的雕塑問。

『那是家裏原來就有的，本來在爸爸房間裏，爸爸說他反正看不見，叫我搬到妳屋裏來算了。』

『哦。』方絲縈的目光又落回到那瓶黃玫瑰上面，這玫瑰，顯然也是讓人去買來的了，因爲柏家花園裏沒有玫瑰花。她走到床邊去，在床沿上坐了下來，覺得精神恍惚得厲害。玫瑰花濃郁的香味彌漫在屋子裏，初秋的陽光透過落地玻璃窗斜射進來，暖洋洋的。花和陽光，以及這屋子裏的氣氛，每一樣都薰人欲醉。

『還滿意嗎？方小姐！』

一個低沉的、男性的聲音使方絲縈嚇了一跳。回過頭去，她看到柏霈文瘦長的身子正斜靠在敞開的門框上，他那樣無聲無息的走來，使方絲縈懷疑他是否來了很久了，是否聽到了她和亭亭的對白。她站起身來，雖然柏霈文看不見，她仍然下意識的維持着禮貌。

『這未免太考究了，柏先生。』她說。

『我不知道他們是否照我的意思配色的。』

『顏色配得很好。』方絲縈凝視着他，這盲人雖然看不見，對顏色却頗有研究呢！『我沒想到你對配色也是個專家。』

『我學來的。』柏霈文慢吞吞的說：『我曾經和一個配色的專家一起生活過。』

『哦。』方絲縈應了一聲，對屋內的一切再掃了一眼。『其實，你眞不必這樣費心。』她不安的說：『這使我很過意不去呢！』

『一個準作家應該住在一間容易培養靈感的房間裏。』柏霈文笑了笑說。

『準作家?』

『妳不是想要收集寫作資料嗎?』柏霈文的笑意更深,但是,忽然間,他的笑容又完全收斂了。『住在這兒吧,方小姐,』他深沉的說。『我答應妳,妳可以在這兒找到一篇寫作資料,一部長篇小說!』

『我說過我要收集寫作資料嗎?』方絲縈有些兒啼笑皆非。『我……』

『別說!』柏霈文阻止了她下面的話。『我想,我知道妳。』

方絲縈呆了一呆,這人多麼武斷!知道她!他眞『知道』她嗎?她揚了揚眉毛,不願再和他爭辯了。走到屋子中間,她打開了老尤早已拎進來的那只箱子,準備把東西收拾一下,那盲人敏銳的聽着她的行動,然後說:

『我想,妳一定希望一個人休息休息。亭亭!我們出去吧!』

『噢,』亭亭喊了起來。『我幫方老師收東西。好嗎?』她把臉轉向方絲縈。『我幫妳掛衣服,好嗎?』

『讓她留下來吧,柏先生。』方絲縈說。『我喜歡她留在這兒幫我的忙,跟我說說話。』

『那麼,好,等會兒見。』柏霈文點了一下頭,轉過身子,他走開了。

這兒,方絲縈從壁橱裏取出了掛衣鈎,讓柏亭亭幫她一件件的把衣服套在鈎子上,她再掛進壁橱裏。亭亭一面忙着,一面不住的說着話,發表着她的意見:

『老師,妳有很多很多漂亮的衣服,像這件紅的,這件黃的,這件翠綠的……爲什麼妳都不穿？妳總是喜歡穿黑的、白的、咖啡的、深藍的……爲什麼？』

『這樣才像個老師呀！』方絲縈笑着說。

『妳把頭髮放下來，不要戴眼鏡，穿這件淺紫色的衣服，一定好看極了。』柏亭亭舉起了一件紫色滾小銀邊的晚禮服說。

『哦，小丫頭，妳想教我美容呢！』方絲縈失笑的說。

『可是，妳以前穿過這件衣服的，是嗎？』

『當然。』

『爲什麼現在不穿呢？』

『沒有機會，這是晚禮服，赴宴會的時候穿的，知道嗎？』方絲縈把那件衣服掛進了橱裏。然後，她忽然停下來，把那孩子拉到身邊來，問：『妳喜歡漂亮的衣服嗎？』

『嗯，』那孩子點點頭。『媽媽有好多漂亮的衣服。』

『妳呢？』方絲縈問：『我只看妳穿過制服。』

柏亭亭低下了頭，用脚踢弄着床罩上的穗子。

『我每天要上課，有漂亮衣服也沒有時間穿……』她忸怩的、低聲的說。

『哦。』方絲縈瞭解了。站直身子，她繼續把衣服一件件的掛進橱裏，一面用輕快的聲音說：

『快點幫我弄清楚，亭亭。然後，妳帶我去參觀妳的房間，好嗎？』

『好！』柏亭亭高興的說。

方絲縈的東西原本不多，只一會兒，一切都弄清爽了。跟着柏亭亭，方絲縈來到亭亭的房間。這房間也相當大，相當考究，深紅色的地毯，深紅色的窗帘，床、書桌、書櫥都收拾得十分整潔，整潔得讓方絲縈詫異，因爲不像個孩子的房間了。在方絲縈的想像中，這房子的地上，應該散放着洋娃娃、小狗熊、小貓等玩具，或者是成堆的兒童讀物。但是，這兒什麼都沒有，只是一間乾乾淨淨、整整齊齊的臥房。

『好了，亭亭，』方絲縈笑着說：『把妳那些洋娃娃拿給我看看。』

『洋——娃——娃——』柏亭亭結舌的說。

『是呀！』方絲縈親切的看着那孩子。『妳的小黑炭啦、小醜啦、金鬈兒啦……』

柏亭亭的臉色發白了，笑容從她的唇邊隱沒，她僵硬的看着方絲縈。

『怎麼？亭亭？』方絲縈不解的問。

那孩子的頭低下去了。

『怎麼回事？亭亭？』方絲縈更加困惑了。

那孩子抬起眼睛來，畏怯的溜了方絲縈一眼，那張小臉更白了，那對大眼睛裏已滿盈着淚水。帶着種哀懇的神色，她微微顫抖的、可憐兮兮的說：

『妳一定知道的吧？老師？』

『知道？知道什麼？』方絲縈把那孩子拉到自己面前，坐在床沿上，用手托起了她的下巴，仔細的注視着這張畏縮的小臉。『到底是怎麼回事？』

柏亭又沉默了好一會兒，然後，她走開去，翻開了枕頭，她從枕頭下掏出了一件東西，怯生生的把這樣東西捧到方絲縈的面前來。方絲縈詫異的看過去，不禁吃了一驚。在那孩子手中，是個布製的、最粗劣的娃娃。而且，是已經斷了胳膊又折了腿的，連那個腦袋，都搖搖晃晃的，就剩下幾根線連在脖子上了。不但如此，那個娃娃的衣服早已破爛，白布做的臉已經黑得像地皮，連眉毛眼睛都看不出來了。方絲縈接過了這個娃娃，目瞪口呆的說：

『這——這是什麼？』

『我的娃娃，』那孩子喃喃的說，被方絲縈的神色所傷害了。『我想，她不太好看。』

『可是，可是——妳其他那些娃娃呢？』

柏亭亭很快的抬起頭來了，她的眼睛勇敢的看着方絲縈，下決心的，一口氣的說：

『沒有其他的娃娃，我只有這一個娃娃，是我從後面山坡上撿來的。小黑炭、小醜、金鬈兒……都是它，我給它取了好多個名字。』

方絲縈瞪大了眼睛，看着那孩子無限憐惜的把娃娃抱回到手裏，徒勞的想弄好娃娃那破碎的衣服。她張口結舌，一句話都說不出來。怎樣一個富豪之家呵！她咬緊了嘴唇，覺得心情激動，眼眶潮濕，心底的每根神經都爲這孩子而痙攣了起來。好半天，她才能恢復她的神志，撫摸着亭亭的頭髮，她用安慰的、眞摯的聲調說：

『這娃娃可愛極了，亭亭。我想，過兩天，我們可以給她做一件新衣服穿。』

『眞的？妳會嗎？』亭亭的眼睛發着光。

『我會。』方絲縈說，淚水幾乎奪眶而出。她不想再參觀亭亭的衣櫥了，她可以想像衣櫥裏的情況。看着柏亭亭把娃娃收好，她拉着這孩子的手說：『今天下午我們不做功課，晚上再做，現在，妳願不願意陪我到外面去散散步？』

『好啊！』孩子歡呼着。

『那麼，快！去告訴妳爸爸一聲，我們走！』

柏亭亭飛似的跑開了。

半小時之後，方絲縈和柏亭亭站在含煙山莊的廢墟前面了。凝視着那棟只剩下斷壁殘垣的房子，柏亭亭用一種神往的神情說：

『他們說，我死去的媽媽一直到現在，還常常到這兒來。』

『什麼？』方絲縈問：『誰說的？』

『大家都這麼說。』柏亭亭仰視着那房子的空殼。『我希望我看到她，我不會怕我媽媽的鬼魂。』

方絲縈楞了一下。

『世界上沒有鬼魂的，妳知道嗎？』

『有。』那孩子用堅定的語氣說：『媽媽會回來，我和爸爸都在等，等她的鬼魂出現。』

『有人看到過她的鬼魂嗎？』方絲縈深思的問。

『有。很多人都說看到過。上星期，有天晚上，亞珠從這兒經過，還發誓說看到一個女人的影子，在這空花園裏走，嚇得她飛快的跑回家去了。如果是我，我不會跑，我會過去和她談談。』

『噢，別胡思亂想了，』方絲縈不安的說，她最恨大人把鬼魂的思想灌輸給孩子。『讓我們走吧。』

『妳怕？』柏亭亭問。

『我不怕！』

『妳別怕我媽媽，』亭亭繼續說，眼光熱烈。『我媽媽是頂溫和，頂可愛的人。』

『是嗎？妳怎麼知道？』

『我爸爸說的！』

『哦！』方絲縈站住，她再看向含煙山莊，那幢殘破的房子聳立在野草、荊棘和藤蔓之中。她幻想着它完整時候的樣子，幻想着那個『溫和、可愛』的女主人，和她那眼睛明亮的、多情的丈夫，在這兒怎樣的生活着！她幻想得出神了，在她身邊，那個小女孩也同樣出神的佇立着，幻想着她那逝去的母親。

6

到柏家的第一夜，方絲縈就失眠了。

躺在那張華麗的大床上，用手枕着頭，方絲縈瞪視着屋頂上那盞小小的玻璃吊燈。床頭的玫瑰花香繞鼻而來，窗外的月色如水，晚風輕拂着窗帘，整個柏宅靜悄悄的，方絲縈一動也不動的躺着，雖然相當疲倦，却了無睡意，只覺得心神不定，思潮起伏。

回想這天的下午——這天下午做些什麼事呢？帶着柏亭亭在山坡上的松林裏散步，又到竹林裏去採了兩枝嫩竹子，然後，她們信步而行，走到松竹橋邊，方絲縈問柏亭亭說：

『我們到橋下去撿小鵝卵石好嗎？』

亭亭猶豫了一下，她對那河水憎惡的望着，臉色十分特別。方絲縈詫異的說：

『怎麼，不喜歡鵝卵石嗎？』

『不是，』亭亭搖了搖頭，然後，她指着那河水說：『就是這條河，我的親媽媽就是跳這條河死的。』

『噢，』方絲縈迅速的皺了一下眉，大人們為什麼要讓孩子們知道這些不幸呢！他們竟不顧那些小心靈是否承受得了？殘忍呵，柏霈文！

『他們說，那天河水漲了，因為頭一天有颱風，這條橋也被河水沖斷了。所以，爸爸說，媽媽可能是不小心摔下去的，這兒沒有路燈，晚上天又黑，她一定沒看到橋斷了。』

『妳怎麼知道那麼多？』

『這是大家都知道的，他們背着我說，以為我聽不到，他們還說……』那孩子猛的打了個冷戰。

不要！難道他們連那孩子出身之謎也不保密嗎？方絲縈一把拉住了亭亭的手，迅速的另外找出一個題目來：

『我們不談這個了，亭亭。妳帶我去松竹寺玩玩好嗎？我聽說松竹寺很有名，可是我還一次都沒去玩過呢！』

『好啊！我帶妳去！』

於是，她們去了松竹寺，沿着那松樹夾道的小徑，她們拾級而上，兩邊的松林綠蔭蔭的，靜悄悄的。松樹遮斷了陽光，石級上有着蒼苔，周圍有份難言的肅穆和寧靜。她們走了好久好久，上了不知道多少級石堦，然後，她們來到了那棟佛寺之前。佛寺前花木扶疏，前後是松林，左右都是竹林，這座廟就被包圍在一片松竹之中。想必『松竹寺』也由此而得名。廟中供奉的是觀音大士，神堂前香煙繚繞，在廟門前，還有個很大的銅鼎，裏面燃着無數的香。站在廟門前，可以眺望台北市，周圍風景如畫。

她們在廟前站了好一會兒，亭亭搖着她的手說：

『老師，妳去求一個籤吧！』

抱着份無可無不可的心情，她眞的燃上了一炷香，去求了一個籤，籤上的句子却隱約得出奇：

『姻緣富貴不由人，心高必然誤卿卿，
婉轉迂迴迷舊路，雲開月出自分明。』

亭亭在旁邊伸長了脖子好奇的看着，一面問：

『它說什麼？老師？妳問什麼？』

方絲縈揉縐了那籤條，笑着說：

『我問我所問的，它說它所說的。好了，亭亭，天不早了，我們也該回去了。』

回到家裏，已經是吃晚飯的時候了。柏太太還沒有回來，柏霈文交代教把他的飯菜送上樓去，於是，餐桌上只有方絲縈和柏亭亭。亭亭因爲一個下午都在外面奔跑，所以胃口很好，一連吃了兩碗飯，方絲縈却吃得很少。亭亭的好胃口使她高興，看着亭亭，她說：

『平常是不是常常是這種局面，爸爸不下樓，媽媽出去，就妳一個人吃飯？』

『是的。』亭亭說：『我就常常不吃。』

『不吃？』

『一個人吃飯好沒味道，我就不吃，有的時候，亞珠强迫我吃，我就吃一點點。』

怪不得這孩子如此消瘦！方絲縈看着亭亭，心裏暗暗的下着決心，她要讓這孩子正常起來，快樂起來，强壯起來，至於功課，在目前，倒還成爲其次的問題。因此，飯後，她監督着她把功課做完，又給她補了一會兒算術，就讓她把她那個破娃娃拿來。然後，方絲縈整整費了一個半小時的時間，把那娃娃給重新縫綴起來。因爲沒有碎布，方絲縈竟撕碎了自己的一件襯裙，用那白綢子和襯裙上的花邊，給那娃娃縫製了一件新衣。整個製作的過程中，亭亭都跪在方絲縈身邊，滿臉喜悅的看着她做，一面不住的幫着忙，一會兒遞針，一會兒遞線。等到那娃娃終於完工了，方絲縈從地毯上站起身來，笑着說：

『好了，妳的娃娃好看得多了。』

亭亭用一種崇拜的眼光，看了方絲縈一眼。然後她驕傲的審視着她那個娃娃，再把它緊緊的抱在胸前，喃喃的說：

『乖娃娃，我好可愛好可愛的娃娃。』

方絲縈頗受感動。接着，因爲時間實在不早了，她逼着亭亭去洗澡睡覺，眼看着亭亭換上了睡袍，鑽進被窩裏，方絲縈彎下腰去，幫她整理着棉被。就在這一瞬間，那孩子忽然抬起身子來，用兩隻胳膊圈住了方絲縈的脖子，把她的頭拉向自己，然後，她很快的用她那濡濕的小嘴唇，在方絲縈的面頰上吻了一下，一面急促的說：

『我好愛妳，老師。』

說完，由於不好意思，她放鬆了方絲縈，一翻身把頭埋進了枕頭裏，閉上眼睛裝睡覺了。方絲縈呆立在那兒，好半天都沒有移動，亭亭這一個突發的動作使她那樣感動，那樣激動，那樣不能自已。她的眼睛濡濕，眼鏡片上浮着一層霧氣，她竟看不清楚眼前的東西了。許久之後，看到亭亭始終不再翻動，她俯身再看了一眼，原來這孩子在一日倦遊之後，眞的沉沉入睡了。她嘆了口氣，在那孩子的額上輕輕的吻了吻，低聲的說：

『好好睡吧！孩子。做一個香香甜甜的夢吧。』

她再嘆息了一聲，悄悄的退出了亭亭的房間，並且帶上了房門。於是，她發現柏霈文正站在那小廳與走廊的交界處，面向着自己。她知道他的耳朵是很敏銳的，她走過去，招呼着說：

『柏先生，還沒睡嗎？』

『到這兒來坐坐吧。』柏霈文說。

方絲縈走了過去，在小廳中的沙發上坐了下來。小廳裏沒有開大燈，只亮着一盞壁燈，光線是幽幽柔柔的。柏霈文斜倚在落地窗上，靜靜的說：

『妳忙了一個下午。我看，妳是眞心在關懷着那個孩子，是嗎？』

『我關懷她，因爲她太「窮」了。』方絲縈說。

『窮?』柏霈文怔了一下。『妳是什麼意思?』

『我從沒看過比她更貧乏的孩子!』方絲縈有些激動。『沒有溫暖,沒有愛,沒有關懷,沒有一切!』

『妳在指責我嗎?』柏霈文問。

『我不敢指責你,柏先生。』方絲縈說,竭力緩和自己的情緒。『但是,多愛她一點吧,柏先生,那孩子需要你!』她的聲調裏竟帶着點兒祈求的意味。

柏霈文為之一動。

『我知道,』他說,這次聲音是懇切而眞摯的。『妳一定認為我是個不負責任的父親。可是,妳要知道,我一向不太懂孩子,而且,我不知該怎樣待她,這孩子,她總引起我一些慘痛的回憶。咳,方小姐,我想妳聽說過她生母的事吧?』

『是的,一點點。』方絲縈輕聲說。

『那是個好女人,值得你終生回憶……』柏霈文陷入了沉思之中。『人,常常由於一時糊塗,造成一輩子不能挽回的錯誤,如果她還活着……』他深吸了一口氣,用一種痛楚的、渴切的語氣,衝動的說:『我願犧牲我所有的一切,挽回她的生命!』

『哦,先生!』方絲縈不由自主的喊了一聲,她被撼動了,她在這男人的臉上,看到了一份燒灼般的熱情和痛苦,這把她擊倒了。她感到迷茫,感到困惑,感到倉皇失措。

『噢,』柏霈文猛的醒悟了過來,一層不安的神色浮上了他的眉梢,他立即退縮了,一面支吾的說：『對不起，方小姐，請原諒我，我不該對妳說這些，我有些失態，我想。』

『哦，不，柏先生，』方絲縈倉促的說，心情激盪得很厲害，她懊惱引起了柏霈文的這些話。站起身來，她匆匆的說：『我很累了，柏先生，我想回房間去睡覺了，明天見，柏先生！』

『等一下，』柏霈文說，敏感地。『妳似乎有些怕我，方小姐。』

『不，』方絲縈情不自已的瑟縮了一下，覺得十分軟弱。

『別怕我，方小姐，』那男人深沉的說。『如果我有什麼失態和失禮的地方，請妳原諒，那是因為我很少和別人接觸的原因，尤其是女性。我幾乎已經忘記了禮貌，也忘記了該如何談話。』

『哦，你很好，先生，』方絲縈有些生硬的說：『我並不怕你，從來沒有。好，再見了，柏先生。』

轉過身子，她匆促的回進了自己的房間，她走得那麼急，好像要逃避什麼。

現在，她躺在床上，瞪視着天花板，無法讓自己成眠。白天所經歷的一切，都在她的腦海裏重演，一幕一幕的，那樣清晰，那樣生動，她簡直擺脫不開這父女二人的形象。那盲人的歲月堪哀，那小女孩的境況堪憐，怎樣才能幫助他們呢？為他們找回那個死去的妻子和母親嗎？她猛的打了個寒戰，帶着秋意的晚風從紗窗外吹來，夜，已經深了。

她看了看手錶，快一點鐘了，四周那麼安靜，那個柏太太還沒有回來。

拿起一本英文本的傲慢與偏見，她開始心不在焉的閱讀了起來。事實上，她的思想一點都不能集中，她的目光也不能長久的停駐在書上。每看幾行，她就會不知不覺的抬起眼睛來，對着那瓶玫瑰花，或是那個尤莉特西的雕塑像，默默的出神。時間不知道過去了多久，一聲汽車喇叭聲驚動了她，那個柏太太回來了。何必按喇叭？這樣夜靜更深的時候！難道她沒有帶大門鑰匙嗎？她放下了書，下意識的傾聽着。汽車開進了花園，車門『砰』的關上，發出巨大的聲響。接着，是高跟鞋清脆的走進客廳的聲音，然後，她走上樓來了，一面上樓，她在一面的唱着歌，聲音唱得很高，她的歌喉倒相當不錯。唱的並非時下流行的小曲子，而是那支有名的舊詩，被譜成的歌：

『我住長江頭，

君住長江尾，

日日思君不見君，

共飲長江水……』

她並沒有唱完這支歌，她的歌聲猛的中斷了，似乎受到了什麼打擾。方絲縈沒有聽到隔壁房間打開的聲音，但是，現在，她聽到柏霈文那壓抑的、惱怒的低吼：

『愛琳！』

愛琳？那麼，這是那個柏太太的名字了？

『怎麼？是你？柏霈文？』那女人的聲調是高亢而富有挑戰性的。『你有什麼事？』

『妳能不能別吵醒整棟房間的人？』

『哦？你怕我吵醒了誰嗎？你那個家庭教師嗎？哈哈！』愛琳的笑聲尖銳。『你別怕吵醒她，假若你不是個瞎子，你就會發現她根本還沒睡呢！她的門縫裏還有燈光，我打賭，她現在一定正豎着耳朵在聽我們談話呢！』

『愛琳！』

『哈，我告訴你，柏霈文，你別在我面前搗鬼，我不知道你弄一個家庭教師到家裏來做什麼。但是，我不喜歡你那個家庭教師，她的眼睛有一股賊氣，我告訴你，一股賊氣！』

『愛琳！妳瘋了！妳喝了多少酒？』柏霈文的聲音裏充滿了憤怒和無奈，而且，多少還帶着幾分焦灼。『妳能不能少說幾句？』

『少說幾句？我爲什麼要少說幾句？是你攔在我面前惹我說話呀！現在你怕了？怕被她聽到？那個你爲她佈置房間，你千方百計弄來的人？一個老處女！哈！瞎子主人和家庭教師，我等着看你們的發展！這是很好的小說資料啊！』

『住口！妳這個卑鄙下流的東西！』柏霈文的聲音顫抖，這幾句話顯然是從齒縫裏迸出來的。

『什麼？卑鄙下流？你說我卑鄙下流？』愛琳的聲音更高了。『眞正下流的是你那個跳了河的太太，我再下流，還沒給你養出雜種孩子來呵！』

『啪！』的一聲，清脆而響亮，顯然，是柏霈文揮手打了他的妻子。方絲縈預料下面將有一場更大的風暴，她提心吊膽的聽着，但是，外面却反而沉寂了，好半天都沒有聲響，然後，彷彿已過了一個世紀，方絲縈才聽到愛琳的聲音，壓低的，咬牙切齒的，充滿了仇恨的說：

『柏霈文，如果你再對我動手的話，你別怪我做得狠毒，我要毀掉你所有的一切！』

『妳毀吧！』柏霈文的語氣却低沉而蒼涼。『我還有什麼可毀的？我的一切早就毀得乾乾淨淨了。』

一聲門響，方絲縈知道柏霈文回到他自己屋裏去了。屏住氣息，方絲縈有好一會兒無法動彈，覺得自己渾身每根肌肉都是僵硬的，每根神經都是痛楚的。她所聽到的這一篇談話使她那樣吃驚，那樣不能置信，還有那樣深重的、强烈的、一種受侮辱的感覺。瞪視着天花板，她是更加無法成眠了。她早就猜到柏霈文夫婦的感情惡劣，但還沒料到竟敵對到如此地步，這是怎樣一個家庭呵！而她呢？她捲入這個家庭裏來，又將扮演怎樣的角色呢？一個單純的家庭教師嗎？聽聽愛琳剛剛的語氣吧！

『方絲縈，妳錯了，妳錯了，妳錯了！』

她對自己一疊連聲的說。然後，她猛的呆了呆，有個思想迅速的通過了她的腦海，撤退吧！現在離開，爲時未晚，撤退吧！但是……但是……但是那無母的孩子將怎麼辦呢？

第二天早上，由於晚間睡得太晚，方絲縈起床已經九點多了，好在是星期天，不需要去學校。她梳洗好下樓，柏亭亭飛似的迎了過來，一張天眞的、喜悅的、孩子氣的臉龐。

『老師，妳睡得好嗎？』

『好。』她說，却忍不住打了個呵欠。

『我在等妳一起吃早飯。』

『妳爸爸呢?』
『他在樓上吃過了。』
『媽媽呢?』
『她還在睡覺。』
『哦。』
方絲縈坐下來吃早餐,但是,她是神思不屬的。柏亭亭用一種敏感的神情看着她,由於她太沉默,那孩子也不敢開口了。飯後,方絲縈坐在沙發裏,把亭亭拉到自己的身邊來,輕輕的說:
『亭亭,方老師還是住回學校去,每天到妳家來給妳補習吧。』
那孩子的臉色蒼白了。
『爲什麼?是我不好嚒?我讓妳太累了嚒?』她憂愁的問,臉上的陽光全消失了。
『啊,不是,不是因爲妳的關係……』方絲縈說,精神困頓而疲倦。
『那麼,爲什麼呢?』亭亭望着她,那對眼睛那麼悲哀,那麼乞求的、怯生生的望着她,這把她給折倒了。『老師,我乖,我聽話,妳不要走,好嗎?』
『誰要走?』
一個聲音問,方絲縈抬起頭來,柏霈文正拾級而下,他在自己的家裏,行動是很熟練而容易的,他沒有帶拐杖。
『哦,爸爸,』亭亭焦慮的說:『你留一留方老師吧!她說要搬回學校去。』

柏霈文怔在那兒，他有很久沒有說話。方絲縈也沉默着，一層痛苦的、難堪的氣氛彌漫在空氣中。然後，好一會兒，柏霈文才輕聲的，像是自語似的說：

『她畢竟是厲害的，我連一個家庭教師都留不住呵！』

這語氣刺傷了方絲縈。

『哦？先生！』她痛苦的喊。『別這樣說！』

『還怎樣說呢？』柏霈文的臉上毫無表情，聲音空洞而遙遠。『她一逕是勝利的，永遠！』

『可是……』方絲縈急促的說：『我並沒有眞的走呵！』

『那麼，妳是留下了？』柏霈文迅速的問，生氣回復到那張面孔上。

『我……啊，我想……』方絲縈結舌的，但，終於，一句話衝口而出了：『是的，我留下了。』

這句話一說出口，她心底就隱隱的覺得，自己是中了柏霈文的計了。但是，她仍然高興自己這樣說了，那麼高興，彷彿一下子解除了某種心靈的羈絆，高興得讓她自己都覺得驚奇。

7

從這一夜開始，方絲縈就明白了一件事實，那就是：她和這個柏太太之間是沒有友誼可言的。豈止沒有友誼，她們幾乎從開始就成了敵對的局面。方絲縈預料有一連串難以應付的日子，頭幾日，她都一直提高着警覺，等待隨時可能來臨的風暴。但是，什麼事都沒有發生。方絲縈發現，她和愛琳幾乎見不着面，每天早上，方絲縈帶着亭亭去學校的時候，愛琳都還沒有起床，等到下午，方絲縈和亭亭回來的時候，愛琳就多半早已出去了，而這一出去，是不到深夜，就不會回來的。

這樣的日子倒也平靜，最初走入柏宅的那份不安和畏懼感漸漸消失了，方絲縈開始一心一意的調理柏亭亭。早餐時，她讓亭亭一定要喝一杯牛乳，吃一個鷄蛋。中午亭亭是帶便當（飯盒）的，便當的內容，她親自和亞珠研究菜單，以便增加營養和改換口味，方絲縈自己，中午則在學校裏包伙，她是永遠吃不慣飯盒的。晚餐，現在成爲最愼重的一餐了，因爲，不知從何時開始，柏霈文就喜歡下樓來吃飯了，席間，常在亭亭的笑語呢喃，和方絲縈的溫柔呵護中度過。柏霈文很少說話，但他常敏銳的去體會周遭的一切，有時，他會神往的停住筷子，只爲了專心傾聽方絲縈和亭亭的談話。

亭亭的改變快而迅速，她的面頰紅潤了起來，她的身高驚人的上升，她的食量增加了好幾倍……而最大的改變，是她那終日不斷的笑聲，開始像銀鈴一般流傳在整棟房子裏。她那快樂的本性充分的流露了出來，渾身像有散發不盡的喜悅，整日像個小鳥般依偎着方絲縈。連那好心腸的亞珠，都曾含着淚對方絲縈說：

『這孩子是越長越好了，她早就需要一個像方老師這樣的人來照顧她。』

方絲縈安於她的工作，甚至沉湎在這工作的喜悅裏，她暫時忘記了美國，忘記了亞力，是的，亞力，他曾寫過那樣一封嚴厲的信來責備她，把她罵得體無完膚，說她是個傻瓜，是個瘋子，是沒有感情和責任感的女人。讓他去吧，讓他罵吧，她瞭解亞力，三個月後，他會交上新的女友，他是不甘於寂寞的。

柏霈文每星期到台北去兩次，方絲縈知道，他是去台北的工廠，料理一些工廠裏的業務，那工廠的經理是個五十幾歲的老人，姓何，也常到柏宅來報告一些事情，或打電話來和柏霈文商量業務。方絲縈驚奇的發現，柏霈文雖然是個殘廢，但他處理起業務來却簡潔乾脆，果斷而有魄力，每當方絲縈聽到他在電話中交代何經理辦事，她就會感慨的、嘆息的想：

『如果他不瞎呵！』

如果他不瞎，他不瞎時會怎樣？方絲縈也常對着這張臉孔出神了。那是張男性的臉孔，剛毅、堅決、沉著……假若能除去眉梢那股憂鬱，嘴角那份蒼涼和無奈，他是漂亮的！相當漂亮的！方絲縈常會呆呆的想，十年前的他，年輕而沒有殘疾，那是怎樣的呢？

日子平穩的滑過去了，平穩？眞的平穩嗎？

這是一個星期天的下午，方絲縈第一次離開柏亭亭，自己單獨的去了一趟台北，買了好些東西。當她捧着那些大包小包回到柏宅，却意外的看到亭亭正坐在花園的台階上，用手托着腮，滿面愁容。

『怎麼坐在這裏？亭亭？』方絲縈詫異的問。

『我等妳。』那孩子可憐兮兮的說，嘴角抽搐着。『下次妳去台北的時候，也帶我去好嗎？我會很乖，不會鬧妳。』

『啊！』方絲縈有些失笑。『亭亭，妳變得倚賴性重起來了，要學着獨立呵！來吧，高興些，我現在不是回來了嗎？我們上樓去，我有東西要給妳看。』

那孩子猶豫了一下。

『先別進去。』她輕聲說。

『怎麼？』她奇怪的問，接着，她就陡的吃了一驚，因爲她發現亭亭的臉頰上，有一塊酒杯口那麼大小的瘀紫，她蹲下身子來，看着那傷痕說：『妳在那兒碰了這麼大一塊？還是摔了一跤？』

那孩子搖了搖頭，垂下了眼瞼。

『媽媽和爸爸吵了一架，吵得好兇。』她說。

『妳媽媽今天沒出去?』

『沒有，現在還在客廳裏生氣。』

『爲什麼吵?』

『爲了錢，媽媽要一筆錢，爸爸不給。』

『哦，我懂了。』方絲縈瞭然的看着亭亭面頰上的傷痕。『妳又遭了池魚之災了。她擰的嗎?』

亭亭還來不及回答，玻璃門突然打開了，方絲縈抬起頭來，一眼看到愛琳攔門而立，滿面怒容。站在那兒，她修長的身子挺直，一對美麗的眼睛森冷如寒冰，定定的落在方絲縈的身上。方絲縈不由自主的站直了身子，迎視着愛琳的眼光，她一語不發，等着對方開口。

『妳不用問她，』愛琳的聲音冷而硬。『我可以告訴妳，是我擰的，怎麼樣?』

『妳——妳不該擰她!』方絲縈聽到自己的聲音，憤怒的、勇敢的、顫慄的、强硬的。『她沒有招惹妳，妳不該拿孩子來出氣!』

『嗬!』愛琳的眼睛裏冒出了火來。『妳是誰?妳以爲妳有資格來管我的家事?兩千元一月買來的家教，妳就以爲是亭亭的保護神了嗎?是的，我打了她，這關妳什麼事?法律上還沒有說母親不可以管教孩子的，我打她，因爲她不學好，她撒謊，她鬼頭鬼腦，她像她死鬼母親的幽靈!是的，我打她!妳能把我怎麼樣?』說着，她迅速的舉起手來，在方絲縈還沒弄清楚她的意思之前，她就劈手給了柏亭亭一耳光。亭亭一直瑟縮的站在旁邊，根本沒料想這時候還會挨打，因此，這一耳光竟結結實實的打在她的臉上，聲音好清脆好響亮，她站立不住，踉跟着幾乎跌倒。方絲縈發出一聲驚喊，她的手一鬆，手裏的紙包紙盒散了一地，她撲過去，一把扶住了亭亭。攔在亭亭的身子前面，她是眞的激動了，狂怒了。而且又驚又痛。她喘息着，瞪視着愛琳，激動得渾身發抖，一面嚷着說：

『妳不可以打她！妳不可以！妳……』她說不出話來，憤怒使她的喉頭堵塞，呼吸緊迫。

『我不可以？』愛琳的眉毛挑得好高，她看來是殺氣騰騰的。『妳給我滾開！我今天非打死這個小鬼不可！看她還扮演小可憐不扮演！』

她又撲了過來，方絲縈迅速的把亭亭推在她的背後，她挺立在前面，在這一刻，她什麼念頭都沒有，只想保護這孩子，那怕以命相拚。愛琳衝了過來，幾度伸手，都因爲方絲縈的攔阻，她無法拉到那孩子，於是，她裝瘋賣傻的在方絲縈身上撲打了好幾下，方絲縈忍受着，依然固執的保護着亭亭。愛琳開始尖聲的咒罵起來：

『妳管什麼閒事？誰請妳來做保鏢的啊？妳這個老處女！妳這個心理變態的老巫婆！妳給我滾得遠遠的！這雜種孩子又不是妳養的！妳如果眞要管閒事，我們可以走着瞧！我會讓妳吃不了兜着走！』

突然間，門口響起了柏霈文的一聲暴喝：

『愛琳！妳又在發瘋了！』

『好，又來了一個！』愛琳喘息的說：『看樣子你們勢力强大！好一個聯盟黨！一個瞎子！一個老處女！一個小雜種！好強大的勢力！我惹不起你們，但是，大家看着辦吧！走着瞧吧！』說完，她拋開了他們，大踏步的衝進車房裏去，沒有用老尤，她自己立刻發動了車子，風馳電掣的把車子開走了。

這兒，方絲縈那樣的受了刺激，她覺得無法控制自己的情緒，她甚至沒有看看亭亭的傷痕，就自管自的從柏霈文身邊衝過去，一直跑上樓，衝進了自己的房間，關上房門，她倒在床上，取下眼鏡，就失聲的痛哭了起來。

她只哭了一會兒，就聽到有人在輕叩着房門，她置之不理，可是，門柄轉動着，房門被推開了，有人跑到她的床邊來。接着，她感到亭亭啜泣着用手來推她，一面低聲的、婉轉的喊着：

『老師，妳不要哭吧！老師！』

方絲縈抬起頭來，透過一層淚霧，她看到那孩子的半邊面頰，已經又紅又腫，她用手輕輕的撫摸着亭亭臉上的傷痕，接着，就一把把亭亭擁進了懷裏，更加泣不可仰。她一面哭着，一面痛楚的喊：

『亭亭！噢，妳這個苦命的小東西！』

亭亭被方絲縈這樣一喊，不禁也悲從中來，用手環抱着方絲縈的腰，把頭深深的埋在方絲縈的懷裏，她『哇』的一聲，也放聲大哭了起來。

就在她們抱頭痛哭之際，柏霈文輕輕的走了進來，站在那兒，他佇立了好一會兒，然後，他才深深的嘆了口氣。

『我抱歉，方小姐。』他痛苦的說。

方絲縈拭乾了淚，好一會兒，她才停止了抽噎。推開亭亭，她細心的用手帕在那孩子的面頰上擦着。她已經能夠控制自己了，擤擤鼻子，深呼吸了一下，她勉强的對亭亭擠出一個笑容來。說：

『別哭了，好孩子，都是我招惹妳的。現在，去洗把臉，到樓下把我的紙包拿來，好嚒？』

『好。』亭亭順從的說，又抱住方絲縈的脖子，在她的面頰上吻了一下。然後她跑下樓去了。

這兒，方絲縈沉默了半晌，柏霈文也默然不語，好久，還是方絲縈先打破了沉默。

『這樣的婚姻，爲什麼要維持着？』她問，輕聲地。

『她要離婚，』他說：『但是要我把整個工廠給她，做爲離婚的條件，我怎能答應？』

『你怎會娶她？』

他默然，她感到他的呼吸沉重。

『我是瞎子！』他衝口而出，一語雙關的。

她覺得內心一陣絞痛。站起身來，她想到浴室去洗洗臉，柏霈文懇求的喊了聲：

『別走！』

她站住，楞楞的看着柏霈文。

『告訴我，』他的聲音急促而迫切，帶着痛楚，帶着希求。『妳怎麼會走入我這個家庭？』

『你聘我來的。』方絲縈說，聲音好勉强，好無力。

『是的，是我聘妳來的，』他喃喃的說：『但是，妳從那兒來的？那個五月的下午，妳從那兒來的？另一個世界嗎？』

『對了，另一個世界。』她說，背脊上有着涼意，她打了個寒戰。『在海的那一邊，地球的另一面。』

柏霈文還要說什麼，但是，柏亭亭捧着那些大包小包的東西，喘着氣走了進來，方絲縈走過去，接過了那些包裹，把它放在床上。柏霈文不再說話了，但他也沒有離去，坐在書桌前的椅子裏，他帶着滿臉深思的神情，仔細的，敏銳的，傾聽着周圍的一切。

『亭亭，過來。』方絲縈喊着，讓她站在床旁邊。然後，她一個個的打開那些包裹，她每打開一個，亭亭就發出一聲驚呼，每打開一個，亭亭的眼睛就瞪得更大一些，等她全部打開了，亭亭已不大喘得過氣來，她的臉脹紅了，嘴唇顫抖着，張口結舌的說：

『老——老師，妳買這些，做——做什麼？』

『全是給妳的，亭亭！』方絲縈說，把東西堆在柏亭亭的面前。

『老——老師！』那孩子低低的呼喊了一聲，不敢信任的用手去輕觸着那些東西。那是三個不同的洋娃娃，都是最考究的，眼睛會睜會閉的那種，一個有着滿頭金髮，穿著華麗的、縐紗的芭蕾舞衣。一個是有着滿臉雀斑，拿着球棍的男娃娃，還有個竟是個小黑人。除了這些娃娃之外，還有三套漂亮的衣服，一套是藍色金釦子的裙子，一套是大紅絲絨的秋裝，還有一套是純白的。亭亭摸了摸這樣，又摸了摸那樣，她的臉色蒼白了。抬起頭來，她用帶淚的眸子看着方絲縈，低聲的說：『妳——妳爲什麼要買這些呢？』

『怎麼？妳不喜歡嗎？』方絲縈攬過那孩子來，深深的望着她。『妳看，那是金鬈兒，那是小醜，那是小黑炭，這樣，妳的布娃娃就不會寂寞了，是不是？至於這些衣服，告訴妳，亭亭，我喜歡女孩子打扮得漂漂亮亮的，妳可願意拿到妳房裏去穿穿看，是不是合身？我想，一定沒有問題的。』

『呵！』那孩子又喊了一聲，終於對這件事有了眞實感，淚水滾下了她的面頰，她把頭埋進方絲縈的懷裏，去掩飾她那因爲極度歡喜而流下的淚，然後，她抬起頭來，衝到床邊，她拿起這個娃娃，又拿起那個娃娃，看看這件衣服，又看看那件衣服，嘴裏不住的、一疊連聲的嚷着：『喔，老師！喔，老師！喔，老師！喔，老師……』接着，她又拿着那金髮娃娃，衝到她父親身邊，興奮的喊着：『爸爸，你摸摸看！爸爸，方老師給我好多東西，好多，好多，好多！哦！爸爸！你摸！』

柏霈文輕輕的摸了摸那娃娃，他沒說什麼，臉色是深思而莫測高深的。

『噢，老師，我可以把這些東西拿到我房裏去嗎？』亭亭仰起她那發光的小臉龐，看着方絲縈。

『當然啦，』方絲縈說，她知道這孩子急於要關起房門來獨享她這突來的快樂。『妳也該把這些新娃娃拿去介紹給妳那個舊娃娃了，它已經悶了那麼久，再有，別忘了試試衣服啊！』

孩子捧着東西，衝進自己的屋子裏去了。

方絲縈站在床邊，慢慢的收拾着床上的包裝紙和盒子繩子等東西。和柏霈文單獨在一間房間裏，使她有份緊張與壓迫的感覺。尤其，柏霈文臉上總是帶着那樣一個深思的，莫測高深的表情，使她摸不透他心裏在想些什麼。

『妳在用這種方式來責備一個疏忽的父親嗎？』他終於開了口。

『我沒有責備誰的意思……』

『那麼，妳是在「懲罰」了？』他緊釘着問。

方絲縈站住了，她直視着柏霈文那張倔强的臉。

『倒是你的語氣裏，對我充滿了責備和不滿呢！』她說，微微有點氣憤。『懲罰？我有什麼資格懲罰人？兩千元一月買來的家庭教師而已！』

『這樣說太殘忍！』

『這是你「太太」的話！』她加重了『太太』兩個字，把床上的紙掃進了字紙簍中。『殘忍？這原是個殘忍的世界！最殘忍的，是你們在戕賊一個孩子的心靈。你們在折磨她、虐待她，如果不是爲了這個孩子，我不會在你家多待一小時！』

『是嗎？』柏霈文的聲音好低沉，一層痛楚之色又染上了他的眉梢。『妳以爲我不疼愛那個孩子？』

『你疼愛嗎？』方絲縈追問。『那麼，你不知道她衣櫥裏空空如也，你不知道她唯一的玩具是從山坡上撿來的破娃娃，你不知道她生活在幻想中，一天到晚給自己編造關心與憐愛，你甚至不知道她又瘦又小又蒼白！』

柏霈文打了個冷戰。

『從沒有人告訴我這些。』他說，聲音是戰慄的。『她像她的生母，忍辱負重，委曲求全……她完全像她的生母！』

方絲縈心底一陣收縮，又是那個『生母』！她怕聽這兩個字。

『你有個好孩子，』她故意忽略掉『生母』的話題，懇切的說：『好好的愛她吧！柏先生。她雖然沒有母親，她到底還有父親呀！』

『她漂亮嗎？』柏霈文問。

『是的，她長得像你。』

『像我？』柏霈文楞了一下。『我希望她像她的生母！她生母是個美人兒。』

又是生母！方絲縈轉開頭去。忽然間，柏霈文從衣服口袋裏掏出了一樣東西，遞給方絲縈說：

『打開它！』

方絲縈怔住了，她下意識的伸手接了過來，那是一個小小的金鷄心，由兩支玫瑰花合抱而成的心形，製作得十分考究。她慢慢的打開這鷄心，裏面竟嵌着一張小小的照片，她瞪視着這早已變色的照片，呆立在那兒，她一動也不能動了。

這是一張合照，一男一女的合照，照片裏的那男人，當然毫無問題的是柏霈文，年輕、漂亮，雙目炯炯有神，充滿了精神與活力，愛情與幸福。那女人呢？長髮垂肩，明眸皓齒，一臉出奇的溫柔，滿眼睛夢似的陶醉，那薄薄的小嘴唇邊，帶着個好甜蜜好甜蜜的微笑。方絲縈注視着，眼眶不自禁的潮濕了。

『這是我唯一還保存着的一張照片，含煙不喜歡照相，這是僅有的一張了。』

『含煙？』她喃喃的唸着這兩個字。

『哦，我沒告訴過妳？那是她的名字，章含煙，我跟她結婚後，就把我們的房子取名叫含煙山莊。含煙！她的人像她的名字，飄逸、蕭洒、雅致！』

『你還懷念她？』方絲縈有些痛苦的說。

『是的，我會懷念她一輩子！』

方絲縈震動了一下。合起了那個鷄心，她把它交還給柏霈文。忍不住的，她仔細的打量着這張臉，柏霈文似乎在幻想着什麼，他的臉是生動而富於感情的。

『妳相信鬼魂嗎？方小姐？』他說。

『不，』方絲縈呆了呆。『我想我不信，起碼，我不太信，我沒看見過。』

『但是，她在。』

『誰在？』方絲縈吃了一驚。

『含煙！』

『在那兒？』

『在我身邊，在我四周，在含煙山莊的廢墟裏！我感覺得到，她存在着！』

『哦，柏先生，』方絲縈張大了眼睛。『你嚇住了我！』

『是嗎？』他的聲調有些特別，他的思緒不知道飄浮在什麼地方。『幾天前的一個晚上，我曾到含煙山莊的廢墟裏去，我聽到她走路的聲音，我聽到她的嘆息，我甚至聽到她衣服的細碎聲響。』

『哦，柏先生！』

『我告訴妳吧，她存在着！』柏霈文的語氣堅定，面容熱烈。方絲縈被他的神情所眩惑了，迷糊了，感動了，她覺得說不出話來。

『她存在着！』他仍然繼續的說，陷在他自己的沉思和幻覺中。『妳相信嗎？方小姐？』

『或者……』方絲縈吞吞吐吐的說：『你是思之心切，而……產生了錯覺。』

『錯覺！』柏霈文喊着。『我沒有錯覺！我的感覺是銳利的，一個瞎子，會有超過凡人的感應能力，我知道，她在我身邊！』

方絲縈愕然的看着那張熱烈的臉，那張被强烈的痛楚與期盼所燃燒着的臉。一個男人，在等待着一個鬼魂，這可能嗎？她戰慄了，深深的戰慄了。然後，她走過去，站在柏霈文的面前，用手輕輕的按在柏霈文的肩上，誠心的說：

『上帝保佑你，柏先生。祝福你，柏先生。願你有一天能找到你的幸福，柏先生。』

她含着淚，匆匆的走開，到亭亭房裏去看她試穿那些衣服。

8

應該是陰曆十五六左右吧，月亮圓而大，月色似水，整個殘破的花園、廢墟、鐵門，和斷牆都染上了一層銀白，披上了一層虛幻的色彩，罩上了一層霧似的輕紗。那斷壁、那殘垣，在月光下像畫，像夢，像個不眞實的境界。但是，那一切也是淸晰的，片瓦片磚，一草一木，都毫無保留的暴露在月光下。

方絲縈輕悄的走進了這滿是荒煙蔓草的花園，她知道自己不該再來了，可是，像有股無形的力量在吸引她，推動她，左右她，使她無法控制自己，她來了，她又來了，踏着月光，踏着夜露，踏着那神秘的、夜晚的空氣，她又走進了這充滿了魔力的地方。

那幢房子的空殼聳立在月光之下，一段段東倒西歪的牆垣在野草叢生的地上投下了幢幢黑影，那些穿窗越戶的藤蔓伸長着枝椏和鬈鬚，像一隻隻渴求着雨露的手。那兩株玫瑰仍然在野草中綻放，鮮艷的色彩映着月光，像兩滴鮮紅的血液。方絲縈穿着一雙軟底的鞋子，無聲無息的走過去，摘下了一朵玫瑰，她把它插在自己風衣的鈕孔中。她穿着件米色的長風衣，披着一頭美好的長髮，她沒有戴眼鏡，在這樣的夜色裏，她無須乎眼鏡。

她從花園裏那條水泥路上走過去，一直走到那棟廢墟的前面，那兒有幾級石堦，石堦上已遍佈着綠色的青苔。兩扇厚重的、檜木的、古拙的大門，現在歪倒的半開着。她走了進去，一層陰暗的、潮濕的、冷冷的空氣對她迎了過來，她深吸了口氣，邁過了地上那些殘磚敗瓦和橫樑，月光從沒有屋頂的天空上直射下來，她看到地上自己的影子，蓋在那些磚瓦之上，長髮輕拂，衣袂翩然。

她走過了好幾堵斷牆，越過了好些家具的殘骸，然後，她來到一間曾是房間的房間裏，現在，牆已塌了，門窗都已燒毀，地板早已屍骨無存，野草恣意蔓生在那些家具殘骸的隙縫裏。她抬起頭，可以看到二樓的部份樓板，越過這樓板的殘破處，就可直看到天空中的一輪皓月。低下頭來，她看到靠窗處有個已燒掉一半的書桌，書桌那雕花的邊緣還可看出是件講究的家具。她走過去，下意識的伸手去拉拉那合着的抽屜，想在這抽屜裏找到一些什麼嗎？她自己也不知道，抽屜已因爲時光長久，無法開啓了，但這整個書桌却由於她的一拉，而傾倒了下來，發出好大一聲響聲，她跳開，被這響聲嚇了一大跳。等四周重新安靜了，她才驚魂甫定。於是，她忽然發現，在那書桌背後的磚瓦上，有一本小小的册子，她走過去，拾了起來，册子已被火燒掉了一個角，剩下的部分也潮濕而霉腐了。但那黑皮的封面還可看出是本記事册，翻開來，月光下，她看不清那些已因潮濕而漾開了的鋼筆字，何況那些字迹十分細小。她把那小册子放進了風衣的口袋裏，轉過身子，她想離去，可是，忽然間，她站住了。

她聽到一陣清晰的脚步聲，向着她的方向走了過來，她的心臟加速了跳動，她想跑，想離開這兒，但她又像被釘死似的不能移動。她站着，背靠着一堵牆，隱藏在牆角的陰影裏。她聽到一個絆跌的聲音，又聽到一陣喃喃的自語，然後，她看到了他，他瘦長的影子挺立在月光之中，手杖上的包金迎着月光閃耀。她鬆出一口氣，這不是什麼怪物，不是什麼鬼魅，這是他——柏霈文，他又來了，來找尋他妻子的鬼魂。她不禁長長的嘆息了。

她的嘆息驚動了他，他迅速的向前移動了兩步，徒勞的向她伸出了手來，急迫的喊：

『含煙！妳在那兒？』

不，不，我不扮演這個！方絲縈想着，向另一堵已倒塌的斷牆處移動。我要離去，我馬上要離去，我不能扮演一個鬼魂。

『含煙，回答我！』他命令式的低喊，繼續向前走來，一面用他那隻沒有握手杖的手，摸索着周遭的空氣。他的聲音急切而熱烈。『我聽到了妳，含煙，我知道妳在這兒，妳再也逃不掉了，回答我，含煙，求妳！』

方絲縈繼續沉默着，屏住氣息，她不敢發出絲毫的聲響，只是定定的看着面前這個盲人。月光下，柏霈文的面容十分清晰，那是張被狂熱的期盼所燒灼着的臉，被強烈的痛苦所折磨着的臉。由於沒有回答，他繼續向前移動，他的方向是準確的，方絲縈發現自己被逼在一個角落裏，很難不出聲息的離開了。

『含煙，說話！請求妳！我知道這絕不是我的幻覺，妳在這兒！含煙，我每根神經都知道，妳在這兒！含煙，別太殘忍！妳曾經是那樣溫柔和善良的，含煙，我這樣日日夜夜的找尋妳，等待妳，妳忍心嗎？』

他逼得更近了，方絲縈試着移動，她踩到了一塊瓦，發出一聲破裂聲，柏霈文迅速的伸手一抓，方絲縈立即閃開，他抓了一個空。他站定了，喘息着，呼吸急促而不穩定，他的面孔被痛苦所扭曲了。

『妳躲避我？含煙？』他的聲音好淒楚、好蒼涼。『我知道，妳恨我，妳一定恨透了我，我能怎樣說呢？含煙？我怎樣才能得到妳的原諒？這十年來，我也受夠了，妳知道嗎？我的心和這棟燒毀的房子一樣，成爲一片廢墟了，妳知道嗎？我拒絕接受眼睛的開刀治療，只是爲了懲罰我自己，我應該瞎眼！誰教我十年前就瞎了眼？妳懂嗎？含煙？』他的聲調更加哀楚。『想想看，含煙，我曾經是多麼堅強，多麼自負的！現在呢？我什麼志氣都沒有了，我只有一個渴望，一個祈求，哦，含煙！』

他已停到她的面前了，近得連他呼吸的熱氣，都可以吹到她的臉上。她不能移動，她無法移動，她彷彿被催眠了，被柏霈文那哀求的、痛楚的聲音所催眠了，被他那張受着折磨的面容所催眠了。她怔怔的、定定的看着他，聽着他那繼續不停的傾訴：

『含煙，如果妳要懲罰我，這十年，也夠了，是不是？妳善良，妳好心，妳熱情，妳從不肯讓我受委屈，現在，妳也饒了我吧！我在向妳哀求，妳知道嗎？我在把一個男人的最驕傲、最自負的心，抖落在妳脚下，妳知道嗎？含煙，不管妳是鬼是魂，我再也不讓妳從我手中溜走了。再也不讓！』

他猛的伸出手來，一把抓住了她。方絲縈發出一聲輕喊，她想跑，但他的手强而有力，他拋掉了手杖，把她拉進了懷裏，立刻用兩隻手緊緊的箍住了她，她掙扎，但他那男性的手臂那樣强猛，她掙扎不出去，於是，她不動了，被動的站着，望着那張鷙猛的、狂喜的、男性的臉孔。

『哦，含煙！』他驚喊着，用手觸摸她的臉頰和頭髮。『妳是熱的，妳不像一般鬼魂那樣冷冰冰。妳還是那樣的長頭髮，妳還是渾身帶着玫瑰花香，呵！含煙！』他呼喚着，是一聲從肺腑中絞出來的呼喚，那樣熱烈而痛楚的呼喚，方絲縈的視線模糊了，兩滴大粒的淚珠沿着面頰滾落。他立刻觸摸到了。他喃喃的，像夢囈似的說：『妳哭了，含煙，是的，妳哭吧，含煙，妳該哭的，都是我不好，讓妳受盡了苦，受盡了委屈。哭吧，含煙，妳好好的哭一場，好好的哭一場吧！』

方絲縈眞的啜泣了起來，這一切的一切都使她受不了，都觸動她那女性的、最纖弱的神經，她眞的哭了，哭得傷心，哭得沉痛。

『哦，哭吧！含煙，我的小人，哭吧！』他繼續說：『只是，求妳，別再像一股煙一樣從我手臂中幻滅吧，那樣我會死去。呵！含煙呵！』他的嘴唇凑上了她的面頰，開始吸吮着她的淚，他的聲音震顫的、壓抑的、模糊的繼續響着，『妳不會幻滅吧？含煙？妳不會吧？妳不會那樣殘忍的。老天！我有怎樣的狂喜，怎樣的狂喜啊！』

於是，猛然間，他的嘴唇滑落到她的唇上了，緊緊的壓着她，緊緊的抱着她，他的唇狂熱而鷙猛，帶着全心靈的需求。她無法喘息，無法思想，無法抗拒……她渾身虛軟如綿，思想的意識都在遠離她，脚像踩在雲堆裏，那樣無法着力，那樣輕輕飄飄。她的手不由自主的圈住了他的脖子，她閉上了眼睛，淚在面頰上奔流，她低低呻吟，融化在那種虛幻的、夢似的感覺裏。

忽然間，她驚覺了過來，一陣寒顫穿過了她的背脊，她這是在做什麼？竟任憑他把她當作含煙的鬼魂？她一震，猛的挺直了身子，迅速的用力推開了他，她喘息着退向一邊，接着，她摸到了一個斷牆的缺口，她看着他，他正撲了過來，她立即翻出缺口，發出一聲輕喊，就像逃避瘟疫一樣沒命的向花園外狂奔而去。她聽到柏霈文在她身後發狂似的呼喊：

『含煙！含煙！含煙！』

她跑着，沒命的跑着，跑了好遠，她還聽到柏霈文那撕裂似的狂叫聲：

『含煙！妳回來！含煙！妳回來！含煙！妳回來！』

她跑到了柏宅門口，掏出她自備的那份偏門的鑰匙，她打開了偏門，手是顫抖的，心臟是狂跳着的，頭腦是昏亂的。進了門，她急急的向房子裏走，她走得那樣急，差點撞在一個人身上，她站住，抬起頭來，是老尤。他正彎下身去，拾起從她身上掉到地下的一朶紅玫瑰。

『方小姐，妳的玫瑰！』

老尤說着，把那朶玫瑰遞給了方絲縈，方絲縈看了他一眼，他的眼光是銳利的，研究的。她匆匆接過了玫瑰，掩飾什麼似的說：

『你還不睡?』

『我在等柏先生，他還沒回來。』

『哦。』

她應了一聲，就拿着玫瑰，急急的走進屋裏去了，但她仍然感到老尤那銳利的眼光，在她身後長久的凝視着。

上了樓，一回進自己的屋子裏，她就覺得渾身像脫力一般癱軟了下來。她關上房門，把自己的身子沉重的擲在床上，躺在那兒，她有好久一動都不動。然後，她坐起來，慢慢的脫掉了風衣和鞋子，衣服和鞋子上還都沾着含煙山莊的碎草，那朵玫瑰已經揉碎了。換上了睡衣，她躺下來，心裏仍然亂糟糟的不能平靜，柏霈文在她唇上留下的那一吻依舊鮮明，而且，她發現自己對這一吻並不厭惡，相反的，她始終有份沉醉的、痛苦的、軟綿綿的感覺。她不喜歡這種感覺，她心靈的每根纖維都覺得刺痛——一種壓迫的、矛盾的、苦惱的刺痛。

她聽不到柏霈文回房間的聲音，他還在那廢墟中作徒勞的找尋嗎?那陰森的、淒涼的、幽冷的廢墟!她幾乎看到了柏霈文的形狀，那樣憔悴的、哀苦無告的、向虛空中伸着他那祈求的手。摸索又摸索，呼喚又呼喚，找尋又找尋……但是，他的含煙在何處呢?在何處呢?

她把臉埋進了手心裏，痛苦的、惱人的關懷呵!他爲什麼還不回來呢?那兒蒼苔露冷，那兒夜風侵人，爲什麼還不回來呢?

她忽然想起那本黑色的小册子，爬起身來，她從風衣口袋裏摸出了那本又霉濕、又殘破的小冊子，翻過來，那些細小而娟秀的字迹幾乎已不可辨認，在燈光下，她仔細的看着，那是本簡簡單單的記事冊，記着一些零零星星的事情，間或也有些雜感，她看了下去：

六月五日

今日開始採茶了，霈文終日忙碌，那些採茶的姑娘在窗外唱着歌，音韻極美。

六月八日

『她』又來找麻煩了，我心苦極。我不知該怎麼辦好，此事絕不能讓霈文知道。我想我……

（下面燒毀）

六月十一日

我決心寫一點兒什麼，我常有不祥的預感，我該把許多事情寫下來。

六月十二日

霈文終日在工廠，『她』使我的精神面臨崩潰的邊緣，高目睹一切，他說要告訴霈文，經我苦求才罷。

六月十五日

霈文整日都在家，我幫他整理工廠的帳目，我不願他離開我，我愛他！我愛他！我愛他！

六月十七日

我必須要寫下來，我必須。（下面燒毀）

六月十八日

高堅持說我不能這樣下去，他十分激動，他說霈文是傻瓜，是瞎子。

六月二十二日

我要瘋了，我想我一定會瘋。『她』今日盤問我祖宗八代，我背不出，啊！

六月二十四日

我希望霈文不要這樣忙，我希望！為了霈文，什麼都可以犧牲，什麼都可以！

六月二十五日

怎樣的日子！霈文，你不該責備我呵，多少的苦都吃過了，你還要責備我嗎？霈文，你好忍心，好忍心，好忍心哪，我哭泣終日，『她』說我……（下面燒毀）。

六月二十六日

高陪伴我一整日，他怕我尋死。

六月二十九日

我決心寫一點東西了，寫一本小小的書，我要把我和霈文的一切都寫下來。

六月三十日

著手寫書，一切順利。

七月五日

我想我太累了，今日有些發燒。

七月八日

風暴又要來臨了，我感覺得出。霈文又不在家，我終日伏案寫稿，黃昏的時候，突然……

（下面燒毀）

七月九日

果然！『她』又尋事了，天哪！今日豪雨，霈文去工廠，我不能忍受，我跑出去，淋濕了，高把我追了回來。

七月二十日

病後什麼都慵慵懶懶的，霈文對我頗不諒解，我心已碎。

七月二十二日

渾身乏力，目眩神迷，雖想伏案寫書，奈力不從心。高勸我休息，他說我憔悴如死。

七月二十五日

續寫書，倦極。

七月二十六日

小生命將在八月中旬降生，連日腰痠背痛，醫生說我體質太弱，可能難產。

七月二十七日

天氣熱極，烈日如焚，『她』要我爲她唸書，刁劉氏演義，我不知她是什麼意思……（下面燒毀）

七月二十八日

暈倒數次，高找了醫生來，我懇求他不要告訴霈文，霈文實在太忙了，一切事都不能怪他。

七月三十日

發熱，口渴，我命將盡。我必須把書先寫完，天哪，我現在還不想死。

七月三十一日

霈文和高大吵，難道霈文也相信那些話，我勉力起床寫書，終不支倒下。

八月一日

我有怎樣的暈眩，我有怎樣的幻覺！霈文，別離開我！霈文，我的愛，我的心，我的世界！

…………

她猛的合起了那本小冊子，她不願再讀下去了。這些片片段段、殘破不全的記載使她的內心絞痛，淚眼模糊。把小冊子鎖進了床頭櫃的抽屜，她躺回床上，側耳傾聽，柏霈文仍然沒有回來。只有山坡上的松濤和竹籟，發出低柔如訴的輕響。

9

一清早，亭亭就告訴方絲縈說，柏霈文病了。方絲縈心頭頓時掠過了一陣強烈的驚疑和不安。病了？她不知道他昨夜是幾點鐘回來的，她後來是太疲倦了而睡着了。可是，回憶昨夜的一切，她仍然滿懷充塞着酸楚的激情，她記得自己怎樣殘忍的將他遺棄在那廢墟之中。病了？是身體上的病呢？還是心裏頭的病呢？她不知道。而她呢，以她的身分，她是多難表示適度的關懷啊！

『什麼病呢？』她問亭亭。

『不知道。老尤已經開車去台北接劉醫生了，劉醫生這幾年來一直是爸爸的醫生，也是我的。』

『妳看到他了嗎？』她情不自已的問，抑制不住自己那份忐忑，那份憂愁，和那份痛苦的關懷。

『誰？劉醫生嗎？』

『不，妳爸爸。』

『是的，我剛剛看到他，他叫我出去，我想他在發燒，他一直在翻來覆去。』

『哦。』方絲縈呆楞楞的看着窗外的天空，幾朵白雲在那兒浮游着。人哪，你是多麼脆弱的動物？誰禁得起身心雙方面的煎熬？爲什麼呢？爲什麼你要到那廢墟中去尋覓一個鬼魂？你找着了什麼？不過是徒勞的折磨自己而已。她把手壓在唇上，他夢寐裏的章含煙！如今，他仍相信昨夜吻的是含煙的鬼魂嗎？她猜他是深信不疑的。噢，怎樣一份糾纏不清的感情！

『方老師，妳怎麼了？』

亭亭打斷了她的沉思，是的，她必須要擺脫這份困擾着她的感情，她必須！這樣是可怕的，是痛苦的，是惱人的！方絲縈呵方絲縈，妳是個堅定的女性，妳早已心如止水，妳早已磨練成了金剛不壞之身，堅强挺立得像一座山，現在妳怎樣了？動搖了嗎？啊，不！她打了個冷戰，迅速的挺直了背脊。

『噢，快些，亭亭，我們到學校要遲到了。』

『我能不能不去學校？』亭亭問，担憂的看着她父親的房門。

『中午我們打電話回來問亞珠，好嗎？』方絲縈說：『我想，妳爸爸不過是受了點涼，沒什麼關係的。』

她們去了學校。可是，方絲縈整日是那樣的心神恍惚，她改錯了練習本，講錯了書，而且，動不動就陷入深深的沉思裏。她沒有等到中午，已經打了電話回柏宅，對亞珠，她是這樣說的：

『亭亭想知道她爸爸的病怎樣了？』

『劉大夫說是受了涼，又受了驚嚇，燒得很高，劉大夫開了藥，已經買來了，他脾氣很壞，不許人進屋子呢！』

『哦，』她的心一陣緊縮。『不要住醫院嗎？』

『劉大夫說用不着，先生也不肯進醫院的。』

『哦，好了，沒事了。』

掛斷了電話，她的情緒更加紊亂了。昨夜！昨夜自己是萬萬不該到那廢墟裏去的！更不該沉默着，讓對方認爲自己是個鬼魂。那纏綿的，飢渴的一吻，那些掏自肺腑的心靈的剖白！還有那聲嘶力竭的呼號：

『含煙！妳回來！含煙！妳回來！含煙！妳回來！』

呵！自己到底在做些什麼事呢？事情會越弄越複雜了。她早就警告過自己，不該走入這個家庭的啊！現在，自己還來得及擺脫嗎？還能擺脫嗎？還願意擺脫嗎？如果再不擺脫，以後會怎樣呢？呵！這些煩惱的思緒，像含煙山莊那廢墟裏的亂藤，已經糾纏不清了。

下午放學之後，方絲縈帶着亭亭回到柏宅，出乎意料之外的，愛琳竟在客廳中。燃着一支香煙，她依窗而立，呆呆的看着窗外的遠山。這是方絲縈第一次發現，她原來是抽煙的。她沒有濃粧，臉容看起來有些兒憔悴，眼窩處的淡青色表示出失眠的痕迹，短髮也略顯零亂，穿了件家常的、藍緞子的睡袍。

看到愛琳，亭亭就有些瑟縮，她不太自然的喊了一聲：

『媽！』

愛琳回過頭來，淡漠的掃了她們一眼，這眼光雖然毫無溫情，可喜的是尚無敵意。她顯然心事重重，竟一反常態的對她們點了點頭，說：

『亭亭，去看看妳爸爸，問問他晚上想吃點什麼。』

方絲縈有一陣愕然，她忽然覺得需要對愛琳另行估價。她的憔悴是否爲了柏霈文的病呢？她眞像她所認爲的那樣殘酷無情？還是——任何不幸的婚姻，都有好幾面的原因，把所有責任歸之於愛琳，公平嗎？

上了樓，亭亭先去敲了敲柏霈文的房門，由於沒有回答，她就輕輕的推開了門。方絲縈站在門口，看着那間暗沉沉的屋子，紅色的絨幔拉得密不透風，窗子合着。柏霈文躺在一張大床上。閉着眼睛，像是睡着了。方絲縈正想拉着亭亭退出去，柏霈文忽然問：

『是誰？』

『我。』方絲縈衝口而出。『我和亭亭。想看看你好些沒有。』

床上一陣沉默，接着，柏霈文用命令的語氣說：

『進來！』

她帶着亭亭走了進來，亭亭衝到床邊，握住了她父親露在棉被外的手。立即，她驚呼着：

『爸爸，你好燙！』

柏霈文嘆息了一聲，他看來是軟弱、孤獨，而無助的。方絲縈看到床頭櫃上放着藥包和水壺，拿起紙包來，上面寫着四小時一粒的字樣，她打開來，藥是二日份，還剩了十一粒，她驚問：

『你沒按時吃藥嗎？』

『吃藥？』柏霈文皺起了眉毛，一臉的不耐。『我想我忘了。』

方絲縈想說什麼，但她忍了下去。倒了一杯水，她走到床邊，勉强的笑着說：

『我想，我要暫充一下護士了。柏先生，請吃藥。』

亭亭扶起了她的父親，方絲縈把藥遞給他，又把水湊近他的唇邊，立刻，他接過了杯子，如獲甘霖般，他仰頭將一杯水喝得涓滴不剩。然後，他倒回枕上，喘息着，大粒的汗珠從額上滾了下來，面頰因發熱而呈現出不正常的紅暈，他似乎有點兒神思恍惚。喃喃的，他囈語般的說：

『我好渴，哦，是的，我飢渴了十年了。』

方絲縈又覺得內心絞痛。她注視着柏霈文，後者的面容有些狂亂，那對失明的眸子定定的，呆怔的瞪視着，帶着份無助的悽惶，和絕望的恐怖。她吃驚了，心臟收縮得使她每根神經都疼痛起來，他病得比她預料的嚴重得多。她有些憤怒，對這家庭中其他的人的憤怒，難道竟沒有一個人在床邊照料他嗎？他看不見，又病得如此沉重，竟連個招呼茶水的人都沒有！想必，他也一天沒有吃東西了。

『亭亭，』她迅速的吩咐着。『妳下樓去告訴亞珠，要她熬一點稀飯，準備一些肉鬆，人不管病成怎樣，總要吃東西的，不吃東西如何恢復元氣？』

亭亭立刻跑下樓去了。方絲縈站在室內，環室四顧，她覺得房內的空氣很壞，走到窗邊，她打開了窗子，讓窗帘仍然垂着，以免風吹到病人。室內光線極壞，她開亮了燈，想起這屋裏的燈對柏霈文不過虛設，她就又湧起一股愴惻之情。回到床前面，她下意識的整理着柏霈文的被褥，突然間，她的手被一隻灼熱的手所捉住了。

『哦，柏先生！』她低聲驚呼。『你要做什麼？』

『別走！』他喘息的說。

『我沒走呵！』她勉强的說，試著想抽出自己的手來。

『不，不，別走，』他喃喃的說着，抓得更緊了。『含煙，妳是含煙嗎？』

『呵，不，不，又來了！不能再來這一套，絕對不能了。她用力的抽回了自己的手，她聽到自己的聲音，冷冰冰的，生硬的響着：

『你錯了，柏先生，我是方絲縈，你女兒的家庭教師，我不知道含煙是誰，從來不知道。』

『方——絲——縈——？』他拉長了聲音唸着這三個字，似乎在記憶的底層裏費力的搜索着什麼，他的神志仍然是紊亂不清的。『方絲縈是什麼？』他說，困惑的，迷惘的。『我不記得了，有點兒熟悉，方絲縈？啊，啊，別管那個方絲縈吧，含煙，妳來了，是嗎？』他伸出手來，渴切的在虛空中摸索着。

方絲縈從床邊跳開，她的心痛楚着，强烈的痛楚着，她的視線模糊了。柏霈文陡的從床上坐起來了，他那划動着空氣的手碰翻了床頭櫃上的玻璃杯，洒了一地毯的水，方絲縈慌忙奔上前去扶起那杯子。柏霈文喘息得很厲害，在和自己的幻象掙扎着。由於摸索不到他希望抓到的那隻手。他猛的發出一聲裂人心肺的狂叫：

『含煙！』

這一聲喊得那麼響，使方絲縈嚇了一大跳。接着，她一抬頭，正好看到愛琳站在房門口，臉色像一塊結了凍的寒冰。她的眼睛陰陰沉沉的停在柏霈文的臉上，那眼光那樣陰冷，那樣銳利，有如兩把鋒利的刀，如果柏霈文有視覺又有知覺，一定會被它所刺傷或刺痛。但，現在，柏霈文是一無所知的，他只是在燒灼似的高熱下昏迷着，在他自己矇昧的意識中掙扎著，他的頭在枕上輾轉不停的搖動，汗水濡濕了枕套，他嘴裏喃喃不停的，全是沉埋在內心深處的呼喚：

『含煙，含煙，我求妳，請妳……求妳……含煙，含煙，看上帝份上！救我……含煙！啊，我對妳做了些什麼？含煙？啊！我做了些什麼？……』

愛琳走進來了，她的背脊是挺直的，那優美的頸項是僵硬的，她那樣緩慢的走進來，像個移動着的大理石像。停在柏霈文的床邊，她低頭看他，那冰冷的眼光現在燃燒起來了，被某種仇恨和憤怒所燃燒起來，她唇邊湧上了一個近乎殘酷的冷笑。抬起頭來，她直視着方絲縈，用一種不疾不徐，不高不低的聲音，清晰的說：

『就是這樣，含煙！含煙！含煙！日裏，夜裏，清醒着，昏迷着，他叫的都是這個名字。如果妳的敵人是一個人，妳還可以和她作戰，如果是個鬼魂，妳能怎麼樣？』

方絲縈呆呆的站着，在這一刹那間，她瞭解愛琳比她住在這兒兩個月來所瞭解的還要深刻得多。看着愛琳，她從沒有像這一瞬間那樣同情她。愛情，原是一株脆弱而嬌嫩的花朵，它禁不起常年累月的乾旱啊！她用舌尖潤了潤嘴唇，輕聲的，不太由衷的說：

『柏太太，他在發熱呢！』

『發熱？』愛琳的眉毛挑高了一些。『爲了那個鬼魂，他已經發熱了十二年了！』

像是要證實愛琳這句話，柏霈文在枕上猛烈的搖着頭，一面用手在面前揮着，拂着，彷彿要從某種羈絆裏掙扎出來，嘴裏不停的嚷着：

『走開，走開，不要攪我，她來了，含煙，她來了！啊，不要攪我，不要遮住我，我看到她了，含煙！含煙！含煙！啊，這討厭的霧，這霧太濃了，它遮着我，它遮着我，它遮着我……』他喘息得像隻垂危的野獸，他的手在虛空中不住的抓着，撈着，揮着。『啊，不要遮着我，走開！走開！不要遮着我！哦，含煙！含煙！請妳，求妳，含煙！別走……』

愛琳憤怒的一甩頭，眼睛裏像要冒出火來，她的手緊握着拳，頭高高的昂着，聲音從齒縫裏低低的迸了出來：

『你去死吧！柏霈文！你既愛她，早就該跟隨她於地下！你去死吧！死了就找着她的魂了！你去死吧！』

說完，她迅速的掉轉身子，大踏步的走出室外，一面抬高了聲音，大聲喊着說：

『老尤！老尤！準備車子！送我去火車站，我要到台中去！亞珠，上樓幫我收拾東西！』

方絲縈下意識的追到了房門口，她想喚住愛琳，她想請她留下，她覺得有許多話想對愛琳說……但是，她什麼都沒做，什麼都沒說。折回到柏霈文的身邊，看着那張燒灼得像火似的面龐，聽着那不住口的囈語和呼喚，她感到的只是好軟弱，好恐懼，好無能爲力。

亭亭回到樓上來了，她父親的模樣驚嚇了她，用一隻小手神經質的抓着方絲縈，她顫顫抖抖的說：

『老——老師，爸爸——會——會死嗎？』

『別胡說！』方絲縈急忙回答。『他在發燒，有些神志不清，燒退了就好了。』

從浴室弄了一盆冷水來，方絲縈絞了一條冷毛巾，蓋在柏霈文的額上，一等毛巾熱了，就換上另一條冷的。柏亭亭在一邊幫忙絞毛巾。冷毛巾似乎使柏霈文舒服了一些，他的囈語減輕了，手也不再揮動了，一小時後，他居然進入了半睡眠的狀態中。只是睡得十分不安穩，他時時會驚跳起來，又時時大喊着醒過來，每次，總是迷惘片刻，就又昏昏沉沉的再睡下去。

愛琳收拾了一個小旅行袋走了，方絲縈知道，她這一去，起碼三天不會回來。她不知道下人們對於愛琳丟下病重的柏霈文，這時到台中去做何想法。好心的亞珠只悄悄的搖了搖頭。老尤呢？他那深沉的臉上沒有任何表情，他看起來是沉默寡言的，也是深不可測的。

晚飯之後，方絲縈和亭亭回到樓上來，方絲縈曾試着想給柏霈文吃點稀飯，但柏霈文始終沒有清醒過來，熱度也一直持續不退，她只有讓亞珠把稀飯再收回去。到了九點多鐘，她强迫亭亭先去睡覺，那孩子已經累得搖頭晃腦的了。

孩子睡了，愛琳走了，下人們也都歸寢，整棟房子顯得好寂靜。方絲縈仍然守在柏霈文身邊，爲他換着頭上的冷毛巾。她用一個保溫瓶，盛了一瓶子冰塊，把冰塊包在毛巾裏，壓在他發燙的額上。由於冰塊溶化得快，她又必須另外用一條乾毛巾，時時刻刻去擦拭那流下來的水，以免弄濕棉被和枕頭。高燒下的他極不安穩，他一直說着胡話，呻吟，掙扎，也有時，他會忽然清醒過來，用疲倦的、乏力的、沙啞的聲音問：

『誰在這兒？』

『是我，方絲縈。』她答着，乘此機會，給他吃了藥，在他昏迷時，她不知怎樣能使他吃藥。

他嘆息，把頭扭向一邊，低低的說：

『讓妳受累了，是嗎？』

她沒有回答。他的清醒只是那樣一刹那，轉眼間，他又陷入囈語和噩夢裏，一次，他竟大聲驚喊了起來：

『不要走！不要走！水漲了，山崩了，橋斷了！不要走！含煙哪！』

他喊得那樣淒厲和慘烈，他的手在空中那樣緊張的抓握，使她情不自已的用自己的雙手，接住了他在空中的手，他一把就握住了她，緊緊的握住了她。他的聲音急促的、斷續的、昏亂的嚷着：

『妳不走，妳不走，是不？含煙？妳不走……妳好心……妳善良……妳慈悲……那水不會淹到妳，它無法把妳搶走，妳是我的……妳是我的……妳是我的……』他用那發熱的手摸索着她的面頰，摸索着她的頭髮。方絲縈取下了她的眼鏡，放在床頭櫃上，她又被動的、違心的去迎合了他。她讓他摸索，讓他抓牢了自己。聽着他那壓抑的、昏亂的、燒灼着的低語。『我愛妳，含煙。別離開我，別離開我，妳打我、罵我、發脾氣，都可以，就是別離開我。外面在下雨，妳不能出去，妳會受涼……別出去，別走！含煙……我最愛的……我的心，我的命！妳在這兒，妳在這兒，妳說一句話吧！含煙，不不，妳別說……別說什麼，妳在這兒，在這兒就好……』他抓緊了她，抓得那樣牢，彷彿一鬆手她就會逃掉，抓得她疼痛。她坐在床邊的地毯上，讓他緊握着自己的手，她的頭仆伏在他的床上，讓他摸索。她不想動，不想驚醒他的美夢。可是，眼淚却沿着她的眼角，無聲無息的滑落在棉被上。她忍聲的啜泣，讓自己的心在那兒滴血。然後，她覺得他的抓握減輕了，他的囈語已變爲一片難辨的呢喃。她慢慢的抬起頭來，他的眼睛闔着，他睡着了。

她拿開了他額上那滴着水的毛巾，用手輕按了一下他的額角，感謝天，熱度退了。她抽開了他那個潮濕了的枕頭，一時間，她找不到乾的來換，只好到自己房裏去，把自己的枕頭拿來，扶住他的頭，讓他躺在乾燥的枕頭上。再用毛巾拭去了他額上的水和汗。一切弄清爽，他是那樣的疲乏和脫力，她不敢馬上離去，怕他還有變化。拉了一張躺椅，她在床邊坐下來，自己對自己說：

『我只休息一會兒。』

她躺在椅子裏，闔上了眼睛，疲倦立刻對她四面八方的包圍了過來。她發出一聲低低的嘆息，幾乎是同時，陷入沉沉的睡鄉了。

當她醒來的時候，已經滿窗帘都映滿了陽光，她驚跳起來，才發現自己身上蓋着一床毛毯，誰給她蓋的？她對床上看過去，柏霈文躺在那兒，他是清醒而整潔的，聽到了她的聲音，他立即說：

『早。方小姐。』

幾點了？她看了看手錶，十點過五分！自己是怎麼回事？她錯過早上的課了，她忍不住喊了一聲：

『糟了！我遲到了。』

『我已經讓亭亭幫妳請了一天假。』柏霈文說，他雖憔悴，看來精神却已恢復了不少。

『噢，』她有些慚愧和不安，從床頭櫃上拿起了眼鏡，她勉强的說：『很高興看到你恢復了，你的病來得快，好得倒也快。想吃什麼嗎？』

『我已吃過一餐稀飯。』柏霈文說：『妳昨天吩咐給我做的。』

方絲縈有點臉紅，她的不安更重了，自己竟睡得這樣熟呀！那麼，連亞珠、亭亭都看到她睡在這裏了。她轉身向室外走去，一面說：

『你記住吃藥吧！又該吃了，藥就在你手邊的床頭櫃上面。』

『妳如果肯幫忙，遞給我一下吧。』他說。

她遲疑了一下，終於走了過去，倒了一杯水，拿了一粒藥，她遞給他，他用手撐着身子坐起來，到底是高燒之後，有些兒頭暈目眩。她又忍不住扶了他一把。吃了藥，看著他躺回枕頭上，她轉身欲去，他卻喊了聲：

『方小姐！』

她站住，瞪視着他。

『我希望夜裏沒有帶給妳太大的麻煩，尤其——我希望我沒有什麼失禮的地方。』

她怔了片刻。

『哦，你沒有，先生。』

『那麼，在妳走出這個屋子之前，』他又說，聲音好溫柔好溫柔，溫柔得滴得出水來。『請妳接受我的謝意和歉意，我謝謝妳所有所有的一切，如我有什麼錯失，請妳盡妳的能力來原諒。』

『哦，』她有點驚愕，有點昏亂。『我已經說過了，根本沒什麼。好，再見，先生。』

她匆匆的走出了這房間，走得又急又快。一直回到了自己房裏，她仍然無法了解，柏霈文的臉上和聲音裏，爲什麼帶着那樣一份特殊的激動和喜悅？

10

洗了臉，漱了口，方絲縈站在鏡子前面，仔細的打量着自己，隔夜的疲倦在臉上沒有留下太多的痕迹。只是，眼底的困惑和迷惘却比往日更加深了一層。她嘆口氣，慢慢的用髮刷刷着那頭美好的長髮，不自禁的想起亭亭所說的話：

『妳把頭髮放下來，不要戴眼鏡，穿這件紫色的衣服，一定漂亮極了。』

現在她就放下了頭髮，沒有戴眼鏡，漂亮嗎？她在鏡中顧盼自己。不，不，沒有愛琳漂亮，愛琳是個名副其實的美人。但是……自己幹嘛要去跟愛琳比漂亮呢？她望着鏡子，妳瘋了，妳腦中在胡思亂想些什麼？這兒的環境不適合妳，妳沒看到嗎？妳消瘦而蒼白，妳現在根本就應該在美國，嫁給亞力，生一羣活活潑潑的兒女，不該在這兒，瞪着一對迷惘的大眼睛跟自己發呆！妳瘋了！妳是眞的糊塗了，從那個五月的下午，妳就失了魂了，妳的魂被含煙山莊的廢墟所勾走了。從那個下午起，妳就沒有做過一件對的事情，那含煙山莊有些邪氣，妳是眞的失了魂了。

她對自己喃喃的說着，刷子在頭髮上已刷了幾百下了。她並不贊成柏霈文自作主張的幫她請這一天假，但也慶幸有一天的清閑。把刷子丢在梳妝台上，她又熟練的把頭髮盤在腦後，用幾根長髮針插好，再戴上眼鏡，還是這樣比較好，這樣的打扮給她安全感。

有人輕叩着房門，她叫了聲『進來』，門開了，亞珠拿着一大束黃玫瑰走了進來，笑吟吟的看着方絲縈。方絲縈楞了一下，驚奇的說：

『這是做什麼呀？亞珠？』

『先生讓我買菜的時候買來的，他要我放在方小姐房裏。』亞珠笑着說，圓圓的臉上，一股心無城府的樣子。走到架子邊，她拿起了花瓶，裝好了水，把玫瑰一朵一朵的插入瓶中。

『我來吧。』方絲縈接過了玫瑰，用剪刀修剪着長短，慢慢的插進瓶子裏，她曾是個插花的好手，對插花一直有很高的興趣。但是，今天她有些神思恍惚，有些心不在焉，還有種奇異的感覺。黃玫瑰！黃玫瑰！黃玫瑰！第一天她住進來，房裏就有一瓶黃玫瑰，如今，又是黃玫瑰！柏霈文眼睛雖瞎，心智不瞎，他在玩什麼花樣？

亞珠沒有立刻離去，站在一邊，她笑嘻嘻的看着方絲縈剪花插花，對於方絲縈，她一直有種單純的崇拜心理，她認爲自從方絲縈走入了柏宅，這家庭裏才有了幾分『家』的氣息，才有了生氣，有了活力，因此，她喜歡這個方小姐，遠勝於她的女主人。

『方小姐昨夜累了吧？』她好心的找着話來說。

『唔，』方絲縈有些臉紅。『總得有人照顧病人的，妳知道。』

『是的，』亞珠完全同意。『方小姐，妳來了之後眞好，什麼都變好了。』

『怎麼說？』方絲縈不解的問。

『亭亭也長胖了，先生也有說有笑了，太太也不是那樣天天吵架駡人了。』亞珠說，向門口走去。『我要到廚房去了，老尤說今天晚上有客人來吃飯。』

『有客人？』方絲縈一愣。『柏先生在生病，怎麼還請客人來呢？柏太太又到台中去了。』

『我也不知道，是先生讓老尤打電報去找他來的，今天一清早老尤就去打電報。』

『哦？』方絲縈滿心的疑惑，今天一清早發生的事可眞不少，希望老尤不要也看到她在躺椅上睡熟的樣子。打電報？什麼客人如此嚴重？該是柏霈文商業上的朋友吧？亞珠下了樓，她把花插好了，洗乾淨了手，看了看窗外，秋日的陽光燦爛的照射着。她走出房間，想下樓到花園裏去走走，經過柏霈文的房門口時，她看了一眼，門是開着的，柏霈文似乎睡着了，窗帘已經拉開，映了一屋子美好的陽光。她悄悄的走進去，想放下那帘子，或關上窗子，高燒後的人到底禁不起風吹。她才走到窗邊，柏霈文就在床上安安靜靜的說：

『方小姐？』

她一驚，轉過頭來，瑟縮的說：

『我以爲——我以爲你睡着了。』

『我夜裏已經睡夠了。』柏霈文說：『妳可願意在床邊坐一會兒？』

方絲縈有些遲疑。

『怕我？嗯？』柏霈文輕聲的說：『我並不可怕，方小姐，爲什麼妳常常想躲開我？』

『我沒有。』方絲縈軟弱的說。

『那麼，關上房門，坐到這兒來，如果妳肯幫我一個忙，我會十分感激。』

方絲縈沒有移動。

『怎麼？方小姐？』柏霈文頓了頓，接着說：『我知道了，妳一定很厭煩，一個磨人的瞎子，是嗎？』

『哦，不。』方絲縈說，走到門邊，她關上了房門，折回到床邊來。『好了，先生。』

『妳肯爲我唸一點東西嗎？』

『唸一點東西？』方絲縈困惑的。

『是的。我的眼睛出事之後，我就再也無法看書，我覺得，我的心靈已經乾涸了。假如妳肯爲我唸一點東西，妳就是做了件好事了。』

『你希望我爲你唸些什麼呢？』

柏霈文從枕頭下面摸出一串鑰匙來，遞給方絲縈，在方絲縈的驚愕之下，他靜靜的說：

『用其中最小的那個鑰匙，打開我床頭櫃下面的抽屜，裏面有個木頭盒子，請爲我拿出來。』

方絲縈狐疑的看着他，這是做什麼呢？她實在是弄糊塗了，她希望柏霈文的心智是健全的。拿着鑰匙，她打開了那個抽屜，裏面放着一個雕刻得十分精緻的紅木盒子，拿着這盒子，她不禁呆住了，因爲，這盒子整個刻滿了玫瑰花，一枝一枝，一朵一朵，刻得十分生動。把盒子放在床上，她說：

『哦？柏先生！』

『打開它！』柏霈文的呼吸有些急促。

她有些畏縮，再看了柏霈文一眼，她遲遲沒有動手。柏霈文有些不耐了，他急切的說：

『打開呀！』

她打開了盒子，好一陣眼花撩亂。盒子中分為兩格，一格中全是女性的首飾、胸飾、手鐲、項鍊、戒指……應有盡有，全是最上等的珠寶，另一格中，却是一個紅絲絨封面，繫著黑緞帶的冊子。柏霈文低低的說：

『取出那個冊子，關上盒子……哦，方小姐，妳聽到我說話嗎？為什麼妳不動？』

『哦，我……是的。』方絲縈取出了冊子，很快的把這盒子關起來。

『把盒子放回抽屜吧，這是那次火災中唯一搶救出來的東西。妳收好了嗎？方小姐？』

『是——的。』

『好，妳坐下吧。』

她坐了下來。

『打開冊子！開始吧，妳唸給我聽。』

她深深的看了看柏霈文，然後，她慢慢的打開了冊子的第一頁。她的心一陣緊縮，眼前金星亂迸，昨夜睡得太少，竟如此心浮氣躁，頭暈目眩。她深吸了一口氣，定了定神，看著那第一頁上的字迹：

『愛妻章含煙遺稿』

『怎樣了？方小姐？』柏霈文催促着。『妳沒有不舒服吧？妳在嘆氣嗎？』

『哦，我有些累，我想我昨夜沒有睡好。』方絲縈勉强的說，她想逃掉眼前這件工作。

『但是，妳願意爲我唸幾段吧？』他固執的。

她無可奈何的嘆了口氣。

『好吧，假若你一定要聽。』

她低下頭去，越過了這第一頁，她從正文開始唸起。這正文是用娟秀而細小的字迹，整齊的寫在米色的、有玫瑰暗花的信箋上，再被細心而精緻的裝訂了起來的。一上來，是一首極動人的小詩，她輕柔的唸了起來：

『記得那日花底相遇，
我問你心中有何希冀？
你向我輕輕私語：
「要妳！要妳！要妳！」

記得那夜月色旖旎，
你問我心中有何秘密？
我向你悄悄私語：
「愛你！愛你！愛你！」
但是今夕何夕？
你我爲何不交一語？
我不知你有何希冀，
你也不問我心底秘密，
只有杜鵑鳥在林中唏噓：
「不如離去！不如離去！」』

方絲縈輕輕的抬起頭來，看了看柏霈文。他仰躺在那兒，雙手手指交叉着放在頭底下，那對失明的眸子大大的瞪着，臉色是嚴肅的、深沉的、全神貫注的。方絲縈心底的痛楚在擴大，擴大……變成一股强大的壓力，壓迫着她的神經，這工作對於她是殘忍而痛苦的。兩滴淚沿着她的面頰滾下來，她悄悄的拭去了它。再唸下去的時候，她的聲音顫抖：

『我還能清晰的記得那個日子，那個酷熱的下午，我站在那晒茶葉的廣場上，用藍布包着頭，用藍布包着手和脚，站在那兒，看着那些茶葉在我眼前浮動。那時候，我心裏想的是什麼呢？沒有夢，沒有詩，沒有幻想中的王子，我貧乏，我孤獨，我就像一粒晒乾了的茶葉，早已失去了青翠的色澤。可是，就在那個下午，那個被太陽晒得發燙的下午，我的一生完全轉變了。……』

她忽然覺得自己唸不下去了，最起碼，是不願意唸下去了。她停住了，抬起頭來，她呆呆的看着柏霈文，柏霈文的身子動了動，他的臉轉向她。

『怎麼了？』他問。

她陡的站了起來，把那本册子拋在床上，她顫聲的、激動的說：

『對不起，柏先生，我不能爲你繼續唸下去了，我很疲倦，我想去休息一下。』

說完，她不管柏霈文的反應和感想如何，就逕直的走向門邊，打開房門，她迅速的走出去，反手關上了門，背靠在門上，她閉上眼睛，站了好一會兒，心裏却像一鍋煮沸了的水，在那兒翻滾不已。好半天，她睜開了眼睛，却猛的大吃了一驚，在她面前，老尤正靜靜的站着，注視着她。

『哦！』她驚呼了一聲。『你做什麼？老尤？你嚇了我一跳！』

老尤對她彎了彎腰，他的態度恭敬得出奇。

『對不起，』他說，他手裏握着一張紙。『有一封電報，我要拿進去給先生。』

『噢，』她慌忙讓開，一面說：『你唸給他聽嗎？』

『是的，』老尤說，敏銳的望着她：『或者方小姐拿進去唸給他聽吧。』

『哦，不。』方絲縈向樓下走去。『你去吧。』她說着，很快的下了樓，她不喜歡老尤看她的那份眼光，她覺得頗不自在。老尤，那是個厲害的角色，他對她有怎樣的看法和評價呢？

午後，方絲縈決定還是去學校，她發現沒有亭亭在她身邊，柏宅對她就充滿了某種無形的壓力，使她的每根神經都像拉緊了的弦，再施一點兒力量就會斷掉。她去了學校，才上了兩節課，柏宅就打電話來找她，她拿起聽筒，對方竟是柏霈文。

『方小姐？』他問，有些急迫。

『是的。』

『哦，』他鬆了口氣。『我以為妳……』

『怎樣？』

『哦，算了。』他的聲音中恢復了生氣，是什麼因素使他的語氣中帶着那麼濃重的興奮？『只是，下午早點回來，好嗎？』

『我會和亭亭一起回來。有——有什麼事嗎？』

『哦，沒有，沒什麼，』

掛上了電話，方絲縈心中好迷糊，好混亂，好忐忑。柏霈文在搞什麼鬼嗎？聽他那語氣，好像担心她是離家出走或不告而別了。但是，即使她是不告而別了，對他是件很重要的事嗎？她坐在辦公桌後面，瞪視着面前的練習本，她批改不下去了。那些字迹全在她眼前浮動，游移……浮動，游移……浮動，游移……最後，都變成了那首小詩：

『記得那日花底相遇，
我問你心中有何希冀？
你向我輕輕私語：
「要妳！要妳！要妳！」
……………』

多麼纏綿旖旎的情致，可是，也會有最後那『不如離去！不如離去！』的一日，噢，人生能夠相信的是些什麼呢？能夠讚美的又是些什麼呢？假如這世界上竟沒有持久不變的愛，那麼，這世界上還有些什麼？看柏霈文那份癡癡迷迷，思思慕慕，那不是個寡情的人呵！章含煙泉下有知，是否願意再續恩情？她想着，想着，於是，她拿起一支筆來，在一陣心血來潮的衝動下，竟學着章含煙的口氣，把那首詩添了一段：

『多少的往事已難追憶，
多少的恩怨已隨風而逝，
兩個世界，幾許癡迷？
十載離散，幾許相思，
這天上人間可能再聚？
聽那杜鵑在林中輕啼：
「不如歸去！不如歸去！」』

寫完，她感到一陣耳鳴心跳，臉孔就可怕的發起燒來了。她站起身，去倒了一杯水，慢慢的喝下水，心跳仍不能平靜。把那首小詩夾在書本裏，她緩緩的踱到窗前，極目遠眺，校園外的山坡上，是一片片青葱的茶園，彷彿又快到採茶的時間了。

放學後，她牽着亭亭回到柏宅，一路上，她都十分沉默，她有一份特殊的、不安的感覺，她竟有些害怕柏宅那兩扇紅門了。她不知道自己爲什麼呼吸那樣急促，也不知道自己爲什麼心跳那樣迅速？會有什麼事情發生嗎？她咬着嘴唇，握着亭亭的手竟微微的出汗了。

走進了柏宅，老尤正在院子中洗車子，那輛雪弗蘭上灰塵僕僕。看到了她們，老尤唇邊湧上了一抹笑意，他那銳利的眼光是明亮而和煦的。

『亭亭，快上樓，妳高叔叔來了。在妳爸爸房裏呢！』老尤說。

着：『高叔叔！高叔叔！高叔叔！』

『高叔叔？』亭亭發出了一聲歡呼，放開了方絲縈的手，她直衝進客廳裏去，一面大聲的喊

方絲縈心底一陣冰冷，高叔叔？天！這是個什麼人？上帝知道！不要是……她僵住了，四肢癱軟得像一堆棉花，頭腦中糊糊塗塗，她發覺自己不大能用思想，不，不是『不大能』，是『完全不能』！自己腦中那思想的齒輪已經完全停頓了。她機械化的邁進了客廳，呆呆的站在那兒，她可以聽到樓上傳來的笑語喧嘩，在亭亭喜悅的笑聲和尖叫聲裏，夾着一個男性的、爽朗的、熱情的聲浪：

『亭亭！妳這個小東西！妳越長越漂亮，越長越可愛了！來！妳一定要帶我去見見妳那個方老師！她在樓下嗎？』

方絲縈一驚，像閃電般，她的第一個意識是『走』！『馬上離開這兒』！但是，來不及了，她剛轉過身子，就聽到一串脚步聲奔下樓梯，和亭亭那喜悅的尖叫：

『方老師！這是我高叔叔！』

是的，她逃不掉了，她必須面對這份現實了。慢慢的，她轉過頭來，僵硬的正視着面前那個男人，高大的身材，微褐色的皮膚，一對烱烱有神的眸子。她走上前去，慢慢的對他伸出手來：

『你好，高先生，』她毫無表情的說。『很高興認識你。』

『哦，』那男人怔住了，他直直的望着她，竟忽視了那對自己伸來的手。他們四目相矚，好長的一段時間，誰也不開口。終於，他像猛然醒過來一般，笑容回復到他的臉上，他握住了她的

手，搖了搖，高興的說：『我也高興認識妳，方小姐。』說完，他掉頭對站在一邊的亭亭說：『亭亭，妳是不是該上樓陪妳爸爸說說話？他在生病，還不能起床呢！還有，我有東西帶給妳，在妳爸爸那兒，去問他要去！』

『好呀！』亭亭歡呼着，一口氣衝上樓去了。

這位高先生迫近了方絲縈，笑容在他臉上隱沒了，他的眼睛一瞬也不瞬的停在方絲縈的臉上，那目光是銳利的、深刻的、批判的，他慢慢的搖了搖頭。

『我簡直不敢相信。』他說。

『他打電報叫你來的，是嗎？』她冷冷的說。『我應該猜到他是叫你，他並不像我想像那樣糊塗。』

『他需要一對眼睛。』

『所以他叫你來！事實上，他現在不需要眼睛，他需要眼睛是十一年前。』

他驚奇的望着她，接着，他開始上上下下的打量她，似乎要一直看進她的骨頭裏去，然後，他深吸了口氣：

『妳變了！妳眞變了。』

『從另一個世界裏來的鬼魂，能不變嗎？』她說，仍然是冷冰冰的。

他繼續打量她。

『可是，這對妳並不合適。』

『什麼？』

『這眼鏡，這髮髻，這服裝……妳無法僞裝自己，隨妳怎樣改變裝束，見過妳的人仍然會認出妳來。除去眼鏡吧！含煙。』

含煙？含煙？含煙？這名字一旦被正確肯定的喚出來，所有的僞裝都隨之而逝了。含煙！這湮沒了十年的名字！這埋葬了十年的名字！這死亡了十年的名字！現在，她又復活了嗎？復活了嗎？復活了嗎？她聽到樓梯上有響聲，抬起頭來，她看到亭亭牽着柏霈文的手，正慢慢的走下樓來，柏霈文臉色是蒼白而憔悴的，但他的神情是緊張而興奮的，抓住樓梯的扶手，他顫聲說：

『立德，你認出來了嗎？是她嗎？』

哦，不，不，高立德，你不能說！如果你說出來，一切就都完了！哦，不，不，高立德，你不能說！章含煙已經死了！十年前就死了！她抬起眼睛來，哀懇的看着高立德，再哀怨的看向柏霈文，她的嘴唇枯裂，她的喉嚨乾澀，她的聲音淒厲：

『不！柏霈文！那不是她！章含煙已經在十年前，被你殺死了！』

說完，她的眼前一陣昏黑，她站立不住，地面在她脚下波動，她仆倒了下去，失去了知覺。

《第二部》

灰姑娘

11

太陽像一個巨大的火球，逼射着大地，台灣的仲夏，酷熱得讓人暈眩。柏霈文把車子停在工廠門口，鑽出車子，一股熱浪撲面而來，烈日閃爍得他睜不開眼睛。走進工廠，茶葉的淸香就彌漫在空氣中，再夾雜着茉莉花的香味，又甜淨，又淸新，這味道是柏霈文永遠聞不厭的。深呼吸了一下，柏霈文覺得精神一振，好像那炙人的暑氣都被這茶葉香驅散了不少。

經過了機器房，那烤爐的聲音和搓茶機的聲音軋軋的響着，好單調，好倦怠。爐邊的烤茶師傅抬起頭來，對柏霈文點首爲禮。火在機器下燃着，整個機器房都變成了烤箱，那些師傅和女工都汗流不已。柏霈文在機器房門口站了片刻，再繼續往前走。晒茶場上正在晒着茶靑，有三四個女工，戴着斗笠，用布包着手脚，站在烈日之下，拿着竹耙，不住的翻動那些茶靑。看到了柏霈文，她們並沒有停止工作，也沒有加以注視，老闆跟她們的距離很遠，她們是由領班管理的。

穿過了晒茶場，柏霈文走進了自己的辦公室，這是整個工廠中，除去了冷藏庫，唯一有冷氣的房間。柏霈文每天都要辦六七小時的公。柏霈文不在的時候，這房間就是會客室。工廠中其他高級職員，像趙經理、張會計等的辦公廳就在隔壁一間。再過去，就是女工們的休息室、餐廳，和宿舍。這一排房子，整整有五大間，和機器房、晾茶房、冷藏庫等成爲一個『凹』字形建築的，在『凹』字形正中的空曠處，就成爲了晒茶場。以規模來論，柏霈文這家茶葉加工廠已是台北最大的一家。別家工廠，搓茶、烤茶都還在用人工的階段，柏霈文則都用機器來取代了。因此，最近幾年來，工廠擴張得非常厲害，業務的發達也極迅速，柏霈文在做事及創業方面，是有他獨到的見解和才幹的。所以，這工廠雖然是柏霈文父親所創設，但是，眞正發達起來，却是在老人逝世之後。在工廠中做了十幾年的張會計，常對新任的趙經理說：

『別看我們小老闆文質彬彬的，做起事來比他老子强多了！他接手才三年，業務擴張了十倍還不止！』

柏霈文的哲學是：不斷的投資。他把工廠賺的每一筆錢，再投資於工廠，買機器，修房舍，建冷藏庫……他提高了產品的品質，因此，台北市的幾家大茶莊，都成爲他的固定主顧。接着，國外的訂單也源源而來，他自己的茶園已供不應求，他就再買茶園，又改良種茶的方法，也不知他怎麼處理的，別家的茶園頂多一年收五次茶，春茶三次，秋茶兩次。他家的茶園，却常常收八九次茶，每次的品質還都不差。因此，『柏家茶』的名氣在茶葉界中，幾乎是無人不知的。

走進了房間，柏霈文才坐下來，趙經理已拿着一大疊單據走來了。站在柏霈文桌子前面，他說：

『日本的訂單來了，指定要「雀舌」，我們恐怕怎麼樣也生產不了這麼多。馨馨茶莊和淸香茶莊也預定「雀舌」，今年，我們的雀舌好像大出風頭呢！』

『雀舌』是一種綠茶，會品茶的人，就都知道雀舌，這種茶必須用茶葉心來做，葉片全不要，只要茶葉心，因此，許多茶葉心才能製出一點兒『雀舌』，這種茶也就特別名貴了。

『日本要訂多少？』柏霈文問。

『一千箱。』

『我們接下來！』柏霈文說。

『行嗎？他們要三個月內交貨，秋茶要十月才能收呢！如果不能按期交貨，他們還要罰款。』

『你等一等，我打個電話問問。』

柏霈文撥了家裏的電話號碼，接電話的是傭人阿蘭，柏霈文問：

『高先生在不在？』

『剛從茶園裏回來。』

『請他聽電話。』

對方來了。柏霈文簡潔明瞭的說：

『立德，茶園的情況怎樣？我一個月之內要收一批茶，行嗎？我接了日本的訂單。』

『什麼訂單？』

『雀舌。』

『哈！』對方笑着。『我只好站在茶園裏呼風喚雨，然後對着那些茶樹，吹口仙氣。叫：「長！長！長！」看它們長得出來不？』

『別說笑話，你倒說一句，行還是不行？』

『行！』對方斬釘斷鐵的，爽快俐落的。

『這可是你說的，立德，到時候採不來，我可要找你！』

『放心吧，霈文，什麼時候誤過你的事？』

『那麼，晚上見！』

『等等！』

『怎麼？』

『伯母叫你回家吃晚飯！』

『哦。』柏霈文掛斷了電話，望着趙經理，點點頭說：『就這樣，我們接下了。』

『這位高先生，可眞有辦法啊！』趙經理忍不住的說。『茶樹好像都會聽他的話似的。』

『他是專家呀！』柏霈文說。『還有別的事嗎？』

『這些合同要簽字。勝大貿易行朱老闆請你星期六吃晚飯，打過七八個電話來了。』

『勝大？銷那裏？』

『東南亞。』

『我們原來不是包給宏記的嗎？你把宏記的合同找出來給我看看再說。其實宏記也不壞，就是付款總是不乾不脆，他上次付的是幾個月的期票？』

『六個月。』

『實在不太像話，合同上訂的是幾個月？』

『好像是三個月。』

『你先把合同拿來，我看看吧。』柏霈文接過了單據，一張張看着，趙經理轉身欲去，柏霈文又喊住了他。『等一下，趙經理。』

『柏先生？』

『我看到鍋爐房裏的工人好像苦得很，溫度太高了，你通知張會計，給機器房裝上冷氣機，費用列在裝置項內，馬上就辦，越快越好。』

『好的。』趙經理笑了笑。『不過這樣一來，大家該搶機器房的工作了。』

趙經理退出了房間，柏霈文靠進椅子裏，開始研究着手裏的幾張合同，他勾出好幾點要修改的地方。正要打電話找張會計來，忽然看到一羣女工緊緊張張的從窗口跑過去，同時人聲嘈雜。他吃了一驚，站起身來，他打開房門，看到大家都往晒茶場跑去，他順着大家跑的方向看過去，只見一簇人擁在晒茶場中，不知道在看什麼。他抓住了正往場中跑去的趙經理，問：

『怎麼了？發生了什麼事？』

『有個女工在晒茶場上暈倒了。』

『暈倒了？』他一驚，迅速的向晒茶場走去。烈日如火般的曝晒着，晒茶場的水泥地被晒得發燙，他從冷氣間出來，更覺得那熱氣蒸人。這樣的天氣，難怪女工要暈倒，在晒茶場上的女工應該輪班的，誰能禁得起這樣的大太陽曝晒？他衝到人羣旁邊，叫着說：『大家讓開！給她一點空氣！』

工人們讓開了，他走過去，看到一個女工仰躺在地下，斗笠仍然戴在頭上。斗笠下，整個面部都包在一層藍布中，只露出眼睛和鼻子，手脚也用藍布包着，這是在太陽下工作的女工們的固定打扮，以防太陽晒傷了皮膚。柏霈文蹲下身來看了看她，又仰頭看了看那仍然直射着的太陽。他知道，現在最要緊的是把她移往陰涼的地方，然後解除掉那些包紮物。毫不考慮的，他伸手抱起了這個女工，那女工的身子躺在他的懷裏，好輕盈，他不禁楞了一下。把那女工抱進了自己的房間，他對跟進來的趙經理說：

『把冷氣開大一點！快！』

趙經理扭大了冷氣機，他把那女工平放在沙發上，然後，立即取下了她的斗笠，解開了那纏在臉上的布，隨着那布的解開，一頭美好而烏黑的頭髮就像瀑布般披瀉了下來，同時，露出了一張蒼白而秀麗的臉龐。那張臉那樣秀氣，柏霈文不禁怔住了，那高高的額，那彎彎的眉線，那闔着的眼瞼下是好長好長的兩排睫毛，鼻子小而微翹，緊閉的嘴唇却是薄薄的，毫無血色的，可憐兮兮的。他怔了幾秒鐘，就又迅速的去掉她手腕上的布，再解開她襯衫領子上的衣釦，一面問趙經理：

『這女工叫什麼名字？』

趙經理看了看她。

『這好像是新來的，要問領班才知道。』

『叫領班來吧，再拿一條冷毛巾來。』

領班是個三十幾歲，名叫蔡金花的女工，她在這工廠中已經做了十幾年了，看着柏霈文，她恭敬的說：

『她的名字叫章含煙，才來了三天，我看她的樣子就是身體不太好，她自己一定說可以做……』

『章含煙？』柏霈文打斷了蔡金花的話，這名字何其太雅，『怎麼寫的？』

『立早章，含就是一個今天的今字，底下一個口字，煙就是香煙的煙。』蔡金花笨拙的解釋。

『她住在我們工廠的宿舍裏嗎？』

『不，宿舍沒有空位了，她希望住宿舍，可是現在還沒辦法。』

『爲什麼不派她在晾茶室工作？』

『哦，柏先生，』蔡金花勉强的笑了笑，天知道領班有多難做，誰不搶輕鬆舒適的工作呢？誰又該做太陽下的工作呢！『都到晾茶室，誰到晒茶場呢？她是新手，別的工作還不敢叫她做。』

『哦。』柏霈文點了點頭，看着躺在沙發上的章含煙，瘦瘦小小的個子，穿了件白底小紅花的洋裝，皮膚白而細膩，手指細而纖長。這不是一個女工的料，太細緻了。『她住在那裏？』

『不知道。』蔡金花有些侷促的說：『等會兒我問她。假如我早知道她吃不消……』

『好了，』柏霈文揮揮手。『妳去吧！讓她在這裏休息一下，她今天恐怕沒辦法繼續工作了，醒了就讓她回去休息一天再說。妳先去吧。』

蔡金花退出去了。章含煙額上蓋着冷毛巾，又在冷氣間躺了半天，這時，她醒轉了過來。她的眉頭輕蹙了一下，長睫毛向上揚了揚，露出一對霧濛濛的，水盈盈的眸子，就那樣輕輕一閃，那睫毛又蓋了下去，眉頭蹙得更緊了。她試着移動了一下身子，發出一聲低低的呻吟。

『她醒了。』趙經理說。

『我想她沒事了，』柏霈文放下心來。『你也去吧，讓她在這兒再躺一下。』

趙經理走出了房間。柏霈文就逕直走到章含煙的面前，坐在沙發前的一張矮桌上，他雙手交叉着放在胸前，靜靜的、仔細的審視着面前這張年輕的臉龐。那尖尖的小下巴，那下巴下頸項上美好的弧線，那瘦弱的肩膀……這女孩像個精緻玲瓏的藝術品。那輕蹙的眉峯是惹人憐愛的，那像扇子般輕輕搧動的睫毛是動人的，還有那小嘴唇，那低低嘆息着的小嘴唇……她是眞的醒了。她的長睫毛猛的上揚，大大的睜着一對受驚的眸子，那黑眼珠好大，好深，好黑，像兩泓黝暗的深潭。

『我……怎麼了？』她問，試着想坐起來，她的聲音細柔而無力。

『別動！』柏霈文伸手按住了她的肩膀。『妳最好再躺一躺，妳暈過去了一段時間。』

她睁大了眼睛，疑惑的望着他，好半天，她才醒悟的『哦』了一聲，乏力的垂下了睫毛。她的頭傾向一邊，眼睛看着地下，手指下意識的弄着衣角，發出一聲好長好長的嘆息。

『我眞無用。』她自語似的說。『什麼都做不好。』

這聲低柔的自怨自艾使柏霈文心中掠過一抹奇異的、憐恤的情緒。她躺在那兒，那樣蒼白，那樣柔弱，那樣孤獨和無助。竟使他情不自禁的湧起一股强烈的，要安慰她，甚至要保護她的慾望。

『妳在太陽下工作得太久了，』他很快的說。『這樣的天氣誰都受不了，別擔心，我可以讓他們把妳調到晾茶室或機器房去工作。』

她靜靜的瞅着他，眸子裏有一絲研究的意味，那眉峯仍然是輕蹙着的。

『別爲我費心，柏先生。』她輕聲的說，有些慚愧，有些不安，最讓她感覺惶然的，是自己竟這樣躺在一個男人的面前。對於柏霈文，她在進工廠的第一天，就已經很熟悉了。她知道整個工廠對這位年輕的老闆都又尊敬，又信服。在工人們的心目中，柏霈文簡直是人與神的混合體；年輕、漂亮、有魄力、肯做、肯改進，而又體諒下人。這時，她才領會到工人們喜歡他的原因，他是多麼和氣與溫柔！『晒茶場的工作不是頂苦的，我應該練習。』她說。『反正工作都要有人做，我不做，別人還不是一樣要做。』

『誰介紹妳來的？』

『你廠裏的一個女工，叫顏麗麗，我想你並不認識她。她是我的鄰居。』

他深深的看着她，這時，她已經坐起來了，取下了按在額上的毛巾，她長髮垂肩，皓齒明眸。有三分瑟縮，有七分嬌怯，更有十二分的雅致。他不禁看得呆住了。

『這工作似乎並不適合妳。』他本能的說。

『我希望你的意思不是要開除我。』她有些受驚的說，大眼睛裏帶着抹憂愁，祈求的看着他。

『哦，不，我不是這個意思。』他急急的說。『我只是覺得，這工作對妳而言太苦了，妳看起來很文弱，恐怕會吃不消。』

她的睫毛垂下去了片刻，再揚起來的時候，她的眼睛顯得更清亮了。她放開了蹙着的眉梢，唇邊浮起一個可憐兮兮的微笑。這微笑竟比她的蹙眉更讓柏霈文心動。她微笑着，自嘲似的說：

『我做過更苦的工作。』

『什麼工作？』

她沉默了。半晌，她才重新正視他，她唇邊依然帶着笑，但臉上却有股難解的、鷙猛的神氣。

『請不要問吧，柏先生。您必須了解，身體上的苦不算什麼，在這兒工作，我精神愉快。我是很容易找到其他非常輕鬆的工作的，但是，我還不想在這麼年輕的時候，就讓自己的生命被磨蝕得黯然無光。』

柏霈文心裏一動，這是一個女工的談吐嗎？他緊緊的看着她，問：

『妳唸過書嗎？』

『高中畢業。』

高中畢業？想想看！她竟是一個高中畢業的女學生！却在晒茶場中做女工！他驚訝的瞪視着

她，覺得完全被她攪糊塗了。這是怎樣一個女孩呢？難道她僅僅是想在這兒找尋一些生活的經驗嗎？還是看多了傳奇小說，想去體驗另一種人生？

『既然妳已經高中畢業，妳似乎不必做這種工作，妳應該可以找到更好的職業呀！』

『我找過，我也做過，柏先生。』她笑笑，笑得好無力。『正經的工作找不到，我沒有人事關係，沒有舖保，沒有推荐，高中文憑不像你想像那樣值錢。另外，我也做過店員、抄寫員、女秘書，結果發現我出賣的不是勞力、智力，而是青春。我還做過更糟的……最後，我選擇了你的工廠，這是我工作過的，最好的地方了。』

他沉吟了一會兒，凝視着她那張姣好的臉龐，他瞭解了一個少女在這社會上謀職的困難，尤其是美麗的少女，陷阱到處都是，等着這些女孩跳下去。他在心底嘆息，他惋惜這個女孩，章含煙，好雅致的名字！

『工作對於妳是必須的嗎？』

『是的。』

『爲什麼？』

『還債。』

『還債？妳欠了債嗎？妳的父母呢？』

『我沒有父母。』她頹喪了下去，坐在那兒，她用手支着頤，眼珠更深更黑了。『我從小父母就死了，我已經不記得他們是什麼樣子，我被一個遠房的親戚帶到台灣，那親戚夫婦兩個，只有一個白癡兒子。他們撫養我，教育我，一直到我高中畢業，然後，他們忽然說，要我嫁給那個白癡……』她輕笑了一下，看着柏霈文。『就是這樣一個故事，我不肯，於是，所有的恩情都沒有了。我搬出來住，我工作，我賺錢，爲了償還十幾年來欠他們的債。』

『這是沒道理的事！』柏霈文有些憤慨的說。『妳需要償還他們多少呢？』

『三十萬。』

『妳在這兒工作一個月賺多少？』

『一千元。』

天哪！她需要工作多久，才能償還這筆債務！他看着章含煙，後者顯然對於這份命運已經低頭了，她有種任勞任怨的神情，有種坦然接受的神態，這更使柏霈文由衷的代她不平。

『妳可以不還這筆錢，事先他們又沒說，撫養妳的條件是要妳嫁給那白癡！在法律上，他們是一點也站不住脚的。妳大可不理他們！』

『在法律上，他們雖然站不住脚，在人情上，我却欠他們太多！』她嘆了口氣，眉峯又輕蹙了起來。『你不懂，我毀掉了他們一生的希望，在他們心目裏，我是忘恩負義的……所以，我願意還這筆錢，爲了減輕我良心上的負荷。』抬起睫毛來，她靜靜的瞅着他，微向上揚的眉毛帶着股詢問的神情。『人生的債務很難講，是不是？你常常分不清到底是誰欠了誰。』

柏霈文凝視着章含煙，他欣賞她！他每個意識，每個思想都欣賞她！而且，逐漸的，他心中湧起了一股強烈的、驚喜的情緒，他再也沒有料到在自己的女工中，會有一個這樣的人物！像是在一盤沙子裏，忽然發現了一粒珍珠，他掩飾不了自己狂喜的、激動的心情。站起身來，他忽然堅決的說：

『妳必須馬上停止這份工作！』

『哦？先生？』她吃驚了，剛剛恢復自然的嘴巴又蒼白了起來。『我抱歉我暈倒了，我保證……』

『妳保證不了什麼，』他微笑的打斷她，眼光溫柔的落在她臉上。『如果妳再到太陽下晒上兩小時，妳仍然會暈倒！這工作妳做不了。』

『哦？先生？』她仰視着他，一臉被動的、無奈的樣子，那微微顫動着的嘴唇看來更加可憐兮兮的了。

『所以，從明天起，妳調在我的辦公室裏工作，我需要一個人幫我做一些案頭的事情，整理合同，擬訂合同，簽發收據這些。等會兒我讓老張給這兒添一張辦公桌，妳明天就開始……』

她從沙發上跳了起來。出乎柏霈文的意料，她臉上絲毫沒有欣喜的神情，相反的，她顯得很驚惶，很畏怯，很瑟縮，又像受了傷害。

『哦，不，不，先生。』她急急的說。『我不願接受這份工作。』

『爲什麼？』他驚異的瞪着她。

她閉上了眼睛，低下了頭，再抬起頭來的時候，她眼裏已漾滿了淚，那眼珠浸在淚光中，好黑，好亮，好淒楚。她用一種顫抖的聲音說：

『我抱歉，柏先生，你可以說我不識抬擧。我不能接受，我不願接受，因爲，因爲，……』她吸了一口氣，淚水滑下了她的面頰，一直流到那蠕動着的唇邊。『我雖然渺小，孤獨，無依……但是，我不要憐憫，不要同情，我願意自食其力。我感激你的好心，柏先生，但請你諒解……，我已一無所有，只剩下一份自尊。』

說完，她不再看柏霈文，就衝到門邊。在柏霈文還沒有從驚訝中回復過來之前，她已經打開門跑出去了。柏霈文追到了門邊，望着她那迅速的，消失在走廊上的小小的背影，他不禁呆呆的怔在那兒。他萬萬沒有料到自己的提議，竟反而傷了那顆柔弱的心。可是，在他的心靈深處，他却被撼動了——有生以來的第一次，他是深深的，深深的，深深的被撼動了。

12

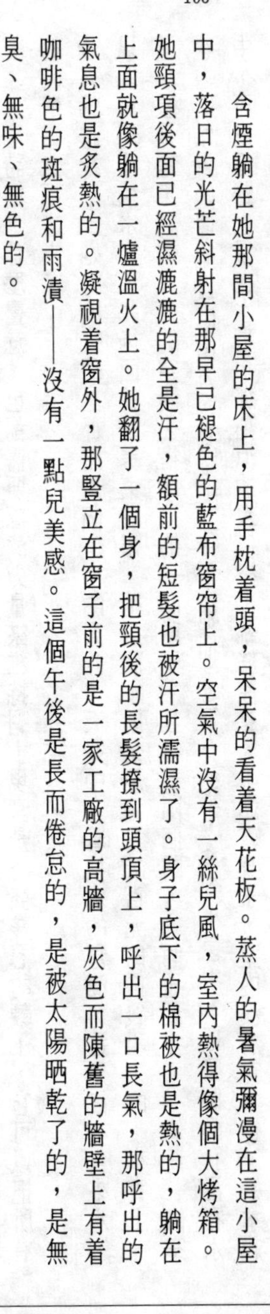

含煙躺在她那間小屋的床上，用手枕着頭，呆呆的看着天花板。蒸人的暑氣彌漫在這小屋中，落日的光芒斜射在那早已褪色的藍布窗帘上。空氣中沒有一絲兒風，室內熱得像個大烤箱。她頸項後面已經濕漉漉的全是汗，額前的短髮也被汗所濡濕了。身子底下的棉被也是熱的，躺在上面就像躺在一爐溫火上。她翻了一個身，把頸後的長髮撩到頭頂上，呼出一口長氣，那呼出的氣息也是炙熱的。凝視着窗外，那豎立在窗子前的是一家工廠的高牆，灰色而陳舊的牆壁上有着咖啡色的斑痕和雨漬——沒有一點兒美感。這個午後是長而倦怠的，是被太陽晒乾了的，是無臭、無味、無色的。

今天沒有去上班，以後的日子又怎麼辦呢？不去上班，是的，柏霈文已經表示她不是個女工的材料，她再去只是給人增加負担而已。她絕不能利用一個異性對自己的好感來作爲進身之階，柏霈文給她的工作她無法接受，非但如此，那茶葉加工廠也不能再去了，她必須另謀出路。是的，出路！這兩個字多不簡單，她的出路在那兒呢？橫在門前的，只是一條死巷而已。

從床上坐起來，渾身汗涔涔的，說不出有多難受。她想起蘇軾的詞：『冰肌玉骨，自清涼無汗。』想必那女孩不是關在這樣一間悶騰騰的房裏，否則，要冰肌玉骨也做不到了。她嘆息了一聲，什麼詩情，什麼畫意，也都需要經濟力量來維持啊！現實是一條殘忍的鞭子，它可以把所有的詩情畫意都趕走。

站起身來，她打開後門，那兒是個小小的天井，天井中有着抽水的幫浦，這兒沒有自來水，只能用幫浦抽水。天井後面就是房東的家，她這間小屋是用每月三百元的價錢租來的。事實上，這小屋是房東利用天井的空間，搭出來的一間屋子，且喜有兩個門，一個通天井，一個通一條窄巷，所以，她還能自由出入。到了天井裏，她抽了一大盆水，拿到小屋中，把整個面孔浸在水中，再把手臂也浸在水裏，那沁涼的水帶來了絲絲涼意。她站直身子，室內沒有穿衣鏡，她拿起桌上的一個小鏡子，審視着自己，那凌亂的頭髮下是張蒼白的臉，失神的大眼睛裏盛滿了落寞，放下鏡子，她長嘆了一聲。坐在桌前，她拿起一支筆來，在一張紙上寫：

『我越貧窮，我越該自重，我越微賤，我越該自珍，我越渺小，我越該自惜！』

寫完，她覺得心中舒暢了許多，連那份躁熱感都消失了不少。梳了梳頭髮，換了件淺藍色的洋裝，她決心出去走走。可是，她還來不及出門，門上已傳來一陣剝啄之聲，她怔了怔，誰會來看她？她這小屋中是從沒有客人的。

走到門邊，打開了房門，她就更加驚訝了，門外，一個男人微笑的站在那兒，挺拔，修長，整潔……這竟然是柏霈文！

『哦，』她吃驚的說：『我沒想到……我眞沒想到您會……』

『妳這兒實在不大好找，』柏霈文微笑着說，不等含煙請他，他已經自顧自的走了進來，不經心似的打量了一下這間簡單的房間，他繼續說，『車子開不進來，我只好把它停在巷子口。』

『你怎麼知道我的住址？』含煙問，關上了房門，走到桌邊幫他倒了一杯白開水。『對不起，只有開水。』

『啊，是很不容易，』柏霈文說，斜靠在桌子上，注視着含煙。『我找蔡金花，蔡金花找顏麗麗……』他緊緊的盯着她。『爲什麼今天不來上班？』他的聲音低而沉，那微笑從他臉上消失了，他的眼睛裏閃爍着某種逼人的光芒，直射在她臉上。

『哦！』她有一種莫名其妙的心跳，他的眼光使她瑟縮。『我辭職了，先生。』她低低的說。

他瞅着她，沒有說話，但他的目光裏帶着責備，帶着研判，帶着薄薄的不滿。轉過身子，他看到了桌上的紙張，拿起來，他注視着上面的字跡。好一會兒，他才放下那張紙，抬起頭來，靜靜的看着她。

『我們談一談，好嗎？』

『是的，柏先生。』她說，微微有些緊張。

他在桌邊的椅子上坐了下來，望着她。她無奈的輕嘆了一聲，也在他對面的床沿上坐下了，因爲這屋裏只有一張椅子，抬起眼瞼，她迎視着他的目光，她臉上的神情是被動的。

『為什麼要辭職？』他問。

『你說過，那工作對我不適合。』

『我有適合妳的工作。』

『先生！』她懇求的喊了一聲。

他把桌上那張紙拿到手中，點了點頭。

『就是這意思，是不是？』他問，盯着她。『妳以為我是怎樣一個人？把妳弄到我的辦公廳裏來作花瓶嗎？妳的自尊使妳可以隨便拒絕別人的好意嗎？結果，我為了要幫助妳，反而讓妳失業了，妳這樣做，不會讓我難堪嗎？噢，章小姐，』他逼視着她，目光灼灼。『妳是不是太過分了一些？』

含煙瞪視着他，那對眸子顯得好驚異，又好無奈。蠕動着嘴唇，她結舌的說：

『哦，柏先生，你——你不該這樣說，你——你這樣說簡直是——是欲加之罪，何患無辭！』

『不是欲加之罪，』柏霈文正色說。『妳使我有個感覺，好像我做錯了一件事。』

『那麼，我該怎樣呢？』含煙望着他，那無可奈何的神態看起來好可憐。

『接受我給妳安排的工作。』柏霈文一本正經的說，他努力克制自己，不使自己的聲音中帶出他心底深處那份惻然的柔情。

『哦，柏先生！』她的聲音微顫着。『我不希望使你不安，但——但是，柏先生……』

『如果妳不希望使我不安，』柏霈文打斷了她：『那就別再說「但是」了！』

『但——但是——』

『怎麼，馬上就又來了！』他說，忍不住想笑，他必須用最大的力量控制着自己面部的肌肉，使它不會洩漏自己的感情。

她凝視着他，有點兒不知該如何是好，這男人使她有種壓迫感，她覺得喘不過氣來。他是那樣的高大，他是那樣充滿了自信，他又那樣咄咄逼人。在他面前，她變得渺小了，柔弱了，沒有主見了。

『好了，我們就這樣說定了，怎樣？』柏霈文再緊逼了一句：『妳明天來上班！』

『哦，先生，』她遲疑的。『你是眞的需要一個助手嗎？』

『妳是怕我沒工作給妳做？還是怕待遇太低？』他問。『哦，對了，我沒告訴妳待遇，妳現在的身分相當於祕書，當然不能按工資算。我們暫訂爲兩千元一月，怎樣？』

她沉默着，垂下了頭。

『怎樣呢？』他有些焦灼，室內又悶又熱，他的額上冒着汗珠。暮色從窗口湧了進來，她坐在床沿上，微俯着頭，黃昏時分的那抹餘光，在她額前和鼻梁上鑲了一道光亮的金邊，她看來像個小小的塑像——一件精工的藝術品。這使他更加惻然心動，更加按捺不住心頭那股蠢動着的激情，於是，他又迫切的追問着：

『怎樣呢？』

她繼續沉默着。

『怎樣呢？怎樣呢？』他一疊連聲的追問。

她忽然抬起頭來，正視着他。她的眼睛發着光，那黑眼珠閃爍得像星星，整個臉龐都罩在一種特殊的光彩中，顯得出奇的美麗。她以一種溫柔的，而又順從的語氣，幽幽柔柔的說：

『你已經用了這麼多言語來說服我，我除了接受之外，還能怎樣呢？』

柏霈文屏息了幾秒鐘，接着，他的血液就在體內加速的奔竄了起來，他的心臟跳動得猛烈而迅速，他竟無法控制自己那份狂喜的情緒。深深的凝視着含煙，他有生以來第一次，發現自己面前坐着的是個百分之百的女性，而自己正是個百分之百的男人。他被吸引，被強烈的吸引着，他竟害怕她會從自己手中溜走。在這一剎那，他已下了那麼大的決定，他將不放過她！她那小小的腦袋，她那柔弱的心靈，將是個發掘不完的寶窟。他要做那個發掘者，他要投資下自己所有的一切，去採掘這個豐富的礦源。

接下去的日子裏，柏霈文發現自己的估計一點也不錯，這個女孩的心靈是個發掘不完的寶窟。不止心靈，她的智慧與頭腦也是第一流的。她開始認眞的幫柏霈文整理起文件來，她擬的合同條理清楚，她回的信件簡單明瞭，她抄寫的帳目清晰整齊……柏霈文驚奇的發現，她竟眞的成了他的助手，而又眞的有那麼多的工作給她做，以前常常拖上一兩個月處理不完的事，到她手上幾天就解決了。他每日都以一種嶄新的眼光去研究她，而每日都能在她身上發現更新的一項優點。他變得喜歡去工廠了，他慶幸着，深深的慶幸着自己沒有錯過了她。

而含煙呢？她成爲工廠中一個傳奇性的人物，由女工的地位一躍而爲女祕書，所有的女工都在背後談論這件事，所有的高級職員，像趙經理、張會計等，都用一種奇異的眼光來看含煙。但是，他們並不批評她，他們常彼此交換一個會心的微笑，年輕的小老闆，怎能抵制美色的誘惑呢？那章含煙雖不是個豔光照人的尤物，却輕靈秀氣，婉轉溫柔，恰像一朶白色的、精緻的、小巧玲瓏的鈴蘭花。他們誰都看得出來，柏霈文是一天比一天更喜愛待在他的辦公廳裏了，而他的眼光，總是那樣下意識的追隨着她。誰知道以後會發展成什麼樣子呢？看樣子，這個在晒茶場中暈倒的女工，將可能成爲童話中著名的灰姑娘，於是，私下裏，他們都叫她灰姑娘了。尤其，在她那身女工的服裝剝掉之後，她竟顯出那樣一份高貴的氣質來，『灰姑娘』的綽號就在整個工廠中不脛而走了。

柏霈文知道大家背後對這件事一定有很多議論，但他一點也不在乎。含煙在最初的幾天內，確實有些侷促和不安，可是，接下來，她也就坦然了。她對女工們十分溫柔和氣，儼然仍是平等地位，她對趙經理等人又十分尊敬，因此，上上下下的人，對她倒都十分喜愛，而且都願對她獻些小殷勤。連蔡金花，都會得意的對其他女工說：

『我早就知道她不是我們這種人，她第一天來，我就看出她不簡單了。看吧，說不定那一天，她會成爲我們的老闆娘呢！』

既然有這種可能性，誰還敢輕視她呢？何況她本人又那麼溫柔可愛，於是，這位灰姑娘的地位，在工廠中就變得相當微妙了。而柏霈文與含煙之間，也同樣進入一種微妙的狀態中。

這天，廠裏的事比較忙一些，下班時已經快六點鐘了。柏霈文對含煙說：

『我請妳吃晚飯，好嗎？』

含煙猶豫了一下，柏霈文立即說：

『不要費神去想拒絕的藉口！』

含煙忍不住笑了，說：

『你不是請，你是命令呢！好吧，我們去那兒吃飯呢？』

『妳聽我安排吧！』

她笑笑，沒說話。這些日子來，她已經對柏霈文很熟悉了，他是那種男人，無論在什麼場合裏，他都很容易變成大家的重心，而且，他會在不知不覺中，成爲一個支配者，一個帶頭的人，一個『主人』。

他們坐進了汽車，柏霈文把車子一直往郊區開去，城市很快的被拋在後面，車窗外，逐漸呈現的是綠色的原野和田園。含煙望着外面，傍晚的涼風從開着的車窗中吹了進來，拂亂了含煙的頭髮，她仰靠在靠墊上，深呼吸着那充滿了原野氣息的涼風，半闔着眼睛，她讓自己鬆懈的沐浴在那晚風裏。

柏霈文一面開着車，一面掉頭看了她一眼，她怡然自得的仰靠着，一任長髮飄飛。唇邊帶着個隱約的笑，長睫毛半垂着，在眼瞼下投下了半圈陰影。那模樣是嬌柔的，稚弱的，輕靈如夢的。

『妳不問我帶妳到那裏去嗎？』他說。

『一定是個好地方。』她含糊的說，笑意更深。

他心中怦然而動。

『但願妳一直這樣信任我，我眞渴望把妳帶進我的領域裏去。』

『你的領域？』

『是的，』他低聲說。『每個人都有自己的領域，心靈的領域。』

『你自認你的領域是個好地方嗎？』她從半垂的睫毛下瞅着他。

『是的。一塊肥沃的未耕地。』他望着前面的道路。『所差的是個好的耕種者。』

『眞可惜，』她咂咂嘴。『我不是農夫。如果你需要一個耕種者，我會幫你留意。』

『多謝費心。』他從齒縫中說。『妳的領域呢？可有耕種者走進去過？』

『我沒有肥沃的未耕地，我有的只是一塊貧瘠的土壤，種不了花，結不了果。』

『是嗎？』他的聲音重濁。

『是的。』

『那麼，可願把這塊土壤交給我，讓我來試試，是不是眞的開不了花，結不了果？』

『多謝費心。』她學着他的口氣。

他緊盯了她一眼，她笑得好溫柔。那半闔的眼睛睜開了，正神往的看着車窗外那一望無垠的綠野。窗外的天邊，已經彩霞滿天，落日正向地平線上沉下去。只一忽兒，暮色就籠罩了過來，那遠山遠樹，都在一片迷濛之中，像一幅霧濛濛的潑墨山水。

他們停在一個郊外的飯店門口，這飯店有個很雅致的名字，叫做『村居』，坐落在北投的半山之中，是中日合璧的建築，有曲折的廻廊，有小小的欄杆，有雅致的，面對着山谷的小廳。他們選擇了一個小廳，桌子擺在落地長窗的前面，落地窗之外，就是一段有着欄杆的小廻廊，憑欄遠眺，暮色暝濛，山色蒼茫，夕陽半隱在青山之外。

『怎樣？』柏霈文問。

『好美！』含煙倚着欄杆，深深呼吸。她不自禁的伸展着四肢，迎風而立。風鼓起了她的衣襟，拂亂了她的髮絲，她輕輕的唸着前人的詞句：『柳煙絲一把，暝色籠鴛瓦，休近小欄杆，夕陽無限山。』

柏霈文一瞬也不瞬的看着她，這天，她穿着件純白色的洋裝，小腰身，寬裙子，迎風佇立，飄然若仙。這就是那個渾身纏着藍布，暈倒在晒茶場上的女工嗎？他覺得精神恍惚，神志迷離。聽着她用那低柔清幽的聲音，唸着『休近小欄杆，夕陽無限山。』他就更覺得意動神馳，站在她的身邊，他不自禁的用手攬住她的腰，那小小的腰肢不盈一握。

『妳唸過許多詩詞？』

『是的，我喜歡。』她說。『日子對於我，常常是很苦澀的，於是，我就唸詩唸詞，每當我煩惱的時候，我就大聲的唸詩詞，唸得越多，我就越陷進那份優美的情致裏，於是，我會覺得超然物外，心境空明，就一切煩惱都沒有了。』

他深深的注視她，怎樣一個雅致而動人的小女孩！她那領域會貧瘠嗎？那將是塊怎樣的沃土啊！他一定得走進去，他一定要佔有它，他要做這塊沃土的唯一的主人！

『含煙！』他動情的低喚了一聲。

『嗯？』

『妳覺得我很鄙俗嚒？』他問，自覺在她面前，變得傖俗而渺小了。

『怎會？你堅強，你細緻，你有入世的生活，你有出世的思想，你是我見過的人裏最有深度的一個。』

他的心被這幾句話所漲滿了，所充盈了，血液在他體內迅速的奔流，他的心神蕩漾，他的呼吸急促。

『眞的？』他問。

『眞的。』她認眞的說。

『那麼，妳可以爲我把妳那塊領域的門打開嚒？』他屏息的問。

『我不懂你的意思。』她把頭轉向一邊，指着欄杆下那花木扶疏的花園說：『有玫瑰花，你聞到玫瑰花香了嗎？我最喜歡玫瑰花，尤其是黃玫瑰。我總是夢想，自己有個種滿玫瑰花的大花園。』

『妳會有個大花園，我答應妳。但是妳別岔開我剛才的話題，妳還沒有答覆我。』

她看了他一眼，眼光是古怪的。

『我說了，我不懂你的意思。』

『那麼，讓我說得更明白一點……』

他的話還沒說完，侍者送菜來了，含煙迅速的轉過身子，向落地窗內走去，一面說：

『菜來了，我們吃飯吧！我餓了。』

柏霈文氣結的看着她，她却先坐回桌邊，對着他巧笑嫣然。他從鼻子裏呼出一口長氣，只得回到桌前來。坐下了，他們開始吃飯，他的眼光一直盯在她臉上，她像是渾然不覺，只默默的、甜甜的微笑着。好半天，他才打破了沉默，忽然說：

『妳喜歡詩詞，知道一闋詞嗎？』

『那一闋？』她問，揚着一對天眞的眸子。

他望着她，慢慢的唸了出來：

『花叢冷眼，

自惜尋春來早晚，

知道今生，

知道今生那見卿。

天然絕代，

不信相思渾不解，
若解相思，
定與韓憑共一枝！』

她注視着他，因爲喝了一點酒，帶着點薄醉，她的眼睛水盈盈的，微帶醺然，面頰微紅，嘴唇濕潤而紅豔。唇邊依然掛着那個微笑，一種天真的，近乎孩子氣的微笑。

『我不知道，它是什麼意思？』

他瞪着他，有點生氣。可是，她那模樣是讓人無法生氣的。他吸了口氣，說：

『妳在捉弄我，含煙，我覺得，妳是有意在欣賞我的痛苦，看不出來，妳竟是這樣一個殘忍的小東西！』

她的睫毛垂下去了，笑容從她唇邊緩緩的隱去，她看着面前的杯碟，好一會兒，她才慢慢的抬起頭來，那臉上沒有笑意了，也沒有天眞的神態了，取而代之的，是一種哀懇的，祈求的神色，那大眼睛裏，竟蒙上了一層薄薄的淚光。

『我不想捉弄你，先生，我也不要讓你痛苦，先生。如果你問我對你的感覺，我可以坦白說，我敬仰你，我崇拜你！但是，別和我談別的，我們可以做朋友，有一天，你會遇到一個比我好的女孩……』

『妳是什麼意思？』他盯着她，突然恍然的說：『哦，我懂了，妳以爲我只是要和妳玩玩，這怪我沒把意思說清楚，含煙，讓我坦白的問妳一句，妳有沒有一些些喜歡我？』

她扭開了頭，低聲的說：

『求求你！我們不談這個吧！』

『含煙！』他再緊緊迫了一句。『妳一定要回答我！』

『不，柏先生，』她吃驚的猛搖着她那顆小小的頭。『別逼我，請你！』

『含煙——』

『求你！』她仰視着他，那眼光裏哀懇的神色更深了，這眼光逼回了他下面的話，他瞪視着那張因驚惶而顯得蒼白的面龐，那黝黑而淒涼的眼睛，那微顫的嘴唇……他不忍再逼迫她了，嘆了口氣，他廢然的低下了頭，說：

『好吧！我看我今天的運氣不太好！我們就不談吧，但是，別以爲我會放過妳，含煙，我這一生都不會放過妳了。』

『先生！』她再喊了一聲。

『夠了，我不喜歡聽這稱呼，』他蹙着眉，自己對自己說。『彷彿她不知道你的名字。』轉回頭，他再面對含煙：『好，快樂起來吧，最起碼，讓我們好好的吃一頓吧！』

13

秋天來了。

柏霈文沉坐在沙發的一角中，用一張報紙遮住了臉，但是，他的目光並沒有停在報紙上。從報紙的邊緣上掠過去，他悄悄的注視着那正在書桌後面工作着的章含煙。她正在擬一封信稿，握着筆，她微俯着頭，一邊的長髮從耳際垂了下來，臉兒半遮，睫毛半垂，星眸半掩，小小的白牙齒半咬着嘴唇……她的神情是深思的，專注的，用心的。好一會兒，她放下了筆，抬頭看了看窗外，不知是那一朵天際飄浮的雲彩，或是那圍牆外的一棵金急雨樹上的花串，吸引了她的注意，她忽然出神了。那大眼睛裏蒙上了一層迷離的薄霧，眉毛微微的揚着，她的思緒顯然飄浮在一個不可知的境界裏，那境界是旖旎的嗎？是神祕的嗎？是不爲人知的嗎？柏霈文放下了報紙，陡的站起身來了。

含煙被他所驚動了，迅速的，那眼光從窗外收了回來，落在他的臉上，給了他一個匆促的笑。

『別寫了，含煙，放下妳的工作。』他說。

『幹嘛？』她懷疑的抬起眉梢。

『過來，到沙發上來坐坐。』

『這封信還沒寫完。』

『不要寫完，明天再寫！』

『是命令嚒？』她帶笑的問。

『是的。』

她走了過來，微笑的在沙發上坐下，仰頭望着他，眼裏帶着抹詢問的意味，却一句話也不說。那含笑的嘴角有個小渦兒，她抿動着嘴角，那小渦兒忽隱忽現。柏霈文走過去，站在她面前，用手撐在沙發的扶手上，他俯身向她，眼睛緊盯在她臉上，他壓低了聲音說：

『妳要跟我捉迷藏捉到什麼時候爲止？』

『捉迷藏？』她閃動着眼瞼，露出一臉天眞的困惑。『什麼意思呢？』

『妳懂我的意思！』他的眼睛冒着火。『不要跟我裝出這份莫名其妙的樣子來！』

『哦？先生？』她睜大了那對驚惶的眸子。『別這麼兇，你嚇住了我。』

他瞅着她，那模樣似乎想要吃掉她。好半天，他伸手托起了她的下巴，他的目光上上下下的在她臉上逡巡。她的眼睛大睜着，坦白、驚惶、天眞，而又濛濛如霧的，盛載着無數無數的夢與詩，這是怎樣的一對眼睛，它怎樣的絞痛了他的心臟，牽動了他的六腑。他覺得呼吸急促，他覺得滿胸腔的血液都在翻騰洶湧，緊緊的盯着她，他衝口而出的說：

『別再躲避我，含煙，我要妳！』

她吃驚的蜷縮在沙發裏，眼光裏露出了一抹近乎恐懼的光。

『不，先生。』她戰慄的說。

『解釋一下，「不，先生。」是什麼意思？』

她瑟縮得更深了，似乎想把自己隱進沙發裏面去。

『我不願，先生。』她清晰的說。

他瞪着她，沉重的呼吸扇動了他的鼻翼，他的眼睛裏燃燒着兩簇火焰，那火焰帶着那麼大的熱力逼視着她，使她不自禁的戰慄起來。

『妳以爲我在兒戲？』他問，聲音低而有力。『我的意思是，要妳嫁給我，懂嗎？我要娶妳，懂嗎？』

她凝視着他，搖了搖頭。

他的手落在她的肩上，握住了她的肩胛，那瘦弱的肩胛在他的大手掌中是不禁一握的，他微微用力，她痛楚的呻吟了一聲，蜷曲着身子，她的大眼睛仍然一瞬也不瞬的望着他，帶着股堅定的、抗拒的力量望着他。

『他是誰？』他問。

『什麼？』她不解的。

『我那個對手是誰？妳心目中那個男人！』

她搖搖頭。

『沒有。』她說。『沒有人。』

『那麼，為什麼拒絕我？我不夠好嗎？不夠妳的理想？配不上妳？』他咄咄逼人的。

『是我不好，是我配不上你。』她輕聲說，淚湧進了她的眼眶。

『妳是什麼意思？』

『饒了我，』她說，轉過頭去。『我又渺小，又卑微，你會遇到適合你的女孩。』

『我已經遇到了，』他急促的說：『除了妳，我不要別人，妳不渺小，妳不卑微，妳是我遇到的女性裏最高貴最純潔的。說，妳願嫁我！』

『不，先生。』她俯下頭，淚流下了面頰。『別逼我，先生。』

他的手捏緊了她的肩膀，捏得她發痛。

『妳不喜歡我？妳不愛我？對嗎？』他問。

『不，先生。』

『妳除了「不，先生。」還會說別的嗎？』

『哦，饒我吧！』她仰視他，帶淚的眸子帶着無盡的哀懇和祈求，那小小的臉龐蒼白而憔悴，

她脆弱得像是一根小草，禁不起一點兒風雨的摧折。但那個性裏又有那樣一股強韌的力量，柏霈

文知道，即使把她捏碎，即使把她磨成了粉，燒成了灰，也拿她無可奈何的。他放鬆了手，站直了身子，憤憤的望着她說：

『我還沒有卑鄙到用暴力來攫獲愛情的地步，但是我不會饒妳，我給妳幾天的時間去考慮我的提議，我建議妳，認眞的考慮一下。』

她不語，只是默默的望着他。

他轉身走開，站到窗子前面，他燃上了一支煙。他平常是很少抽煙的，只有在心情不佳或極度忙碌的時候，才偶爾抽上一兩支。噴出了一口煙霧，他看着那煙霧的擴散，覺得滿心的鬱悶，比那煙霧更濃更厚。但是，他心底的每根纖維，血管裏的每滴血液，身體裏的每個細胞，都比往日更强烈的在吶喊着：

『我要她！我要她！我要她！』

三天很快的過去，含煙却迅速的憔悴了。她每日來上班的時候，變得十分的沉默，她幾乎不開口說話，却總是用一對水濛濛的眼睛，悄悄的注視着他。柏霈文也不再提幾天前的事，他想給她充分的、思考的時間，讓她能夠好好的想清楚這件事。他很知道，如果他操之過急，說不定反而會把事情弄糟，含煙並不像她外表那樣柔弱，在內心，她是倔强而固執的。

可是，三天過去了，含煙仍然繼續沉默着，這使柏霈文按捺不住了，每日面對着含煙那蒼白的臉，那霧濛濛的眼睛，那柔弱的神情，他就覺得那股迫切的要得到她的慾望一天比一天强。現在，這慾望已變成一種燒灼般的痛苦，每日燃燒着他，折磨着他。因此，他也和含煙一樣的憔悴而消瘦了，而且，變得暴躁而易怒。

這天下班的時候，含煙正急急的想離開工廠，擺脫開柏霈文那始終追蹤着她的視線。柏霈文却在工廠門口攔住了她。

『我送妳回去！』他簡單的說。

『哦，不，柏先生……』

『上車！』他命令的。

含煙看了他一眼，他的眼神固執而鷙猛，是讓人不敢抗拒的。她順從的上了車，沉默的坐在那兒，無助的在褶裙中絞扭着雙手。

他發動了車子，一路上，他都一語不發，含煙也不說話，車子向含煙所住的地方馳去。車內，空氣是僵持而凝凍的。

到了巷口，柏霈文煞住車子，熄了火，他下了車，鎖上了車門。含煙不敢拒絕他送進巷子，他們走進去，到了門口，含煙用鑰匙打開了房門，回頭說：

『再見，柏先生。』

柏霈文握住了她的手腕，只一推，就把她推進了屋內，他跟着走了進來，反手關上了房門。然後，在含煙還沒有弄清楚他的用意以前，他的胳膊已經強而有力的圈住了她。她吃了一驚，立即想掙扎出來，他却箍緊了她的身子，一面用手扶住了她的頭，迅速的，他的頭俯了下來，他的嘴唇一下子緊壓住了她的。她喘息着，用手推拒着，但他的胳膊那樣強壯而結實，她在他懷中連移動的能力都沒有。而他的吻，那樣熱烈，那樣狂猛，那樣沉迷，那樣輾轉吸吮……她失去了反抗的能力，也失去了反抗的意識，她的手不知不覺的抱住了他，她的身子癱軟如綿，她不自禁的呻吟，不自禁的闔上了眼睛，不自禁的反應了他；和他同樣的熱烈，同樣的沉迷，同樣帶着心靈深處的需索與渴求。

『含煙。』他的聲音壓抑的透了出來，他的心臟像擂鼓似的撞擊着胸腔。『說妳愛我！說！含煙。』

她呻吟着。

『說！含煙！說！』他迫切的，嘴唇從她的唇邊揉擦到她的面頰，耳垂，再滑下來，壓在她那柔膩細緻的頸項上，他嘴中呼出的氣息，熱熱的吹在她的胸前。『說！含煙！說呀！』

『唔，』她含糊的應着：『我不知道……』

『妳知道的！』他更緊的圈住了她。『說！說妳愛我！說！』他的嘴唇又移了上來，擦過她的頸項，擦過她的下巴，重新落在她的唇上。好一會兒，他才又移了開去：『說呀！含煙！這話如此難出口嗎？說呀！含煙，說妳愛我！說！』

『唔，』她喘息着，神志迷離而恍惚，像躺在雲裏，踏在霧裏，那麼縹縹緲緲的。什麼都不存在了，什麼都融化成了虛無，唯一眞實的，是他的懷抱，是他的吻，是他那迫切的言語。『唔，』她本能的應着。『我愛你，是的，我愛你，我一直愛着你，一直愛着你。』

『喔。』他戰慄着，他全心靈都因這一句話而戰慄，而狂歡。『喔，含煙！含煙！含煙！』他喊着，重新吻她。『我等妳這句話等了多久呵！含煙！妳這個會折磨人的小東西，妳讓我受了多大的苦！喔，含煙！』他用雙手捧着她的臉，把自己的額角貼在她的唇上，閉上眼睛，他整個身心都沐浴在那份喜悅的浪潮裏，一任那浪潮冲激、淹沒。『含煙，說妳要嫁給我！說！』

她猛的一震，像是從一個沉醉的夢中突然驚醒過來，她迅速的掙扎開他，大聲的說：

『不！』

這是一個炸彈，驟然間在他們之間爆炸了，柏霈文挺直了身子，不信任似的看着含煙。含煙退後了兩步，她的身子碰着了桌子，她就這樣倚着桌子站在那兒，用一種被動的神態望着柏霈文。柏霈文逼近了兩步，他的眼睛緊緊的盯着她，啞着聲音問：

『妳剛才說什麼？』

『我不願嫁給你，先生。』她清清楚楚的說。

他沉默了幾秒鐘，就再趨近了一步，停在她的面前，他的手伸上來，輕輕的拂開了她面頰上的髮絲，溫柔的撫摸着她的面頰，他的眼睛熱烈而溫和，他的聲音低而幽柔。

『爲什麼？妳以爲我的求婚是不誠意的嗎？』

『我知道你是誠心，』她退縮了一下，怯怯的說：『但是我不能接受。』

他的手指僵硬。

『好吧！爲什麼？』他忍耐的問，眼光已不再溫柔，而帶着點兇猛的神氣。

『我們結婚不會幸福，你不該娶你廠裏的女工，我不願嫁你，先生，我自慚形穢。』

『鬼話！』他詛咒着。『妳明知道妳在我心中的分量，妳明知我對妳幾乎是崇拜着的，妳這話算什麼鬼藉口？自慚形穢，如果妳因爲作了幾天女工就自慚形穢，那妳是幼稚！荒謬！是無知！眞正該自慚形穢的，不是妳，是我呢！妳雅致，妳純潔，妳高貴，妳有思想，有深度，有能力……妳憑那一點要自慚形穢呢？』

『哦，不，不，』她轉開了頭，淚珠在眼眶裏打轉。『你不要把我說得那麼好，一定不要！我不是那樣的，不是的！我們不談這個，好嗎？請求你！』

『又來了，是不？』柏霈文把她的臉扳向了自己，他的眼睛冒火的停在她臉上，一直望進她的眼底，似乎想看透她，看穿她。『不要再對我來這一套，我今天不會放過妳！』他的聲音低沉而有力，固執而專橫。『我要妳！妳知道嗎？從妳暈倒在晒茶場的那一天起，我就確定了這一點！我就知道妳是我的，一定是我的，妳就是我尋訪了多年的那個女孩子！如果我不是對婚姻看得過分愼重，我不會到三十歲還沒結婚，我相信我的判斷力，我相信我的眼光，我相信我輕易不動的那份感情！妳一定要嫁給我！含煙，妳一定要！』

她看着他，用一種痛楚的、哀愁的、祈求的眼光望着他。這眼光使他心痛，使他滿胸懷漲滿了迫切的柔情，使他更迫不及待的想把她攬進自己的懷裏，想擁有她，想佔有她，想保護她。

『不要，柏先生……』

『叫我霈文！』

『是的，霈文，』她柔順的說：『我愛你，但我不願嫁給你，你也不能娶我，別人會議論，會說話，會影響你的聲譽！』

『胡說！』他嚷着：『即使會，我也不在乎！』

『我在乎，霈文。』她幽幽的說。

『我不知道妳從那裏跑來這麼多顧忌！』他有些激怒了。『含煙，含煙，洒脫一些吧！結婚是我們兩個人的事，不是全世界的事，妳知道嗎？』

『我……』她瑟縮着，哀懇的把她那隻戰慄的手放在他的手臂上。『原諒我，霈文，原諒我，我不能嫁你，我不能。』

他瞅着她，開始懷疑到事情並不像外表那樣簡單，他把她推往床邊，讓她坐下去，拉了一把椅子，他坐在她的對面。緊握住了她的雙手。他克制了自己激動的情緒，忍耐的說：

『含煙，妳講不講理？』

『講。』她說。

『那麼，妳那些拒絕的理由都不能成立，妳知不知道？』

她垂下了頭。

『抬起頭來！看着我！』

她勉强的抬起睫毛，淚水却沿着那大理石一樣蒼白的面頰上滾落了下來，她開始低低的啜泣，淚珠一粒粒的滾落，紛紛的擊碎在衣襟上面。柏霈文的心臟絞痛了起來，他慌亂的搖撼着她的手，急切的說：

『別哭吧！求妳別哭！含煙，我並不是在逼迫妳，我怎忍心逼迫妳？我只是太愛妳了，不能忍受失去妳，妳懂嗎？含煙，好含煙，別哭吧！求妳，妳再哭下去，把我的五臟六腑都揉碎了。』

她哭得更厲害，柏霈文坐到她身邊，把她攬進了自己的懷裏，他拍撫着她的背脊，撫摸着她的頭髮，吻着她的面頰，嘴裏喃喃的安慰着她，求她不哭。好半天，她終於止住了淚，一面抽噎着，她一面說：

『如果……如果我嫁給了你，將來……你再不愛我，我就會……就會死無葬身之地了。』

『妳怎會這樣想？』柏霈文喊着。『我會不愛妳嗎？我愛妳愛得發狂，我爲什麼要不愛妳呢？』

『因爲……因爲我並不像你想像的那麼好，那麼……那麼……』她礙口的說：『那麼純潔。』

『怎麼說？』

『你並不瞭解我的過去。』

他抱着她的胳膊變得硬僵了。

『說下去！』他命令的。

『別逼我說！別逼我說！』她喊着，用手遮住了臉，『求求你！別逼我！』

他把她的手從臉上拉下來，推開她的身子，使自己能正視她，緊盯着她的臉，他說：

『說下去！我要知道是怎麼回事？』

她仰視着他，哀求的。

『說！』他的語氣强硬，是讓人不能抗拒的。

她閉上了眼睛，心一橫，她像背書似的說：

『到你工廠之前，我是××舞廳的舞女。我在舞廳做了五個月，積蓄了五萬元，還給我的養父母，如果不是發生了一件意外，我可能還會做下去。』

她張開了眼睛，注視着他。她已經冷靜了，而且，事已如此，她決心要面對現實，把自己最見不得人的一段歷史抖出來。雖然，她深深明白，只要自己一說出來，她就要失去他了。她太瞭解他，他是如此迷信的崇拜着『完美』。

『說下去！』他催促着，那眼光已變得森冷了，那握着她的手臂的手指，也同樣變得冰冷了。

『有一天晚上，有個客人請我吃消夜，他灌了我很多酒，我醉了，醒來的時候，我不在自己的家裏。』她哀愁的望着他。『你懂了嗎？我失去了我的清白，也就是那一天，我發現我自己是墮落得那麼深了，人格、尊嚴、前途……全成了空白，我哭了一整天，然後，我跳出了那個燈紅酒綠的環境，搬到這簡陋的小屋裏來，決心重新做起。這樣，我才去了你的工廠。』

他凝視着她，好一會兒，兩人都沒有說話。暮色早已充盈在室內，由於沒有開燈，整個房間都暗沉沉的。她看不清他的表情，但是，她的心臟已隨着他的沉默而痛楚起來，可怕的痛楚起來，她的心發冷，她的頭發昏，她的熱情全體凍結成了冰塊。

時間不知道過去了多久，他終於站起身來，走到窗邊，他用顫抖的手，燃起了一支煙。面向着窗子，他大口大口的噴着煙霧，始終一語不發。一直到整支煙吸完了，他才忽然車轉身來，走到她的身邊。他站在那兒，低頭看她，用一種低低的、受傷的、沉痛的聲音說：

『妳不該告訴我這些，妳不該。』

她不語，已經乾涸的眼睛重新又被淚浪所淹沒了。

『我但願沒有聽到過這篇話，我但願這只是個噩夢，』他繼續說，痛楚的搖了搖頭。『妳太殘忍，含煙。』

說完，他走到桌子旁邊，拿起他放在桌上的汽車鑰匙，走向門口。他沒有說再見，也沒有再說任何一句話，就這樣走了出去。房門合上的那一聲響聲，震碎了含煙最後的心神和意識，她茫茫然的倒向床上，一任淚水像開了閘的洪水般氾濫開來。

14

夜深了。

柏霈文駕着車子，向烏來的山路上疾馳着。山風迎面撲來，帶着仲秋時節的那份涼意，一直灌進他的衣領裏。那條蜿蜒的山路上沒有一個行人，也沒有一輛車子，夜好寂靜，夜好冷清，夜好深沉，只有那車行時的輪聲軋軋，輾碎了那一山夜色。

從含煙家裏出來，柏霈文就這樣一直駕着車子，無目的的在市區內以及市區外兜着圈子。他沒有吃晚飯，也不覺得飢餓，他的意識始終陷在一種痛楚的絕望裏。他的頭腦昏沉，他的神志迷惘，而他的心，却在一陣陣的抽搐、疼痛，壓榨着他的每一根神經。現在，他讓車子向烏來山頂上馳去，他並不明確的知道自己要到烏來山頂上來做什麼，只覺得那滿心翻攪着的痛楚，和那發熱的頭腦，必須要到一個安靜的地方，去冷靜一下。

車子接近了山頂，他停下來，熄了火。他走下車子，站在那山路邊的草叢裏，眺望着那在月光下，隱約起伏着的山谷。山風從山谷下捲了上來，那聲音簌簌然，幽幽然，帶着股愴惻的、寂寞的味道，在遍山野中迴響、震動。一彎上弦月，在浮雲掩映下忽隱忽現，那山谷中的層巒疊嶂，也跟着月亮的掩映而變幻，時而清晰，時而模糊，時而明亮，時而朦朧。

他倚着一株尤加利樹，燃上了一支煙。噴着煙霧，他對着那山谷默默的出神。他滿腦子盤踞着的，仍然是含煙的臉，和含煙那對如夢如霧，如怨如艾，如泣如訴的眸子。他無法從含煙那篇眞實的剖白給他的打擊中恢復過來。從他二十歲以後，他就曾接觸過許許多多的女孩子，其中不乏名門閨秀，侯府嬌娃，但是，他始終把愛情看得既愼重，又神聖，因此，他寗可讓婚姻一日日躭延下去，却不肯隨便結婚。他的父母爲了他這份固執，不知生過多少次氣，尤其父親去世以後，母親對他的婚事更加積極，老人對傳宗接代的傳統觀念仍然看得十分重，柏霈文又是獨子，所以，他母親不止一百次嚴厲的問：

『你！千挑萬挑，到底要挑一個怎樣的才滿意？』

『一個最純潔，最脫俗，最完美的。』他神往的說，腦中勾畫出的是一個人間所找尋不到的仙子。於是，爲了尋找這仙子，他遲遲不肯結婚，但，他心目中這個偶像，豈是凡俗所有的？他幾乎失望了。柏老太太給他安排了一大串的約會，介紹了無數的名媛，他在她們身上找到的只是脂粉氣和矯揉造作，他嘆息的對柏老太太說：

『靈氣！媽！我要一個有靈氣的！』

『靈氣是什麼東西？』柏老太太生氣的說：『我看你只是要找一個有狐狸味的！』

柏霈文從小事母最孝，任何事都不肯違背母親的意思，只有這件事，母子間却不知嘔了多少氣。柏霈文固執的等待着，等待着那個可遇而不可求的機會，然後，他終於碰到了章含煙。

他曾有怎樣的狂喜？他曾有多少個夢寐不寗，朝思暮想的日子？整日整夜，他腦中縈繞着她的影子，她的一顰一笑，她的輕言細語，她的嬌怯溫柔，和她那份弱不勝衣，楚楚動人的韻致。他不能自已的追逐在她身邊。迫切而渴望的想得到她，那份渴望的急切，像一團火，燃燒着他，使他時時刻刻都在煎熬之中。含煙，含煙，含煙……他終日咀嚼着這個名字，這名字已成爲一種神像的化身，一切最完美、最純潔、最心靈、最超凡脫俗的代表！那個灰姑娘，那個仙黛瑞娜！

他已急於要把那頂后冠加在她頭上了，可是，今天的一席談話，却粉碎了他對她那份完美的幻想，像是一粒鑽石中有了汚點，他懷疑這汚點是否能除去。含煙！他痛苦的望向天空，妳何必告訴我這些？妳何必？妳把一切美好的東西都破壞了，都打碎了，含煙！

夜越來越深了，深山的風涼而幽冷，那松濤與竹籟的低鳴好愴惻，好淒涼。在遠處的樹林內，有一隻不知名的鳥在不住的啼喚，想必是隻失偶的孤禽吧！他就這樣站着，一任山風吹拂，一任夜露沾衣，一任月斜星墜……直到他的一包煙都抽完了，雙腿也站得痠麻而僵直。丟掉了手中最後的一個煙蒂，他鑽進了車子，他必須回去了，雖然他已三十歲，柏老太太的家規仍不能違背，他不願讓母親焦灼。發動了車子，他自己對自己說：

『就是這樣，把這件事當一個噩夢吧！本來，她從舞女做到女工，這樣的身分，原非婚姻的對象，想想看，母親會怎麼說？算了吧！別再去想它了！就當它是個噩夢，是生命裏的一段插曲，一切都結束了。』

駕着車子，他開始向歸途中駛去。這決定帶給他內心一陣撕裂般的刺痛，他知道，這刺痛還會繼續一段很長的時間，他無法在一時片刻間就把含煙的影子擺脫。車子迅速的在夜色中滑行，駛過了那道木板的『松竹橋』，家門在望了。

這是一棟新建築的房子，建築在一片茶園之中，房子是柏霈文自己設計的，他在大學本來唸的就是建築系。他一直想給這房子題一個雅致的名字，却始終想不出來。車子停在門口，他怕驚醒了老太太，不敢按喇叭叫園丁老張來開門，只好自己用鑰匙打開了門，開了進去。

客廳中依然亮着燈光，他楞了楞，準是高立德還沒睡！他想着，停好了車，他推開客廳的門，却一眼看到柏老太太正端坐在沙發裏，一瞬也不瞬的望着他。

『哦，媽，還沒睡？』他怔了一下說。

『知道幾點了嗎？』柏老太太問。

『是的，我回來晚了。』他有些不安的說，到櫃子邊去倒了一杯水。

『怎麼回事？』柏老太太的眼光銳利的盯着他。

『沒怎麼呀，有個應酬。』他含糊的說。

『應酬？』她緊緊的望着他。『你直說了吧，你從來沒有事情瞞得過我的！你最近到底是怎麼回事？一天到晚魂不守舍。戀愛了，是嗎？』

柏霈文再度怔了一下。望着柏老太太，他知道自己在母親面前是沒有辦法保守什麼秘密的，柏老太太是個聰明、能幹，敢做敢爲的典型。年輕時，她是個美人，出身於望族，柏霈文父親一生的事業，都靠柏老太太一手扶持出來。所以，在家庭裏，柏老太太一向是個權威性的人物，柏霈文父子，都對她又敬又畏又愛又服。柏霈文從小是獨子，在母親身邊的時間自然長一些，對母親更有一份近乎崇拜的心理，因爲柏老太太是高貴的、嚴肅的，而又有魄力有威嚴的。

『戀愛？』他把茶杯在手裏旋轉着。『沒有那麼嚴重呢！』

『那是怎樣一個女孩？』

『別提了，已經過去了。』他低低的說，望着手裏的杯子，覺得心中那份撕裂般的痛楚在擴大。

『哦。』老太太緊盯着他，她沒有忽略他眉梢和眼底的那份痛苦。『怎麼呢？你失戀了嗎？』

『不，』他很快的說。

『那麼，一定是那個女孩不夠好！』

『不！』他更快的說，反應的迅速使他自已都覺得驚奇。『她很好！她是我碰到過的最好的女孩子！』

『哦？』柏老太太沉吟的、深思的望着面前這張被苦惱所盤踞着的臉龐。『她是你在應酬場合中遇到的嗎？』她小心的問。

『不是。』

『她家裏是做什麼的？經商嗎？』

『不，不是。』他再說，把杯子放了下來，那杯水他根本一口也沒喝。『別問了，媽，我說過，這件事已經過去了，已經結束了。我累了。』他看了看樓梯。『您還不睡嗎？』

『你去睡吧！』柏老太太說，注視着他的背影，目送他那沉重、疲憊、而無力的脚步，一步步的踏上樓去。站起身來，她走到窗前，望着窗外的滿園花影，她點點頭，喃喃的自語着說：『過去了？結束了？不，這事沒有過去，也沒有結束，他是眞的在戀愛了。』

是的，這事沒有過去，也沒有結束。第二天，當柏霈文去工廠辦公的時候，他腦中一直在盤算着，見了含煙之後，他該怎麼說。怎樣說才能不傷她的心，而讓她明白一切都結束了。當然，她也不能再留在工廠裏，他可以給她一筆錢，然後再寫封介紹信，把她介紹到別的地方去工作。以他的社會地位，他很容易給她找到一個適當的工作。無論如何，她自己並沒有什麼大過失，即使他們之間的事是結束了，他也不忍讓她再淪爲舞女，或是女工，他一定要給她把一切都安排好。

駕着車子，他一路上想着的就是這問題，他覺得自己已經冷靜下來了。可是，當車子越來越接近工廠，他的心就越來越跳得猛烈，他的血液也越來越流得迅速。而且，在他的潛意識中，他開始期盼着見到她的一刻，她的面龐又在他的眼前浮移，他似乎看到她那對哀愁的眼睛對他怔怔的凝視着。他喘了口氣，不知不覺的加快了車行速度。

走進了工廠，他一直衝進自己的辦公室內，今天他來晚了，含煙一定早就到了。可是，一進了門，他就楞住了，含煙的座位上空空如也，迎接着他的，是一屋子冷清清的寂靜，含煙根本沒有來。

他呆立在門口，有好幾秒鐘，他都一動也不動。然後，一陣強烈的、失望的浪潮就對他捲了過來，迅速的淹沒了他。好半天，他才走向自己的書桌後面，在椅子上沉坐了下來，用手支着頭，他閉上眼睛，陷入一種深深的落寞和失意之中。

有人敲門，他抬起頭來，一時間，血液湧向他的頭腦，她來了！他想，幾乎是緊張的盯着房門口。門開了，進來的却是領班蔡金花。他吐出一口長氣，那層乏力的，軟弱的感覺就又籠罩了他。他悶悶的問：

『有什麼事？』

『顏麗麗交給我這封信，要我交給你。是章小姐託她拿來的。』

『章小姐？』他一楞，這才回過意來是含煙，接過了信，他又抑制不住那陣狂猛的心跳。蔡金花退出了屋子，一面對他好奇的注視着。他關好了房門，坐在沙發上，立即迫不及待的拆開了信封，抽出信箋，含煙那娟秀的筆迹就呈露在他的眼前：

『柏先生……』

這稱呼刺痛了他，使他不自禁的狠狠的咬了一下嘴唇，這才重新看下去，信寫得十分簡短：

『柏先生：

我很抱歉帶給了你許多困擾，也很感激這幾個月以來，你對我的諸多照顧。我想，在目前這種情形下，我不便再到你的工廠來辦公，所以，我辭職了。相信沒多久，你就可以找到人來頂替我的位置。

別爲我擔心，我不過再爲命運播弄一次。命蹇多乖，時也運也，我亦無所怨。從今以後，人海茫茫，隨波浮沉而已。

祝福你！深深地。願你找到你的幸福和快樂！

含煙於燈下』

放下了信箋，他心中充塞着一片苦澀和酸楚。她竟不等他向她開口，就先自引退了。這本解決了他的一項難題，可是，他反而有股說不出的惆悵和難受。拿起信箋，他又反覆的看了好幾次。含煙，妳錯了，他想着。妳不必隨波浮沉，我總會給妳一個好安排的。站起身來，他在室內來來回回的踱着步子，從房間的這一頭一直走到那一頭，這樣起碼走了幾百次，然後，他坐回桌子前面，拿了一個信封，封了五千塊錢，再寫了一個短箋：

『含煙：

五千元請留下度日，數日內將對妳另有安排，請等待，並請萬勿拒絕我的一番好意。總之，妳是我所遇到的最好的女孩，我永不會，也永不能忘記妳，所以，請別拒絕我的友誼。

祝

好

霈文』

封好了信箋和錢，他叫來了蔡金花，要她立即把錢和信送到含煙家裏去。蔡金花用一種驚奇的眼光望着他，但是，她順從的去了。兩小時後，蔡金花回到柏霈文的面前，把那五千塊錢原封不動的放到柏霈文的書桌上。柏霈文瞪視着那筆錢，緊鎖着眉頭說：

『她不收嗎？』

『是的。』

『她怎麼說？』

『她什麼都沒說，就叫我帶回來給你。』

『沒有回條嗎？』

『沒有，什麼都沒有。』蔡金花看着柏霈文，猶豫了一會兒，似乎想說什麼又嚥住了，只是呆呆的看着他。

『怎樣？』柏霈文問：『妳想說什麼？』

『你辭退了章小姐嗎？柏先生？』她終於問了出來。

『唔，』他支吾着。『是她不想做了。』

『哦，』蔡金花垂下頭。『我想她是願意做的，要不然，她不會對着你的信淌眼淚。』

柏霈文震動了一下。

『妳是說，她哭了嗎？』他不安的問。

『哭得好厲害呢！先生。』

柏霈文咬緊了牙，心臟似乎收縮成了一團。蔡金花退出了房間，他一動也不動的坐在那兒，瞪視着書桌上那疊鈔票。一時間，他有個衝動，想拿着錢開車到含煙家裏去。但是，他克制了自己，這樣做的後果是怎樣呢？除非他仍然準備接受含煙……不，不，他不行！在知道她那段歷史之後，一切只能結束了，他不能漠視那件事！他用手蒙住了臉，痛苦的在掌心中輾轉的搖着他的頭。他不能漠視那件事！他不能！

他沒有去找含煙，第二天，他也沒有去，第三天，他仍然沒有去。可是，他變得暴躁而易怒了，變得不安而憔悴。他拒絕了生意，他和員工發了過多的脾氣，他無法安下來工作，他不願走進自己的辦公廳，爲了怕見含煙留下的空位子……第四天，他一早就到了工廠，坐在書桌後面，他出奇的沉默。一整天，他沒有說一句話，沒有處理任何一件公事，甚至沒有出去吃午飯，只是呆呆的在那兒冥想着，面對着含煙的位子。然後，當黃昏來臨的時候，他忽然跳了起來，走出了工廠，他大踏步的衝向了汽車，打開車門，他迅速的鑽了進去，迫不及待的發動了車子。經過了一日的沉思，他想通了，他終於想通了！擺脫開了那份對『處女』的傳統的看法，他全部心靈，全部意志，全部情感，都在呼喚着含煙的名字。含煙！我多傻！他在心底叫着。這何嘗損壞了妳的完美？妳那樣眞，妳那樣純，妳那樣善良，妳那樣飄逸，妳那樣高高在上，如一朵白雲……什麼能損壞妳的完美呢？而我竟把社會的罪惡記在妳的身上！我眞傻，含煙，我是世界上最愚蠢的傻瓜！最愚蠢的、最不可原諒的、最狠心、最庸俗的！我竟像一般冬烘那樣重視着『處女』！哦，含煙！我白白躭誤了三天的時間，把彼此陷入痛苦的深淵，我是個傻瓜！天下最大的傻瓜！

車子在大街小巷中飛馳着，一直向含煙住的地方開去。他的心跳得比汽車的引擎還要猛烈，他急於要見到含煙，他急於！在那小巷門口停住了車子，他跳下了車，那樣快的衝進巷子中，他在心中不住的禱告着：別出去，含煙，妳必須在家！我有千千萬萬句話要對妳說，妳一定得在家！但是……他又轉回頭想，妳即使不在家也沒關係，我將站在妳的房門口，一直等到妳回來爲止，我今天一定要見到妳！一定！

停在含煙的房門口，他剛舉起手來，門上貼着的一張大紅紙條『吉屋招租』就觸目驚心的呈現在他眼前，他大吃了一驚，心頭迅速的祈禱着：不不，含煙，妳可不能離去，妳絕不能！敲了門，裏面寂然無聲。一層不祥的預感使他的心發冷，他再重重的敲門，這次，有了回聲了，一陣拖板鞋的聲音來到門口。接着，門開了，那不是含煙，是個梳着髮髻的老太婆。

『先生，你要租房子嗎？』老太婆問。

『不，我找一位小姐，一位章小姐。』他急切的說。

『章小姐搬家了。』

『搬家了？』他的頭涔涔然，四肢冰冷。『什麼時候搬的？』

『昨天晚上。』

老太婆轉過身子，想要關門，他邁前一步，急急的擋在門前。

『請問，妳知道她搬到那裏去了嗎？』

『不知道。』

『妳知道她養父母的家在那兒嗎？』他再問，心底有份近乎絕望的感覺。

『不知道，都不知道。』老太婆不耐的說，又想要關門。

他從口袋裏掏出一百塊錢，塞進那老太婆的手中，幾乎是祈求似的說：

『請讓我在這屋子裏看看，好嗎？』他心中還抱着一線希望，她既然昨天才搬走，這屋子裏或多或少會留下一些東西，一個地址，一個親友的名字，或是其他的線索，他必須要找到一點東西，他必須要找到她！

老太婆驚喜交集的握着那些鈔票，一百元，半個月的房租呢！這準是個有錢的瘋子！她慌忙退後，把房門開得大大的，一疊連聲的說：

『你看吧！隨你怎麼看！隨你看多久！』

他走了進去，環室四顧，一間空空的屋子，收拾得十分整潔，床和桌子都是房東的東西，仍然留在那兒沒有搬走。房內依稀留着含煙身上的衣香，他也恍惚看到含煙的影子，坐在床沿上，眉梢輕顰，雙眸脈脈。他重重的甩了一下頭，走到書桌前面，他拉開了抽屜，裏面留着幾個沒用過的空白信封，一個小小的案頭日曆，他翻了翻日曆，希望上面能留下一些字迹，但是，上面什麼都沒有。其他幾個抽屜根本就是空的。他再對四周望了望，這屋子中找不出什麼痕迹來。低下頭，他發現桌下有個字紙簍，彎下身子，他拉出那個字紙簍，裏面果然有許多廢紙，他一張張的翻閱着，一些帳單，一些文藝作品的剪報，一些包裝紙……然後，他看到一個揉縐的紙團，打開來，却是他寫給她的那個短箋，上面被紅色鉛筆劃了無數個『X』號，劃的人那麼用力，紙都劃破了，在信後的空白處，他看到含煙的筆迹，凌亂的寫着一些句子：

『柏霈文，你多殘忍！你多現實！

你不必用五千元打發我走，我會好好的離去，我不會糾纏你。但是，我恨你！

哦，不不，霈文，我不恨你，只要你肯來，我求你來，來救救我！我不再要孤獨，我不再要飄泊，我愛你，霈文，如果你肯來，如果你不追究我的既往，我將匍匐在你的脚下，終身做你的女奴！你不知道嗎？你不知道我期盼你的殷切，我愛你的瘋狂，柏霈文！柏霈文！柏霈文！柏霈文！……救我吧！霈文！救我吧！否則我將被打進十八層地獄！否則我將沉淪！救我！霈文！

可是，你爲什麼不來呢？兩天了，你眞的不來了！你像一般世俗的人那樣摒棄我，鄙視我，輕蔑我，你是高貴的先生，我是汚穢的賤貨！

我還能期望什麼？我不再做夢了，我多傻！我竟以爲你會回心轉意。我再不做夢了，我永遠不再做夢了，毀滅吧！沉淪吧！墮落吧！嫁給那個白痴吧！還有什麼關係呢？含煙，含煙，妳只是別人脚下的一塊汚泥！

霈文，我恨你！恨你！恨你！恨你！恨你！……』

在無數個『恨你』之後，紙已經寫完了，柏霈文顫抖的握着這張紙，冷汗從他的額上沁了出來，直到這一刻，他才明白自己對含煙做了些什麼，他才知道自己怎樣侮辱和傷害了那顆脆弱的心靈，他也才知道那女孩是怎樣癡情一片的愛着他，她把一切告訴他，因爲不願欺騙他，她以爲他能諒解這件事，能認識她那純眞的心與靈，而他呢？他却送上了五千元『分手費』！

他踉蹌的在書桌前的椅子上坐了下來，用手捧住了他那昏昏沉沉的頭顱，再看了一遍那張信箋上的字迹，他的心臟緊縮而痛楚，他的喉嚨乾燥欲裂，他的目光模糊，他的心靈戰慄，他看出那紙條中所顯示的途徑——她將走回地獄裏去了。她在絕望之中，天知道她會選擇那一條路！他多恨他自己，恨他爲什麼不早一天想明白，爲什麼不在昨晚趕來！現在，她在何處？她在何處？

『我要找到妳！含煙，我要找到妳！』他咬着牙喃喃的說：『那怕妳在地獄裏，我也要把妳找回來！』

15

一個月過去了，含煙仍然如石沉大海。柏霈文用盡了一切可以用的方式去找尋，他詢問了顏麗麗，他在報上登了尋人啓事，他甚至託人去派出所調查戶口的登記，但是，含煙像是一個消失在大海中的泡沫，一點蹤跡都找尋不出來。

他懊惱往日從沒有問過含煙關於她養父母的姓名地址，如今，他失去了一切的線索，報上的尋人啓事由小而擴大，連續登了一星期，含煙連一個電話都沒有。柏霈文迅速的消瘦和憔悴了，他食不知味，寢不安席，終日惶惶然如一隻喪家之犬。他在家裏一分鐘都待不住，他怕含煙會有電話打到工廠裏，但是，在工廠中，他同樣一分鐘也坐不住，隨時隨刻，他就會在一種突來的驚懼中驚跳起來，幻想她已經結婚了，嫁給了那個白癡。於是，他會周身打着寒戰，全身心都痙攣起來。

這一切逃不過柏老太太和高立德的眼光。高立德，這是個苦學出來的年輕人，大陸淪陷後，他隻身來台，在大學中唸農學院，和柏霈文同學。由於談得投機，兩人竟成莫逆之交。因此，高立德畢業之後，就搬到柏宅來住，柏霈文把整個的茶園，都交給高立德管理。高立德學以致用，再加上他對茶園有興趣，又肯苦幹，竟弄得有聲有色，柏家茶能歲收七、八次，都是高立德的功勞。柏霈文爲了感激高立德，就算了他股份，每年付與高額的紅利。因此，高立德在柏家的地位非常特殊，他是柏霈文的知己、兄弟，及助手。這天晚上，高立德和柏老太太都在客廳中，柏霈文又在室內來來往往的走個不停，最近，幾乎每天晚上，他都是這樣走來走去，甚至深夜裏，他在臥室中，也這樣走個不停，常常一直走到天亮。

『霈文，』柏老太太忍不住喊：『你怎麼了？』

『哦？』柏霈文站住了，茫然的看了母親一眼。

『一個小女工，就能把你弄得這樣神魂不屬嗎？』柏老太太盯着他。

『哦？媽？』他驚異的說：『妳怎麼知道——』

『我都知道，』柏老太太點點頭。『霈文，我勸你算了吧！她不適合你，也不適合我們這個家庭，她是在吊你胃口，你別上這個女孩的當！』

『媽！』柏霈文反抗的說：『妳根本不知道！妳根本不認得她！妳這樣說是不公平的！』

『我不知道？』柏老太太挑了挑眉毛。『這種女孩子我才淸楚呢，我勸你別執迷不悟吧！瞧她把你弄成什麼樣子了！你去照照鏡子去，還有幾分人樣沒有？你也眞奇怪，千挑萬選，多少名門閨秀都看不中意，倒看上了廠裏一個女工！』

『人家也是高中畢業呢！』柏霈文大聲說。『當女工又怎樣呢，多少大人物還是工人出身呢！』

『當然，』柏老太太冷笑了一聲。『這個女工也已經快成爲老闆娘了！』

『別這樣說，媽，』柏霈文站在母親的面前，像一尊石像，臉色蒼白，眼光陰鬱。『她並不稀奇嫁給我，她已經失蹤一個月了。』

『她會出現的，』柏老太太安靜的說：『她已經下了釣餌，總會來收竿子的。不過，霈文，我告訴你，我不要這樣的兒媳婦。』

柏霈文僵立在那兒。老太太說完，就自顧自的站起身來，逕自走上樓去了。柏霈文仍然站在那兒發楞，直到高立德走到他的面前來，遞給他一支燃着了的煙。

『我看你需要一支香煙。』高立德微笑的說。

柏霈文接過了煙，長嘆一聲，廢然的坐進沙發裏，把手指深深的插進頭髮中。高立德也燃起一支煙，坐在柏霈文的對面，他靜靜的說：

『到底是怎麼回事？說出來讓我幫你拿拿主意。』

柏霈文抬起頭來，看了高立德一眼，高立德的眼光是鼓勵的。他又嘆了口氣，深深的吸了一口煙，那濃濃的煙霧在兩個男人之間彌漫。高立德交疊着腿，樣子是閒散而蕭灑的，柏霈文緊鎖着眉，却是滿臉的煩悶和苦惱。

『媽怎麼知道含煙的事？』柏霈文問高立德。

『她打電話給趙經理問的。』高立德說。『怎麼，眞是個女工嗎？』

『女工！』柏霈文激動的喊着：『如果你看到過這個女工！如果你看過！』

高立德微微一笑。

『怎會失蹤的呢？』他問。

柏霈文垂下了頭，他又沉默了，好半天，他們兩人都沒有說話，高立德也不催促他，只是自顧自的噴着煙霧。過了好久好久，柏霈文才慢吞吞的說：

『我第一次注意到她是四個月之前。』他噴出一口煙，注視着那煙霧的擴散，在那縹縹緲緲的煙霧中，他似乎又看到含煙的臉，隱現在那層煙霧裏，柔弱、飄逸，而虛幻。他慢慢的敍述出他和含煙的故事，沒有保留的，完完全全的。在高立德面前，他沒有秘密。敍述完了，他仰靠在沙發裏，看着天花板，呆瞪瞪的睜着一對無神的眸子，輕輕的說：

『我願用整個世界去換取她！整個世界！』

高立德沉思不語，他是個最善於用思想的人。好一會兒，他才忽然說：

『你有沒有去各舞廳打聽一下？』

『舞廳？』柏霈文一怔。

『你看，她原來在舞廳做過，因爲想新生，才毅然擺脫舞廳去當女工。可是，你打擊了她，粉碎了她的希望，一個在絕望中的女孩子，她既然發現新生不能帶給她尊敬和榮譽，甚至不能使愛她的人看得起她，她會怎樣呢？』

『怎樣呢？』柏霈文的額上沁出了冷汗。

『自暴自棄！所以，她說要「隨波浮沉」，所以，她說要毀滅，要沉淪，因爲她已經心灰意冷。現在，她有兩個可能性，一個是她已經嫁給那個白癡了，另一個可能性，就是回到舞廳去當舞女，所以，我建議你，不妨到舞廳去找找看！』

柏霈文深深的看着高立德，半晌不言也不語。然後，他就直跳了起來，抓起椅背上搭着的一件夾克，他向屋外就走，高立德驚訝的喊：

『你到那裏去？』

『舞廳！』

『什麼舞廳？你一點線索都沒有怎麼行？』

『我一家家去找！』

衝出了屋外，高立德立即聽到汽車發動的聲音，他站起身來，走到窗口，目送柏霈文的車子如箭離弦般駛出去。他揚了揚眉，微微側了一下頭，把雙手插在夾克的口袋裏，自言自語的說：

『唔，我倒眞想見見這個章含煙呢！』

又是三天過去了，柏霈文跑了總有十幾家舞廳，但，含煙的蹤跡仍然杳不可尋。一來，柏霈文不知含煙在舞廳中所用的名字，二來，他手邊又沒有含煙的照片，因此，他只有賄賂舞廳大班，把舞女們的照片拿給他看。不過，這樣並不科學，因爲許多舞女，並沒有照片，於是，他常默默的坐在舞廳的角落裏，猛抽着香煙，注視着那些舞女，再默默的離去。

可是，這天晚上，他終於看到含煙了！

那是個第二、三流的舞廳，嘈雜，凌亂，煙霧騰騰。一個小型樂隊，正在奏着喧鬧的音樂，狹小的舞池，擠滿了一對對的舞客，在跳着竭特巴。含煙就在一個中年人的懷抱中旋轉，暗沉沉的燈光下，她耳際和頸項上的耳環項鍊在迎着燈光閃亮。雖然燈光那樣幽暗，雖然舞池中那樣擁擠，雖然含煙的打扮已大異往日……但是，柏霈文仍然一眼就認出她來了。他走進舞廳的一刹那就認出來了！他心跳，他暈眩，他震動而戰慄，在一個位子上坐了下來，他對舞女大班說了幾句話，指指在舞池中的含煙，然後，他開出一張支票給舞女大班。那大班驚異的望着他，走開了。他叫了一瓶酒，燃起一支煙，就這樣靜靜的坐在那兒等待着，一面把酒一杯杯的傾入腹中。

然後，不知過了多久，一陣陰暗罩住了他，有個人影遮在他的面前，他慢慢的抬起頭來，一件黑絲絨的洋裝，裹着一個怯弱纖小的身子，敞開的領口，露出修長秀氣的頸項，那瘦弱的肩膀是蒼白而楚楚可憐的，那貼肉的發亮的項鍊一定冰凍着那細膩的肌膚。他的目光向上揚，和她的眼光接觸了。

她似乎受了一個突如其來的大震動，血色迅速的離開了她的面頰和嘴唇，她用手扶着桌子，身子搖搖欲墜。他站起身來，一把扶住了她，然後，他讓她在椅子裏坐了下來。他用顫抖的手，給她倒了一杯酒，遞到她的面前。她端起杯子，很快的把它一口喝乾。他坐在她的對面，在一層突然上湧的淚霧中凝視着她。她更瘦了，更憔悴了，脂粉掩飾不住她的蒼白和疲倦，她的眼睛下有着明顯的黑圈，長睫毛好無力的搧動着，掩映着一對朦朧而瑟縮的眸子。他咬住了嘴唇，他的心在絞緊，絞得好痛好痛。

『含煙！』他輕喚着，把一隻顫抖的手蓋在她放在桌上那隻纖小的手上。『妳讓我找得好苦！』

她輕輕的抽出了自己的手來，抬起眉毛，她的眼光是今晚第一次正視他，帶着一層薄薄的審判意味，和一份淡淡的冷漠。

『你要跳舞嗎？先生？』她問，那張小臉顯得冷冰冰的。『謝謝你捧我的場！』

『含煙！』他喊着，急切中不知該說些什麼，含煙那張毫無表情的臉刺痛了他，他慌亂了，緊張了，在慌亂與緊張之餘，他五臟六腑都可怕的翻攪痛楚了起來。『含煙，別這樣，我來道歉，我來接妳出去！』他急急的說，手心被汗所濡濕了。

『接我出去？』她喃喃的說。『對了，你付了帶出場的錢，你可以帶我出場。』她站起身來，靜靜的望着他。『現在就走嗎？先生？』

他看着她，那憔悴的面龐，那疲倦的神色，那冷漠的表情，好像他只是一個普通的舞客，距離她很遙遠很遙遠的一個陌生人。他的心被撕裂了，被她的神態所撕裂了。他知道了一件事：她不願再繼續那段感情了，他失去了她！他曾把握在手中的，但是，現在，他失去了她！

『怎樣呢？』她問：『出去？或者是跳舞？』

他咬咬牙，然後，他突然的站起身來。

『好，我們先出去再說！先離開這個鬼地方！』

含煙取來了她的風衣，柏霈文幫她披上，攬住她的腰，他們走出了那家舞廳。含煙並沒有拒絕他攬住自己，這使他心頭萌現出一線希望，從睫毛下凝視着她，他發現她臉上有種無所謂的，不在乎的神情，他重新被刺痛了。

『到那兒去？』她問他。

『妳現在住在什麼地方？』

『就在附近。』

『能到妳那兒去坐坐嗎？』

『可以。』她揚揚眉毛。『只要你高興。』

她不再說話了，只是往前走着，深秋的風迎面撲來，帶着深深的涼意，她有些兒瑟縮，他不自禁的攬緊了她，她也沒有抗拒。這是中山北路，轉入一條巷子，他們走進了一家公寓，上了二樓，含煙從手提包裏取出了鑰匙，打開房門。柏霈文置身在一間小而精緻的客廳中了，這是一個和以前的小屋完全不能相比的房間，牆上裱着壁紙，屋頂上垂着豪華的吊燈，有唱機，有酒櫃，櫃中陳列着幾十種不同的酒，一套雅致的沙發，落地窗上垂着暗紅色的窗帘……柏霈文環室四顧，心中却在隱隱作痛，他看到了一個典型的、歡場女人的房間，而且，他知道，這兒是常有客人來的。

『房間佈置得不錯。』他言不由衷的說。

『是嗎？』她淡淡的問：『租來的房子，連家具和佈置一起租的，我沒再變過，假如是我自己的房子，我會選用米色和咖啡色佈置客廳，白色、金色和黑色佈置臥室，再加個紅床罩什麼的。』她指指沙發．

『請坐吧！』打開了小几上的煙罐，她問：『抽煙嗎？』

『不。』

『要喝點什麼酒嗎？』她走到酒櫃前面，取出了酒杯，『愛喝什麼？白蘭地還是威士忌？』

『不，什麼都不要。』他有些激動的說，他的眼光緊緊的盯着她。

『那麼，其他的呢？橘子汁？汽水？可樂？總要喝點東西呀！你爲我花了那麼多錢，我總應該好好的招待你才對！』她說，故意避開了他的眼光。

他走到她的面前，他的手一把握住了她的手臂，把她的身子扭轉過來，他强迫她面對着自己。然後，他深深的望着她的臉，他的眼睛裏佈滿了紅絲，他的頭髮蓬亂，他的呼吸急促，他的臉色蒼白而憔悴。

『夠了！』他啞着嗓子說。『別折磨我了，含煙。我錯了，我錯了，我錯了，妳別折磨我了吧！』他控制不住自己，他緊緊的把她攬進懷裏，就痛苦的把臉埋進她的衣領中。『妳發脾氣吧！妳打我駡我吧，妳對我吼對我叫吧，妳告訴我我是最大的傻瓜吧，但是，別這樣用冷淡來折磨我！別這樣！妳知道這一個月以來，我除了找尋妳，什麼事都沒有做，妳給我的懲罰已經夠了，已經夠了！含煙，妳饒了我吧！』

她掙扎着跳了開去，背靠在牆上，她睜着一對大大的眼睛，瞪視着他。她的臉色蒼白如死，她的神情瑟縮而迷惘。

『你——你要做什麼?先生?』她問,好像他仍然是個陌生人。

『我要向妳求婚。』他急促的說。『我請求妳做我的妻子,我愛妳,我要妳。』

她望着他,臉色更蒼白了,一層疲倦的神色浮現在她的眼底,她慢慢的轉開了頭,垂下了眼瞼。

『如果你是在向我求婚,那麼,我拒絕了,先生。』她說,聲音平淡而無力。

『含煙!』他嚷着,衝到她的面前,握住了她的雙手。『我知道,妳在生我的氣,妳恨我,我知道,我都知道。但是,不要說得這樣決絕,妳再給我一個機會,再考驗我一次,請求妳,含煙!』

『不,』她輕聲的說,她的眼睛空空洞洞的看着窗外,臉上一無表情。『你輕視我,你認爲我是汚穢的,我不能嫁給一個輕視我的人。不,不行,先生,我早就說過,我配不上你!』

『不,不,含煙,不是這樣的。是我配不上妳,我庸俗,我狹小,我自私,現在,我想通了,那件事一點也不損妳的淸白和美好,我太愚蠢,含煙!現在沒有什麼可以阻礙我們了,我不介意妳的出身,我不介意妳的過去,妳在我的心目中永遠完美,我請求妳,含煙,嫁我吧!嫁我吧!含煙,別拒絕我!』

她戰慄了一下,她的眼睛仍然看着窗外,但是,一層淚浪湧了上來,那對黑濛濛的眸子浸在水霧之中了。她的嘴唇輕輕的蠕動着,唇邊浮起一個無力的微笑。

『如果一個月以前,你肯對我說這幾句話,』她幽幽的說:『我會跪在你的脚下,吻你的脚。

可是，現在，沒有用了，我已經重回舞廳，我已經不再夢想了。我不嫁你，柏先生。不過，你可以到舞廳裏來，你有錢，你可以買我的鐘點，或者帶我出場。』

『不！含煙！』他喊，迫切的搖撼着她，撫摸她的面頰、頭髮，他的眼光燒灼般的落在她的臉上。『我不會讓妳留在舞廳，我不會！我一定要娶妳！隨妳怎麼說！別對我太殘忍，含煙……』

『是你殘忍，柏先生！』她說，眼光終於從窗外掉了回來，注視着他。淚水滑下了她的面頰，滴落在她的衣服上。『請你放了我吧，別再纏繞我。』她說，開始輕輕的、忍聲的啜泣起來。

她的啜泣使他心碎，使他心痛。他捧起她的臉，用嘴唇吻去了她的淚，懇求的說：

『饒恕我，饒恕我，含煙。我錯了，我像一隻蠢驢，我讓妳白白受了許多苦，受了許多委屈。我錯了，含煙，給我機會，給我機會來贖罪，我要彌補我的過失，我向妳保證，含煙。妳這一生苦難的日子已經結束了，我要給妳一份最甜蜜，最幸福的生活。含煙，答應我，嫁給我！含煙，答應我！』

『你……你會後悔，』她哭泣的說：『你終究有一天會嫌棄我……』

『我不會，絕對不會！』

『你會，你已經嫌棄過我一次，以後你還會嫌棄我，我怕那一天，我不敢接受你，我不敢！』

她用手蒙住臉，哭泣使她的雙肩抽搐，淚水從她的指縫中流出來。『我說過，我自慚形穢，我卑賤，我渺小……我不願嫁你，我不願！當有一天，你不再愛我，那時你會詛咒我，你會後悔……啊，不，不，』她在掌心中搖着頭。『你放了我吧！讓我去吧！我那麼卑微，你別尋我的開心……』

她說不下去了，她已經泣不成聲。柏霈文把她的手用力的從臉上拉下來，看着那張淚痕狼藉的小臉，那份委屈的、瑟縮的神色，他的心臟抽搐痙攣起來，他明白了，明白自己怎樣傷害了這顆脆弱的心，傷害得這樣嚴重，使她已不敢再相信或再接受愛情了。他注視着她，深深的、長久的注視着她，然後，他喊了一聲，惶悚的把她擁進了懷裏，戰慄的緊抱着她的頭，喊着說：

『哦，含煙！我對妳做了些什麼？我該死，該進入十八層地獄！哦，含煙！妳打我吧，妳罵我吧！』

托起她的頭來，他把嘴唇緊壓在那兩片顫抖的唇上。含煙仍然在哭泣，一邊哭泣，她一邊用手環抱住了他，緊緊的環抱住了他，啜泣着說：

『你……你……你眞……眞要我嗎？』

『是的，是的，含煙！我每根骨頭，每條纖維都要妳！我要妳！要妳！含煙！我們明天就結婚，我會幫妳還掉欠養父母的那筆債，我會代妳結束舞廳裏的合同。含煙，妳再也沒有困苦的日子了！我保證。我將保護妳，今生，今世，來生，來世！』

『你……不是眞心……』

『是眞心，是眞心！』他一疊連聲的說。

『你知道我……不是好女孩，我不純潔，不……』

他用手蒙住了她的嘴。

『妳是好女孩，妳純潔！妳完美，妳像一塊璞玉！妳是我夢寐所求的那個女孩子！』

含煙抬起頭來了，閃動着那滿是淚霧的眸子，她望着柏霈文，好一會兒，她就這樣望着他，然後，她怯怯的、柔弱的說：

『你——不會——後悔？』

『後悔？』他凝視着她。『是的，我後悔我躭誤了一個月的時間，我後悔讓妳受了這麼多苦！』

她垂下了眼瞼，一動也不動的站着。

『含煙，』他輕喚着。『妳原諒我了嗎？』

她什麼話都沒有說，只是輕輕的用手抱住了他，輕輕的倚進了他的懷裏，再輕輕的把面頰靠在他那堅強而寬闊的肩上。

16

那個早晨像個夢，一清早，窗外的鳥啼聲就特別的嘹喨。睜開眼睛來，含煙看到的是滿窗的秋陽，那樣燦爛的、暖洋洋的投射在床前。她看了看手錶，八點三十分！該起床了，柏霈文說十點來接她去法院，她還要化妝，還要換衣服。可是，她覺得渾身都那樣酥軟，那樣騰雲駕霧一樣的，她對於今天要做的事，還沒有百分之百的眞實感，昨晚，她也一直失眠到深夜。這是眞的嗎？她頻頻的問着自己，她眞的要在今天成爲柏霈文的新娘嗎？這不是一個夢，一個幻想嗎？

床前，那件鋪在椅子上的、新娘的禮服像雪一樣的白，她望着那件禮服，忽然有了眞實感了。從床上直跳起來，她知道這將是個嶄新的、忙碌的一天。梳洗過後，她站在鏡子前面，打量着自己，那煥發着光彩的眼睛也看不出失眠的痕迹，那潤滑的面龐，那神采飛揚的眉梢，那帶着抹羞澀的唇角……噢！這就是那個暈倒在晒茶場上的小女工嗎？她深深的嘆息，是的，像霈文說的，苦難日子該結束了！以後，迎接着她該是一串幸福的、甜蜜的、夢般的歲月！

拿起髮刷來，她慢慢的刷着那垂肩的長髮，鏡子裏浮出來的，不是自己的形象，却是霈文的。霈文，這名字甜甜的從她心頭滑過去，甜甜的。她似乎又看到霈文那熱烈而渴望的眸子，聽到他那急切的聲音：

『我們要馬上結婚，越快越好。我不允許有任何事件再來分開我們！』

『會有什麼事能分開我們呢？』她說，她那一臉的微笑像個夢，她那明亮的眼睛像一首詩。他望着她，陡的打了個冷顫。

『我要妳，我要馬上得到妳，完完全全的！』他嚷着，緊緊的攬住她。『我怕失去妳，含煙，我們要立刻結婚。』

『你不會失去我，霈文，你不會，除非你趕我走！』她仍然在微笑着。『要不然，沒有力量能分開我們。』

『誰知道呢？』他說，眼底有一抹困惑和煩惱。然後，他捧住她的臉說：『告訴我，含煙，妳希望有一個怎樣的婚禮？很隆重的？很豪華的？』

『不。』她說：『一個小小的婚禮，最好只有我和你兩個人，我不要豪華，我也不要很多人，那會使我緊張，我只要一個小小的婚禮。越簡單越好。』

『妳眞是個可人兒。』他吻着她，似乎解除了一個難題。『妳的看法和我完全一樣。那麼，妳可贊成公證結婚？』

『好的，只要你覺得好。』

『妳滿了法定年齡嗎？』

『沒有，我還沒有滿十九歲呢！』

『啊，』他憐惜的望着她。『妳眞是個小新娘！』

她的臉紅了，那抹嬌羞使她更顯得楚楚動人。柏霈文忍不住要吻她，她那小小的唇濕潤而細膩。撫摸着她的頭髮，柏霈文說：

『妳的監護人是妳的養父嗎？』

『是的。』

『妳想他會不會答應在婚書上簽字？』

『我想他會，他已經收了你的錢。』

『那麼，我們在一個星期之內結婚！』他決定的說：『妳什麼都不要管！婚禮之後，我將把妳帶回家，我要給妳一點小意外。』

『可是……』她有些猶豫。『我還沒見過你母親。』

『妳總會見到她的，急什麼？』他很快的說，站起身來。『我要馬上去籌備一切！想想看，含煙，一星期之後，妳將成爲我的妻子了！噢，我迫切的希望那一天！』

現在就是那一天了。含煙望着鏡中的自己，這一個星期，自己一直是昏昏沉沉，迷迷糊糊的。她讓柏霈文去安排一切，她信任他。她跟着他去試婚衣，做新裝，她讓霈文幫她去選衣料，跟裁縫爭執衣服的式樣，她只是微笑着，夢似的微笑着。當霈文爲她花了太多的錢時，她才會抓着霈文的手說：

『別這樣，霈文，你會寵壞我呢！』

『我要寵壞妳，』他說：『妳生來就該被寵的！』

這是怎樣的日子？充滿了怎樣甜蜜的瘋狂！她一生沒有這樣充實過，這樣沉浸在蜜汁之中，暈陶陶的不知世事。她不問霈文如何佈置新居，不問他對婚禮後的安排，她對他是全面的倚賴和信任，她已經將她未來的一生，都捧到了他的面前，毫無保留的奉獻給了他。

如今，她馬上要成爲霈文的新婦了。刷着頭髮，她就這樣對着鏡子朦朧的微笑着，不知過了多久，她才驚覺到時間已經不早了，如果她再不快一點，她會趕不上行婚禮的時間。放下髮刷，她開始化妝，霈文原想請幾個女伴來幫她化妝，但她拒絕了，她怕那些女伴帶來的只是嘈雜與淩亂，她要一個眞正的、夢似的小婚禮。

她只淡淡的施了一些脂粉，沒有去美容院做頭髮，她一任那長髮自然的披垂着。然後，她換上了那件結婚禮服，戴上了花環，披上了婚紗，站在鏡子前面，她不認識自己了，那白色輕紗裹着她，如一團白雲，她也正如置身雲端，那樣輕飄飄的，那樣恍恍惚惚的。

門外響起了一陣汽車喇叭聲，他來了！她喜悅的站着，等待着，今天總不是他自己開車了吧？沒有一個新郎還自己做司機的，她模糊的想着，奇怪自己在這種時候，還會想到這種小事。一陣脚步聲衝到了門口，幾乎是立刻，門開了，柏霈文擧着一把新娘的花束衝了進來，一眼看到披着婚紗的含煙，他怔住了，站立在那兒，他一瞬也不瞬的瞪視着她，然後，他大大的喘了口氣。

『含煙，』他眩惑的說：『妳像個被白雲烘托着的仙子！』

『我不是仙子，』她喃喃的說，微笑着。『我只是你的新婦。』

『哦！我的新婦！』他嚷着，衝過來，他吻了她。『妳愛我嗎？含煙？妳愛我嗎？』

『是的，』她說，仍然帶着那個夢似的微笑。『我愛你，我要把自己交給你，整個的人，整個的心，整個的靈魂！』

他戰慄了，一種幸福的極致的戰慄。他從含煙的眼底看出了一項事實，這個小女人已經把她的一生付託給他了。這以後，他將主宰着她的幸福與快樂！他必須要怎樣來保護她，來愛惜她呵！

『感謝天！』他說，帶着一臉的嚴肅與莊重，緊握着她的雙手。『這是祂在我這一生中，賜給我最珍貴的一項禮物，窮此一生，我將感恩。』

他那莊重的神情感染了她，她的臉色也變得嚴肅而鄭重了，在這一瞬間，他們兩人都陷入一種崇敬的情緒之中，對那造物者的撮合感恩，對那命運的安排感動。

『噢，』他忽然醒悟過來。『我們要趕快了，但是，在走以前，妳先看看妳的婚戒吧。』

他從口袋裏取出一個小盒子，打開那個盒子，含煙看到的是一個光彩奪目的大鑽戒，那粒大而燦爛的鑽石鑲嵌在無數小鑽石之中，迎着陽光閃爍。含煙呆住了，微笑從她唇邊隱去，她看來十分不安。

『你花了許多錢。』她喃喃的說：『這是鑽石嗎？』

『是的，三克拉。』

她揚起睫毛來望着他。

『你不該花那麼多錢……』她說：『鑽石對我是太名貴了。』

『鑽石配妳最合適，』他深深的望着她。『妳就像一粒鑽石，一樣璀璨，一樣晶瑩，一樣堅定。』他再吻了吻她。『好吧！我們得走了！立德要在車裏等急了。』

『立德？』她怔了怔。

『高立德！我跟妳提過的。他將作我們的結婚證人。』他看了看室內。『妳的東西都收拾好了嗎？房東的帳也結清了嗎？』

『是的，』她指指門口的兩口皮箱。『東西都在那兒，我沒有太多的東西。』

『好，我們走！』他們走到了門口，他忽然站住了，鄭重的望着含煙說：『希望妳不要嫌婚禮太簡陋，我沒有請客，沒有通知任何人，我不想驚動親戚朋友。但是，我想，妳不會認爲我不重視這個婚禮，對於我，它是嚴肅的，神聖的，愼重的。』

『我知道，』她輕聲說。『對於我，它也是。』

他們下了樓，柏霈文把她的兩口箱子也帶了下去，好在含煙租房子都是連家具一起租的，只要把衣服收拾好，就沒有什麼可搬動的。到了樓下，高立德已含笑迎了上來，幫着柏霈文把箱子放進行李箱內，他打開車門，笑嘻嘻的說：

『新娘趕快進車子吧，路上的人都在看妳呢！』

含煙的臉上飛起了兩朵紅暈，她下意識的看了高立德一眼，這是她第一次看見高立德，那個黝黑，挺拔，高大，漂亮，而風趣的年輕人。在這一刹那，她做夢也不會料到，這個年輕人日後竟會成爲她婚姻上的礁石。

坐進了車子，含煙才知道今天開車的是高立德，車子發動以後，柏霈文猛的驚覺過來，說：

『瞧我多糊塗，我竟忘了給你們介紹！』

『免了吧！霈文，』高立德回過頭來，對着含煙嘻嘻一笑。『我想我們都早就認識了，是不？章小姐？記住，我可能是最後一個喊妳章小姐的人！』

含煙的頭垂得更低了，羞澀從她的眼角眉梢漾了開來，遍佈在整個的面頰上。

到了法院，張會計早已等在那兒了，看到柏霈文和含煙，他笑吟吟的走上來鞠躬道賀。含煙才知道他是另一個證人，她奇怪柏霈文不找趙經理，而找張會計，大概因爲張會計是廠裏的老人吧！

這是個名副其實的小婚禮，除了一對新人，兩個證婚人，和法院裏的法官書記等人之外，沒有一個觀禮者，婚禮在一種寗靜、莊重、肅穆的氣氛下完成了，當司儀最後宣告了禮成，一對新人相對注視，都有種恍惚如夢的感覺。含煙的眼眶潮濕了，霈文的眼光却帶着無限的深情和癡迷，落在含煙的臉上，他輕輕的說：

『妳終於是我的了。含煙。』

說完，他就不管法官還沒有退席，不管張會計和高立德依然站在旁邊，他就一把把含煙擁進了懷裏，對她唇上深深的吻下去。含煙驚呼着用手去推他，高立德却在一邊拊掌大笑了。走上前來，他推開柏霈文，笑着說：

『按外國規矩，我有權吻新娘。』站在那兒，他的目光笑嘻嘻的緊盯着含煙，面對着含煙那張娟秀的臉，他明白柏霈文之所以如此着迷的原因了，這小新娘淸靈如水，溫柔如夢，美麗如春花初綻，嬌怯如弱柳臨風。這是你一生也不容易碰到的那類女孩子，這是可遇而不可求的。

『算了吧！立德，』柏霈文來解圍了，挽住含煙的手，他說：『我們這兒是中國，沒有外國規矩。』

『哈！』高立德笑得開心。『你眞吝嗇啊，你連吻新娘都捨不得呀！』

『是捨不得！』柏霈文也笑着說：『她是我的，誰也不許碰她！』

『聽到沒有？柏太太？』高立德轉向含煙：『妳剛剛嫁了一個專制的丈夫！妳猜怎麼，他在你們行婚禮之前，都不許我見妳，就怕妳被我搶了去！』

『越來越胡說八道了！』柏霈文笑着，挽緊了含煙。『別聽他鬼扯，我們該回家了。』

家！含煙心頭掠過了一陣奇妙的感覺，她還不知道她的家是什麼樣子，霈文對於這個總是神祕兮兮的。但她並不在意，只要有一間小屋，就會成爲他們的安樂窩，她確信這一點。家！她一直渴望着的一個字呵！她多麼迫切的想躲到那裏面去，休憩下那十九年來疲倦的身心！

到了法院門口，柏霈文轉頭對張會計說：

『你去告訴工廠裏所有的人，我已經在今天和章小姐結婚了，同時，放所有員工一天假，以資慶祝。』

『好的，柏先生。』張會計微笑着說，轉身走了。

高立德把車子開了過來，他們上了車，含煙仍然穿着新娘的禮服，捧着新娘的花束，帶着那夢似的微笑。柏霈文緊挽着她那小小的腰肢，他的目光不能自已注視着她，帶着無限的深情，和無盡的喜悅。

車子離開了市區，駛過了松竹橋，那迎面吹來的秋風中就帶着松樹與竹子的清香，再駛過去，車子兩邊就都是茶園了。高立德把車子駛往路邊，然後，他煞住了車子，熄了火，他轉過頭來。他臉上那份戲謔的神色沒有了，取而代之的，是一份莊重與沉著。

『柏太太，看看妳的周圍，這都是柏家的茶園。他在五年之內，把茶園擴大了一倍，妳嫁了一個能幹的丈夫。』

『因爲他有一個能幹而忠誠的朋友！』柏霈文接口說，對高立德微笑。

含煙左右望着，她驚訝於這茶園面積的遼闊，同時，她也驚訝於柏霈文和高立德之間那份深摯的友誼，她覺得頗爲感動，不自禁的也對高立德微笑着。

『好了，霈文，』高立德望着柏霈文。『婚禮已經舉行過了，我這個諸葛亮已經盡了我的本分。現在，在到家之前，你不給你的太太一點心理上的準備嗎？』

柏霈文的眉頭緊蹙了起來。含煙狐疑的看看高立德，又看看柏霈文，她不知道他們兩人在搗什麼鬼。然後，霈文轉向了她，握住了她的雙手，他顯得很沉重。

『含煙，我很抱歉，有件事我必須告訴妳。』

『什麼事？』含煙的臉色變白了，她受到了驚嚇。『你別嚇我。』

『不不，妳不必恐慌，』柏霈文安慰的拍着她的手背。『我只是要坦白告訴妳，我之所以必須祕密和妳結婚，不敢通知任何親友，是因爲怕一份阻力——我母親。』

她的臉孔更白了，她的黑眼睛睜得好大好大。

『你——居然是——』她囁嚅的說：『瞞着她結婚的嗎？』

『是的，知道這個婚禮的，只有我、妳、立德和張會計。』

她的嘴唇微微的顫抖着，她的睫毛垂了下去。

『你——你的意思是說，如果你母親知道你和我結婚，她一定會反對，是嗎？』

霈文戰慄了一下，他發現這柔弱而敏感的小女孩又受傷了。他抓住了她的手臂，迅速的托起了她的下巴，望着她的臉說：

『妳知道老人家的看法總和年輕人不太一樣的，我又是個獨子，她就總把我的婚事看成了她自己的事情。我並不是說她一定會反對，但是，只要有這份可能性，我就不容許它發生，所以，我瞞着她做了。』

含煙的心沉進了一個深深的冰窖裏，她瞪視着霈文，焦灼而煩惱的說：

『你錯了，霈文，你太操之過急了。你這樣突然的把一個新娘帶到她面前，你讓她如何接納我？你又讓我如何拜見她？你坑了我了，霈文。』

『別急，含煙，到家之後，我會先上樓對她說明一切的。她會接納妳，含煙，沒有人能不接納妳的，她會接納妳，而且，她會喜歡妳！何況，』他微笑着，想使含煙重新快樂起來：『到底娶太太的是我，不是她呀！』

但願你的說法是對的！含煙想着，低下了頭，現在只結婚了一小時，她不願露出自己對這事的不滿來，而且，霈文這樣不顧一切的做法，還是爲了怕失去她呀，她咬了咬嘴唇，朦朧的感到，前途絕不像自己預料的那樣光明了。看到他們的談話已經結束了，高立德重新發動了車子，隨着車子前進的速度，含煙也在迅速的盤算着，她的思想比車輪轉得還快。當車子在那兩扇鐵門前煞住時，含煙也抬起她那對堅定、勇敢，而充滿希望的眼睛，望着柏霈文說：

『你是對的，霈文，你放心，她會喜歡我的！』

高立德冷眼旁觀，他在這小女人的臉上看到了一份堅定的決心，他知道，她將用盡她的方法，來準備博取婆婆的歡心了，那張燃燒着光彩的小臉是使人心折的。他眞有些嫉妒霈文了。咳了一聲，他說：

『柏太太，妳不看看妳的家嗎？』

『你最好叫她含煙，別左一聲柏太太，右一聲柏太太，眞彆扭！』柏霈文說。

含煙望向外面，觸目所及的，是鐵門前豎着的一塊簇新的木牌，上面雕刻着四個精緻的字：

『含煙山莊』

她驚喜交集的回過頭來望着柏霈文，張口結舌的說：

『怎麼——怎麼——』

『這是妳的！含煙。』柏霈文深深的看着她。『妳的家，妳的房子，妳的花園，妳的我。』

『哦！』含煙閃動着眼瞼，蘊蓄了滿眼眶的淚。然後，她聞到了花香，那繞鼻而來的紫丁花香。鐵門打開了，她看到柏霈文塞了一個紅包在那開門的男工手上，一面說：

『這是賞給你的，老張，我剛剛結婚了。』

她顧不得那男工驚訝的目光，她已經眼花撩亂了，她發現自己置身在一個像幻境般的花園裏，有葱蘢的樹木，有深深的庭院，還有成千成萬朵玫瑰，那一簇簇的玫瑰，那整個用黃玫瑰做出的圓形花壇！她鑽出了車子，呆立在那兒，驚異得說不出話來了。

『妳夢想的玫瑰花園，』柏霈文在她身邊說：『這是立德和我，費盡心力，把原來的花園改成這樣的。我答應過妳的，不是嗎？』

含煙轉過身子來，這次，是她不顧一切了，不顧那旁邊的男工，不顧高立德，不顧從客廳門口伸出頭來的女傭，她用手環抱住了柏霈文的頸項，很快的吻了他。

『謝謝你，謝謝你給我的家！』她說，淚水在眼眶中閃爍，這家中會有陰影嗎？不！那是不可能的！

17

把含煙留在客廳中，柏霈文就跑上了樓梯，一直停在柏老太太的門前，在門外停立了幾秒鐘。呼吸了好幾下，他終於甩了甩頭，舉起手來敲了敲門。門內，柏老太太那頗具威嚴的聲音就傳了出來：

『進來！』

他推開門，走了進去，一眼看到柏老太太正在敞開的窗前，那窗子面對着花園，花園內的一切都一覽無遺。他的心跳加速了，那麼，一切不用解釋了，柏老太太已經看到他和含煙在花園中的一幕了。他注視着柏老太太，後者的臉色是鐵青的。

『你要告訴我什麼嗎？』柏老太太問，聲音冰冷而嚴厲。

柏霈文把房門在身後合攏，邁前了幾步，他停在柏老太太的面前，低下頭，他說：

『我來請求您的原諒。並請您接受您的兒媳婦。』

『你終於娶了她了!』柏老太太低聲的說。『甚至不通知你的母親。』她咬了咬牙，憤怒使她的身子顫抖。『你不是來讓我接受她的，你簡直是要我去參見她呢!』

『媽!』柏霈文惶悚的說:『我知道我做錯了，但是，請妳原諒我!』他抬起頭來，看着柏老太太，他的眼睛好深好沉，閃爍着一種奇異的光芒。柏老太太不禁一凜，她忽然覺得自己不認識這孩子了，他不再是那個依偎在她膝下的小男孩，他長大了，是個完完全全的、獨立的男人了。他身上也帶着那種獨立的、男性的、咄咄逼人的威力。他的聲調雖然溫柔而恭敬，却有着不容人反駁的力量。『媽，妳不能瞭解，她對於我已經比世界上任何東西都更重要，我不能允許有任何事情發生，我害怕失去她，所以，我這樣做了!我甯願做了之後，再來向您請罪，却不敢冒您事先拒絕的險!』

柏老太太瞪視著柏霈文，多坦白的一篇話!却明顯的表示出了一項事實，他可以失去母親，却不能失去那個女人!這就是長成了的孩子必走的一條路嗎?有一天，妳這個母親的地位將退後，退後，一直退到一個角落裏去……把所有的位置都讓給另一個女人!在他的生命裏，妳不再重要了，妳不再具有權威了，妳失去了他!如今，這孩子用這樣一對坦白的眸子瞧着妳，他已經給妳下了命令了:妳無可選擇!妳只有接受一條路!

『她比世界上任何東西都重要，甚至比你的母親更重要!』她喃喃的說:『你已經不考慮母親的地位和自尊了!你眞是個好兒子!』

『媽!』柏霈文喊了一聲。『只要妳接受她，妳會喜歡她的，妳會發現，妳等於多了一個女兒！』

『我沒福氣消受這個女兒！』柏老太太冷冷的說：『或者我該搬出去住。她叫什麼名字？』

『含煙。』

『是了，含煙山莊！你在門口豎上了這麼一個牌子，這兒成了她的天地，我會盡快搬走！免得成爲你們之間的絆腳石！』

柏霈文邁前了一步，他的手緊緊的握住了母親的手，他那對漂亮的眼睛和煦、溫柔，而誠懇。他的聲音好親切，好鄭重。

『媽，您一向是個好母親，我不相信您沒有接受一個兒媳婦的雅量！爸當初和您結婚以後，他的世界也以您爲重心的，不是嗎？您瞭解愛情，媽！您一向不是個古板頑固的女人。您何不先見見她？見了她，您就會瞭解我！至於您說要搬走，那只是您的氣話。媽，別和我生氣吧！』

『我不是生氣，霈文，我只是悲哀。』她望着他。『我從沒有反對過你娶妻，相反的，我積極的幫你物色，幫你介紹。你現在的口氣，倒好像我是個典型的和兒媳婦搶兒子的女人！我是嗎？』

『妳不是。』柏霈文說：『那麼，妳也能夠接受含煙了？雖然她不是妳選擇的，她却是我所深愛的！』

『一個女工！』柏老太太輕蔑的說。

『一個女工！』柏霈文有些激動的說：『是的，她曾是女工，那又怎樣呢？總之，現在，她是我的妻子了！』

『她終於掙到了這個地位，嗯？』柏老太太盯着柏霈文：『你彷彿說過她並不稀奇這地位！怎會又嫁給了你呢？』

『她是不稀奇的！媽！』柏霈文的臉色發白了。『妳不知道我用了多少工夫來說服她，來爭取她。』

『是的，我想是的。』柏老太太唇邊浮起了一個冷笑。『你一定得來艱鉅！這是不用說的。好吧，看來我必須面對這份現實了，帶她上樓吧！讓我看看她到底是怎樣一個東西！』

柏霈文深深的望着他的母親，他的脚步沒有移動。

『怎麼還不去？我說了，帶她上樓來吧！難道你還希望我下樓去參見她嗎？』

『我會帶她上樓來，』柏霈文說，他的眼光定定的望着母親，他的聲音低沉而有力。『可是，媽，我請求妳不要給她難堪，她細微而脆弱，受不了任何風暴，她這一生已吃了許多苦，我希望我給她的是一個避風港，我更希望，妳給她的是一個慈母的懷抱！她是很嬌怯的，好好待她！媽，看在我的面子上！我會感激妳！媽，我想妳是最偉大的母親！』

柏老太太呆立在那兒，柏霈文這一篇話使她驚訝，她從沒看過她兒子臉上有這樣深重的摯情，眼睛裏有那樣閃亮的光輝。他愛她到怎樣的程度？顯而易見，他給了她一個最後的暗示：好好待她，否則，妳將完完全全的失去妳的兒子！她咬了咬牙，心裏迅速的衡量出了這之中的利害。沉吟片刻，她低低的說：

『帶她來吧！』

柏霈文轉身走出了房間，下了樓，含煙正站在客廳中，焦灼的等待着，她頭上依然披着婚紗，裹在雪白的禮服中，像個霓裳仙子！看到柏霈文，她擔憂的說：

『她很生氣嗎？』

『不，放心吧！含煙，』柏霈文微笑的挽住她的手。『她會喜歡妳的，上去吧，她要見妳！』

含煙懷疑的看了柏霈文一眼，後者的微笑使她心神稍定。依偎着柏霈文，她慢慢的走上樓梯，停在柏老太太的門前。敲了敲門，沒等回音，柏霈文就把門推開了，含煙看了進去，柏老太太正坐在一張紫檀木的圈椅中，背對着窗子，臉對着門，兩個女人的目光立即接觸了，含煙本能的一凜，好銳利的一對眼光！柏老太太却震動了一下，怎樣的一對眼睛，輕靈如夢，澄澈似水！

『媽，這是含煙！』柏霈文合上了門，把含煙帶到老太太的面前。

含煙垂着手站在那兒，怯怯的看着柏老太太，輕輕的叫了一聲：

『媽！』

柏老太太再震動了一下，這聲音好嬌柔，好清脆，帶着那樣一層薄薄的畏懼，像是個怕受傷害的小鳥。她對她伸出手來，溫和的說：

『過來！讓我看看妳，孩子！』

含煙邁前了一步，把雙手伸給柏老太太，後者握住了她的兩隻手，這手不是一個女工的手，纖細、柔軟，她沒做過幾天的女工！她想着。仔細的審視着含煙，那白色輕紗裹着的身子嬌小玲瓏，那含羞帶怯的面龐細緻溫柔……是的，這是個美麗的女孩子，但是，除了美麗之外，這女孩身上還有一些東西，一些特殊的東西。那對眼睛靈慧而深湛，盛載了無數的言語，似在祈求，似在夢幻，懇懇切切的望着她。柏老太太有些明白這女孩如何能如此强烈的控制住柏霈文了，她有了個厲害的對手！

『妳名叫含煙，是嗎？』她問，繼續打量着她。

『是的。』含煙恭敬的說，她望着柏老太太，那銳利的目光，那堅强的臉，那穩定的，握着她的雙手，這老太太不是個等閒人物呵！她注視着她的眼睛，那略帶灰暗的眼睛是深沉難測的，含煙無法衡量，面前這個人將是敵是友。她看不透她，她判斷不了，也研究不出，這老太太顯然對她是胸有成竹的。

『妳知道，含煙，』她說。『妳的出現對我是一個大大的意外，我從沒料到，我將突然接受一個兒媳婦，所以妳得原諒我毫無心理準備。』

含煙的臉紅了。低下頭，她輕輕的說：

『對不起，媽，請饒恕我們。』

饒恕『我們』？她已經用『我們』這種代名詞了！她唇邊不自禁的浮起一絲冷笑，但是，她的聲音仍然溫柔慈祥。

『其實，妳眞不用瞞着我結婚的，我不是那種霸佔兒子的母親！假若我事先知道，你們的婚禮絕不至於如此寒傖！孩子，別以爲所有的婆婆都是孔雀東南飛裏那樣的，我是巴不得能有個好媳婦呢！』

含煙的頭垂得更低了，她沒有爲自己辯白。

『不管怎樣，現在，妳是我們家的人了。』老太太繼續說：『我希望，我們能夠相處得很好，妳會發現，我不是十分難於相處的。』

『媽！』含煙再輕喚了一聲。

媽？媽？她叫得倒很自然呢！柏老太太難以覺察的微笑了一下。

『好吧，現在去吧！霈文連天在收拾房子，又換地毯，又換窗帘的，我竟糊塗到不知道他在佈置新房！去吧，孩子們，我不佔據你們的時間了，我不做那個討厭的、礙事的老太婆！』

『謝謝妳，媽！』柏霈文嚷着，一把拉住了含煙的手，迫不及待的說：『我們去吧！』

『等會兒見！媽！』含煙柔順的說了一句，跟着霈文退出了房間。柏老太太目送他們出去，她的手指握緊了那圈椅上的扶手，握得那樣緊，以至於那扶手上的刻花深深的陷進她的肉裏，刺痛了她。她的臉色是僵硬而深沉的。

這兒，霈文一關好母親的房門，就對含煙急急的說：

『怎樣？我的母親並不像妳想像的那樣可怕吧！』

含煙軟弱的笑了笑，她什麼話都沒有說。霈文已經把她帶到了臥房的前面，那門是合着的，霈文說：

『閉上眼睛，含煙！』

含煙不知道他葫蘆裏在賣什麼藥，但她順從的閉上了眼睛。她聽到房門打開的聲音，接着，她整個的身子就被騰空抱起來了，她發出了一聲驚呼，慌忙睜開眼睛來，耳邊聽到霈文笑嘻嘻的聲音：

『我要把我的新娘抱進新房！』

把含煙放了下來，他再說：

『看吧！含煙，看看妳的家，看看妳的臥房吧！』

含煙環室四顧，一陣喜悅的浪潮窒息了她，她深吸着氣，不敢相信的看着這間房子，純白色的地毯，黑底金花的窗帘，全部家具都是白色金邊的，整個房子的色調都由白、黑，與金色混合的，只有床上鋪着一床大紅色的床罩，在白與黑中顯得出奇的豔麗與華貴。另外，那小小的床頭櫃上，在那白紗檯燈的旁邊，放着一瓶鮮豔的黃玫瑰，那梳妝台上，則放着一個大理石的塑雕——一對擁抱着的男女。

『那是希臘神話故事裏的人物，』柏霈文指着那塑像說：『尤莉特西和她的愛人奧菲厄斯。他們是一對不怕波折的愛侶，我們也是。』他擁着她，吻她。『這房間可合妳的胃口嗎？』

『是的，是的，』她喘息的說：『你怎麼知道……』

『妳忘了？妳告訴過我，妳希望用白色、金色，與黑色佈置臥房，以米色和咖啡色佈置客廳。』

她眩惑的望着他。

『你都記得？』

『記得妳說的每一句話，每一個字！』他說，用手捧着她的臉，他的眼光深深切切的望着她，低低的、癡癡的、戰慄的說：『我終於，終於，終於得到了妳！我所摯愛的、摯愛的、摯愛的！』俯下頭來，他吻住了她。她閉上眼睛，喉中哽着一個硬塊，那層喜悅的浪潮又淹沒了她，她陶醉，她暈眩，她沉迷。兩滴淚珠滑下了她的面頰，她在心中暗暗的發着誓言：

『這是我獻身、獻心的唯一一個人，以後，無論遭遇到怎樣的風暴，我將永遠跟隨着他，永不背叛！』

她的手臂環繞住了他。那黑底金花的窗帘靜靜的垂着，黃玫瑰綻放了一屋子的幽香。

新婚的三天過去了。這三天對於含煙和霈文來說，是癡癡迷迷的，是混混沌沌的，是恍恍惚惚的，是忘記了日月和天地的。這三天霈文都沒有去工廠，每天早晨，他們被鳥啼聲喚醒，含煙喜歡踏着朝露，去剪一束帶着露珠的玫瑰，霈文就站在她身邊，幫她拿剪刀，幫她拿花束，有時，她會手持一朵玫瑰，笑着對霈文說：

『含笑問檀郎，花强妾貌强？』

她那流動着光華的明眸，她那似笑還顰的嬌羞，她那楚楚動人的韻致，常逗引得霈文不顧一切的迎上去，在初昇的朝陽下擁住她，在她那半推半就的掙扎下强吻她……然後，她會跺跺脚又笑又皺眉的說：

『瞧你！瞧你！』

他們撒了一地的玫瑰花瓣。

早餐之後，高立德總要去茶園巡視一番，有時帶着工人去施肥除草。他們就跟了去，含煙常常孩子氣的東問西問，對那茶葉充滿了好奇。有一次，她問：

『你們爲什麼一定要用茉莉花作香片茶呢？爲什麼不作一種用玫瑰花的香片？』

柏霈文和高立德面面相覷，這是一項好提議，後來，他們眞的種植了一種特別的小玫瑰花，製造了玫瑰紅茶和玫瑰香片，成爲柏家茶園的特產。不過，由於成本太高，買的人並不多，但這却成爲含煙獨享的茶葉，她終日喝着玫瑰茶，剪着玫瑰花，渾身永遠散放着玫瑰花香。

跟高立德去巡視茶園只是他們的藉口，只一會，高立德就會發現他們失踪了。從那茶園裏穿出去，他們手攜手，肩並着肩，慢慢的走往那山坡的竹林和松林裏。含煙常摘一些嫩竹和松枝，她喜歡把玫瑰花和竹子松枝一起插瓶，玫瑰的嬌豔欲滴，松竹的英挺修偉，別有風味。依偎在那松竹的陰影下，含煙常唱着一支美麗的小歌：

『我倆在一起，
誓死不分離。
花間相依偎，
水畔兩相攜。

山前同歌唱，
月下語依稀。
海枯石可爛，
情深志不移！
日月有盈虧，
我情曷有極！
相思復相戀，
誓死不分離！』

含煙用那樣柔美的聲音婉轉的輕唱着，她的眼睛那樣深情脈脈的停駐在他的身上，她的小臉上綻放着那樣明亮的光輝……他會猛的停住步子，緊握着她的手喊：

『噢！含煙！我的愛，我的心，我的妻子！』

在那郊外，在那秋日的陽光下，他們常常徜徉終日。松竹橋下，流水潺湲，那道木橋，有着古拙的欄杆，附近居民常建議把它改建成水泥的或石頭的，因爲汽車來往，木橋年代已久，怕不穩固。含煙却獨愛木橋的那份『小橋、流水、人家』的風味。坐在那欄杆上，他們曾並肩看過落日。在橋下，他們也曾像孩子一般，撿過小鵝卵石，因爲含煙要用小鵝卵石去鋪在花盆裏種水仙花。在那流水邊，長着一匹匹的蘆葦，那蘆花迎風飄拂，有股遺世獨立的味道。含煙穿梭在那些蘆花之中，巧笑倩兮，衣袂翩然，來來往往像個不知倦的小仙子。

他們也去了松竹寺，在那廟中鄭重的燃上一炷香，許下多少心願。跪在那觀世音菩薩的前面，他低俯着頭，合着手掌，那長睫毛靜靜的垂着。她用那麼動人的聲音，低而清晰的祝禱着：

『請保佑天下所有有情的人，讓他們讓我們一樣快樂；請保佑天下所有的少女，都能得到一份甜蜜的愛情！並請保佑我們，保佑我們永不爭吵，永不反目；保佑我們恩恩愛愛，日久彌深！』

她站了起來，他握住了她的手，鄭重的說：

『我告訴妳，含煙，神靈在前，天地共鑒，如果有一天我虧負了妳，天罰我！罰我進十八層地獄！』

她用手堵住他的嘴，急急的說：

『我相信你，不用發誓呵！』

那觀音菩薩俯視着他們，帶着那慈祥的微笑。他們都不是宗教的信徒，可是，在這時候，他們都有種虔誠的心情，覺得冥冥之中，有個神靈在注視着他們。

晚上，是情人們的時間，花園裏，他們一起捕捉過月光，踏碎了花影，兩肩相依，柔情無限。她癡數過星星，她收集過夜露。他笑她，笑她是個夜遊的小女神。然後，他捉住她，讓月光把兩人的影子變成一個。看着地上的影子重疊，他說：

『瞧，我吞掉了妳！』

『是你融化了我。』她說，低低的，滿足的嘆息。『融化在你的愛，你的情，你的心裏。』

於是，捧住她的臉，他深深的吻她。他也融化了，融化在她的愛，她的情，她的心裏。

就這樣，三天的日子滑過去了。三天不知世事的日子！這三天，所有的人都識趣的遠離着他們，連柏老太太，也把自己隱蔽在自己的房間中，盡量不去打攪他們，這使柏霈文欣慰，使含煙感恩。他們不再有隱憂，不再有陰霾，只是一心一意的品嘗着他們那杯濃濃的、馥郁的、芬芳的愛情之酒。這杯酒如此之甜蜜，含煙曾詫異的說：

『我多傻！我一度多麼怕愛情，我總覺得它會傷害我！』

霈文爲這句話寫過一首滑稽的小詩：

『愛情是一杯經過特別釀製的醇酒，
喝它吧！別皺眉頭！
它燙不了妳的舌，
它傷不了妳的口！
它只會使妳癡癡迷迷，虛虛浮浮，縹縹緲緲，
永無醒來的時候！』

怎樣甜蜜而沉醉的三天，然後，柏霈文恢復了上班，連日來堆積的工作已使他忙不過來。這三天，甜蜜的三天，沉醉的三天，不知世事的三天是過去了。

18

是的，那沉醉而混沌的三天是過去了。

第四天早上，含煙一覺醒來，床上已經沒有霈文的影子了，她詫異的坐起身來，四面張望着，一面輕輕的低喚着：

『霈文！霈文！』

沒有回答，她披上一件晨褸，走下床來，却一眼看到床頭櫃上的花瓶下面，壓着一張紙條，她取了出來，上面是柏霈文的字跡：

『含煙：

妳睡得好甜，我不忍心叫醒妳。趙經理打電話來，工廠中諸事待辦，我將有十分忙碌的一天。中午我不回來吃飯，大約下午五時左右返家。

吻妳！希望妳正夢著我！

霈文』

含煙不自禁的微笑，把紙條捧到唇邊，她在那簽名上輕輕的印下一吻。她竟睡得那樣沉，連他離開她都不知道！想必他是躡手躡脚，靜悄悄離去的。滿足的嘆了一聲，她慵散的伸了一個懶腰，沒有霈文在身邊，她不知道這一日該做些什麼，她已經開始想他了。要等到下午五點鐘才能見到他，多漫長呀！

梳洗過後，她下了樓，拿着剪刀，她走到花園裏去剪玫瑰花，房裏的玫瑰應該換新了。這又是陽光燦爛的一天，初昇的朝陽穿過了樹梢，在地上投下了無數的光華。含煙非常喜愛花園裏那幾棵合抱的老榕樹，那茂密的枝葉如傘覆蓋，那茁壯的樹幹勁健有力，那垂掛着的氣根隨風飄動，給這花園增添了不少情致。還有花園門口那棵柳樹，也是她所深愛的，每到黃昏時分，暮色四合，花園中姹紫嫣紅，模模糊糊的掩映在巨樹葱蘢和柳條之下，就使她想起歐陽修的『庭院深深深幾許，楊柳堆煙，簾幙無重數。』的句子，而感到滿懷的詩情與畫意。

入柳穿花，她在那鋪着碎石子的小徑走着，花瓣上的朝露未乾，草地也依然濕潤，她穿了一雙軟底的綉花鞋，鞋面已被露珠弄濕了。她剪了好大一束黃玫瑰，一面剪着，一面低哼着那支『我倆在一起，誓死不分離』的歌曲。然後，她看到高立德，正站在那老榕樹下，和園丁老張不知在說些什麼。看到含煙，他用一種欣賞的眼光望着她，這渾身綻放着青春的氣息，這滿臉籠罩着幸福的光彩，這踏着露珠，捧着花束的少女，輕歌緩緩，慢步徐徐。這是一幅畫，一幅動人的畫。

『早，柏太太。』他對她微笑着點了點頭。

『霈文跟你說過好幾次了，要你叫我含煙，你總是忘記。』她說，微笑着。『你在幹嘛？』

『對付蚜蟲！』他說，從含煙手上取過一枝玫瑰來檢查着，接着，他指出一些小白點給含煙看。『瞧，這就是蚜蟲，牠們是相當的討厭的，我正告訴老張如何除去牠們！這都是螞蟻把牠們搬來的。』

『螞蟻？』含煙驚奇的。『牠們搬蟲子來幹嘛？』

『蚜蟲會分泌一種甜甜的液體，螞蟻要吃這種分泌液，所以，牠們就把蚜蟲搬了來，而且，牠們還會保護蚜蟲呢！生物界是很奇妙的，不是嗎？』

含煙張大了眼睛，滿臉天眞的驚奇，那表情是動人的，是惹人憐愛的。

『霈文又開始忙了，是嗎？』他問。

『是的，』含煙下意識的剝着玫瑰花幹上的刺，有一抹淡淡的寥落。『他要下午才能回來。』

『妳如果悶的話，不妨去看我們採茶。』他熱心的說。『那也滿好玩的。』

『採茶開始了嗎？』

『是的，要狠狠的忙一陣了。』

『我也來採，』她帶着股孩子氣的興奮。『你教我怎麼採，我會採得很好。』

『妳嗎?』他笑笑。『那很累呢!妳會吃不消。』

『你怎麼知道?』她說:『今天就開始採嗎?』

『是的,』他看看手錶:『我馬上要去了。』

『有多少女工來採?』

『幾十個。』

『採幾天呢?』

『四、五天。妳有興趣的話,我們今天先採竹林前面那地區,妳隨時來好了!』

『我一定去!』她笑着,正要再說什麼,下女阿蘭從屋裏走了出來,一直走到她面前,說:

『太太,老太太請妳去,她在她的屋裏等妳。』

含煙有一些驚疑,老太太請她去?這還是婚後第一次呢,會有什麼事嗎?她有點微微的不安,但是,立即,她釋然了。當然不會有什麼不對,這是很自然的,霈文恢復上班了,她也該趁此機會和老太太多親近親近。於是,她對高立德匆匆的一笑,說:

『待會兒見!』

轉過身子,她輕快的走進屋子,上了樓,先把玫瑰花送進自己的房間,整了整衣服,就一直走到柏老太太的門前,敲了門,她聽到門裏柏老太太的聲音:

『進來!』

她推開門走了進去,帶著滿臉溫婉的微笑。柏老太太正站在落地長窗前面,面對着花園,背對着她，聽到她走進來，她並沒有回頭，仍然那樣直直的站着，含煙有點忐忑了，她輕輕的叫了一聲：

『媽！』

『把門關上！』柏老太太的聲音是命令性的，是冷冰冰的。

含煙的心一沉，微笑迅速的從她臉上消失了。她合上了門，怯怯的看着柏老太太。柏老太太轉過身子來了，她的目光冷冷的落在含煙臉上，竟使含煙猛的打了個寒戰，這眼光像兩把尖利的刀，含煙已被刺傷了。拉過一張椅子，柏老太太慢慢的坐了下去，她的眼光依舊直望着含煙，幽冷而嚴厲。

『我想，我們兩個應該開誠佈公的談一談了。』她說：『過來！』

含煙被動的走上前去，她的臉色變白了。揚著睫毛，她的大眼睛一瞬也不瞬的看着柏老太太，帶着三分驚疑和七分惶悚。

『媽，』她柔弱的叫了一聲：『我做錯什麼了嗎？』

『是的，』柏老太太直望着她。『妳從根本就錯了！』

『媽？』她輕蹙着眉梢。

『別叫我媽！記住這點！妳只能在霈文面前叫我媽，因爲我不願讓霈文傷心，其他時候，妳要叫我老太太，聽到了嗎？』

含煙的臉孔白得像一張紙。

『妳——妳——妳的意思是……』她結舌的說。

『我的意思嗎？』柏老太太冷哼了一聲。『我不喜歡妳，含煙！』她坦白的說，緊盯着她。『妳的歷史我已經都打聽清楚了，起先我只認爲他娶了一個女工，還沒料到比女工更壞，他竟娶了個歡場女子！我想，妳是用盡了手段來勾引他的了。』

含煙的眼睛張得好大好大，她的嘴唇顫抖着，一時間，她竟一句話也答不出來，只朦朧的、痛楚的感到，自己剛建立起來的，美麗的世界，竟這麼快就粉碎了。

『妳很聰明，』柏老太太繼續說：『妳竟把霈文收得服服貼貼的。但是，妳別想連我一起玩弄於股掌之上，妳走進我家的一剎那，我就知道妳是個怎樣的女人！含煙，妳配不上霈文！』

含煙直視着柏老太太，事實上，她什麼也沒有看到，淚淚已經封鎖了她的視線。她的手脚冰冷，而渾身戰慄，她已被從一個歡樂的山巔上拋進了一個不見底的深淵裏，而且，還在那兒繼續的沉下去，沉下去，沉下去。

『不用流眼淚！』柏老太太的聲音冷幽幽的在深淵的四壁迴盪。『眼淚留到男人面前去流吧！現在，我要妳坦白告訴我，妳嫁給霈文之前，是清白的嗎？』

含煙沒有說話。

『說！』柏老太太厲聲喊：『回答我！』

含煙哀求的看了柏老太太一眼。

『不。』她啞聲說：『霈文什麼都知道。』

『他知道！哼！他居然知道！千挑萬選，娶來這樣一個女人！』柏老太太怒氣沖沖的看着含煙，那張蒼白的臉，那對淚汪汪的眸子！她就是用這份柔弱和眼淚來征服男人的吧！『妳錯了，』她盯着她：『妳不該走進這個家庭裏來的！妳弄髒了整個的柏家！』

含煙的身子搖晃了一下，她看來搖搖欲墜。

『妳……』她震顫的、受傷的、無力的、繼續的說：『妳……要……要我……怎樣？離……離開……這兒嗎？』

『妳願意離開嗎？』她審視着她。

含煙望着她，然後，她雙腿一軟，就跪了下去。跪在那兒，她用一對哀哀無告的眸子，懇求的看着她。

『請別趕我走！』她痛苦的說。『我知道我不好，我卑賤、我汚穢……可是，可是，可是我愛着他，他也愛着我，請求妳，別趕我走！』

『哼，我知道妳不會捨得離開這兒的！』柏老太太挑了挑眉梢。『含煙山莊？含煙山莊！妳倒掙得了一份大產業！』

『媽——』她抗議的喊。

『叫我老太太！』柏老太太厲聲喊。

『老太太！』她顫抖着叫，淚水奪眶而出，用手堵住了嘴，她竭力阻止自己痛哭失聲。『妳——妳弄錯了，我——我——從沒有想過——關於產業——產業……』她啜泣着，語不成聲。

『我知道妳會這樣說！』柏老太太冷笑了。『妳用不着解釋，我對妳很淸楚！不過，妳放心，我不會趕妳走！因爲，我不能連我的兒子一起趕走，他正迷戀着妳呢！妳留在這兒！但別在我面前要花樣！聽到了嗎？我活着一日，我就會監視妳一日！妳別想動他的財產！別想插手他的事業！別想動他的錢！』

『老太太……』她痛苦的叫着。

『還有，』柏老太太打斷了她。『我想，妳急於要到霈文面前去搬弄是非了。』

含煙用手蒙住了臉，猛烈的搖着頭。

『妳最好別在霈文面前說一個字！』柏老太太警告的說：『假若妳希望在這兒住下去的話！如果妳破壞我們母子的感情，我不會放過妳！』

含煙拚命的搖着頭。

『我不說，』她哭泣着：『我一個字也不說！』

柏老太太把臉掉向了另一邊。

『現在，妳去吧！』她說：『記住我說的話！』

含煙哭着站起身來，用手摀着嘴，她急急的向門口走去，才走到門口，她又聽到柏老太太嚴厲的聲音：

『站住！』

她站住了，回過頭來。柏老太太正森冷的望着她。

『以後，妳的行動最好安分一些，我瞭解妳這種歡場中的女子，生來就是不安於室！我告訴妳，高立德年輕有爲，妳別再去勾引他！妳當心！我不允許妳讓霈文戴綠帽子！』

『哦！老太太……』含煙喊着，淚水奔流了下來，她一句話也說不出，掉轉頭，她打開房門，衝了出去。立即，她奔回自己的房間，關上了房門，她就直直的仆倒在床上。把頭深深的埋進枕頭裏，她沉痛的、悲憤的、心魂俱裂的啜泣起來。

一直到中午吃午餐的時候，含煙才從她的房裏走出來。她的臉色是蒼白的，眼睛是浮腫的，坐在餐桌上，她像個無主的幽靈。高立德剛從茶園裏回來，一張晒得發紅的臉，一對明朗的眼睛，他望着含煙，心無城府的說：

『哈！妳失信了，妳不是說要到茶園裏去採茶嗎？怎麼沒去呢？怕晒太陽，是嗎？』

含煙勉强的擠出了一個微笑，像電光一閃般，那微笑就消失了，她什麼話都沒說，只是心神恍惚的垂下頭去。高立德有些驚奇，怎麼了？什麼東西把這女人臉上的陽光一起帶走了？她看來像才從地獄裏走出來一般。他下意識的看着柏老太太，後者臉上的表情是莫測高深的，帶着她一向的莊重與高貴，那張臉孔是沒有溫情，沒有喜悅，沒有熱也沒有光的。是這位老太太給那小女人什麼難堪了嚒？他敏感的想着，再望向含煙，那黑髮的頭垂得好低，而碗裏的飯，卻幾乎完全沒有動過。

黃昏的時候，含煙走出了含煙山莊，沿着那條泥土路，她向後走去，緩緩的，沉重的，心神不屬的。路兩邊的茶園裏，一羣羣的女工還在忙碌的採着茶，她們工作得很起勁，彎着腰，唱着歌，挽着籃子。那些女工和她往日的打扮一樣，也都戴着斗笠，用各種不同顏色的布，包着手脚。那不同顏色的衣服，散在那一大片綠油油的茶園裏，看起來是動人的。她不知不覺的站住了步子，呆呆的看着那些女工發楞，假若……假若當初自己不暈倒在晒茶場中，現在會怎樣呢？依然是一個女工？她用手撫摸着面頰，忽然間，她寧願自己仍然是個女工了，她們看來多麼無憂無慮！在她們的生活裏，一定沒有侮辱、輕蔑，和傷害吧！有嗎？她深思着。或者也有的，誰知道呢？人哪，你們是些殘忍的動物！最殘忍的，別的動物只在爲生存作戰時才傷害彼此，而你們，却會爲了種種原因彼此殘殺！人哪！你們多殘忍！

一個人從山坡上跑了過來，笑嘻嘻的停在含煙面前嚷着說：

『妳還是來了，要加入我們嗎？不過，妳來晚了，我們已經要收工了。』

含煙瑟縮的看了高立德一眼，急急的搖着頭，說：

『不！不！我不是來採茶的，我是……是想去松竹橋等霈文的。』

高立德審視她，然後，他收住了笑，很誠懇的說：

『柏老太太給了妳什麼難堪嗎？』

她驚跳了一下，迅速的抬起頭來，她一疊連聲的說：

『沒有，沒有，完全沒有！她是個好母親，她怎會給我難堪呢？完全沒有！你別胡說啊！完全沒有！』

高立德點了點頭。

『那麼，妳去吧！』他又笑了。『霈文眞好福氣！我手下這些女工，就沒有一個暈倒的！』

含煙的臉上湧起了一陣尷尬的紅暈，高立德馬上發現自己說錯了話，這樣的玩笑是過分了一些，他顯然讓她不安了。他立刻彎了彎腰：

『對不起，我不是有意……』

她微笑了一下，搖搖頭，似乎表示沒有關係，她的思想仍在一個遙遠的地方，一個遙遠的深谷裏。她那沉靜的面貌給人一種愴惻而悲涼的感覺。高立德不禁怔住了，那屬於新娘的喜悅呢？那幸福的光彩呢？這小女人身上有着多重的負荷！她怎麼了？

含煙轉過了身子，她繼續向那條路上走去了。落日照着她，那踽踽而行的影子又瘦又小又無力，像個飄蕩的、虛浮的幽靈。高立德打了個寒戰，一個不祥的預感罩住了他，他完全呆住了。

到了松竹橋，含煙在那橋頭的欄杆上坐了下來，沐浴在那秋日的斜暉中，她安安靜靜的坐着，傾聽着橋下的流水潺湲。斜陽在水面灑下了一片柔和的紅光，蘆花在晚風中搖曳，她出神的望着那河水，又出神的望着天邊的那輪落日，和那滿天的彩霞。不住的喃喃自問着：

『我錯了嗎？我做錯了嗎？』

她不知道這樣坐了多久，終於，一陣熟悉的汽車喇叭聲驚動了她，她跳起來，霈文及時煞住了車子，她跑過去，霈文打開了車門，笑着說：

『妳怎麼坐在這兒？』

『我等你！』她說着，鑽進了車子。

『哈！妳離不開我了！我想。』霈文有些得意，但是，笑容立即從他唇邊消失了，他審視她。『怎麼？含煙？妳哭過了嗎？』

『沒有，沒有。』她拚命的搖頭，可是，淚水却不聽指揮的湧進了眼眶裏，迅速的淹沒了那對黑眼珠。霈文的臉色變了，他把車子停在路邊的山脚下，熄了火。一把攬過了含煙，他托起她的下巴來，深深的、研究的望着那張蒼白的小臉，鄭重的問：

『怎麼了？告訴我！』

她又搖了搖頭，淚珠滾落了下來。

『只是想你，好想好想你。』她說，把面頰埋進了他胸前的衣服裏，用手緊抱住他的腰。

『哦，是嗎？』他鬆了口氣，不禁憐惜的撫摸着她的頭髮。『妳這個小傻瓜！妳嚇了我一大跳！我不過才離開妳幾個小時，妳也不該就弄得這樣蒼白呀！來，抬起頭來，讓我再看看妳！』

『不！』她把頭埋得更深了，她的身子微微的戰慄着。『以後我跟你去工廠好嗎？我像以前一樣幫你做事！』

『別傻了，含煙！妳現在是我的妻子，不是我的女秘書！』他笑了。『告訴我，妳一整天做了些什麼？』

『想你。好想好想你。』

他扶起她的頭來，注視着她。

『我也想妳，』他輕輕的說。『好想好想妳！』

她閃動着眼瞼。

『你愛我嗎？霈文？』她幽幽的問。

『愛妳嗎？』他從肺腑深處發出一聲嘆息：『愛得發瘋，愛得發狂，愛進了骨髓。含煙！』

她嘆了口氣，仰躺在靠墊上，闔上了眼睛。一個微笑慢慢的浮上了她的嘴角，好甜蜜，好溫柔，好寧靜的微笑。她輕輕的，像自語的說：

『夠了。爲了這幾句話，我可以付出任何代價！我還有什麼可以求的呢？還有什麼可怨的呢？』把頭倚在他的肩上，她嘆息着說：『我也愛你，霈文！好愛好愛你！我願爲你吃任何的苦，受任何的罪，那怕是要我上刀山，下油鍋，我也不怕！』

『傻瓜！』他笑着：『誰會讓妳上刀山下油鍋呢？妳在胡思亂想些什麼？』他擁着她，揉着她，逗着她，呵她的癢：『妳說！妳是不是個傻丫頭？是不是？是不是？』

『是的！』她笑着，淚珠在眼眶中打轉。『是的，是的！我是個傻丫頭！傻丫頭！』她笑彎了腰。笑得喘不過氣來，笑得滾出了眼淚。

19

就這樣，對含煙來說，一段漫長的、艱苦的掙扎就開始了。霈文呢？自結婚以後，他對人生另有一種單純的、理想化的看法，他高興，他陶醉，他感恩，他滿足。他自認是個天之驕子，年紀輕輕，有成功的事業，有偌大的家庭，還有人間無貳的嬌妻！他夫復何求？而茶葉的生意也越做越大了，他年輕，他有着用不完的精力，於是，他熱心的發展着他的事業。隨着業務的蒸蒸日上，他也一日比一日忙碌，但他忙得起勁，忙得開心，他常常捧着含煙的臉，得意的吻着她小小的鼻尖說：

『享樂吧！含煙，妳有一個能幹的丈夫！』

含煙對他溫溫柔柔的笑着，雖然，她心裏寧願霈文不要這樣忙，寧願他的事業不要發展得這麼大。但是，她嘴裏什麼都沒說，她知道，一個好妻子，是不應該把她的丈夫拴在身邊的，男人，有男人的世界，每個男人，都需要一份成功的事業來充實他，來滿足他那份男性的驕傲。

可是，含煙在過着怎樣一份歲月呢？

每日清晨，霈文就離開了家，開始他一日忙碌的生活，經常要下午五六點鐘才能回來，如果有應酬，就會回來得更晚。含煙呢？她修剪着花園裏的玫瑰花，她整理花園，她學做菜，她佈置房間，她做針線……她每日都逗留在家中。她不敢單獨走出含煙山莊的大門，她不敢去台北，甚至不敢到松竹橋去迎接霈文。因爲，柏老太太時時刻刻都在以她那一對銳利而嚴肅的眼光跟蹤着她，監視着她。只要她的頭伸出了含煙山莊的鐵門，老太太就會以冷冰冰的聲音說：

『怎麼了？坐不住了嗎？我早就知道，以妳的個性，想做個循規蹈矩的妻子是太難了。』

她咬住牙，控制了自己，她就不走出含煙山莊一步！這個畫棟雕樑的屋子，這個花木扶疏的庭園，這個精緻的樓台亭閣，竟成爲了她的牢籠，把她給嚴嚴密密的封鎖住了。於是，日子對於她，往往變得那樣漫長，那樣寂寞，那樣難耐。依着窗子，她會分分秒秒的數着霈文回家的時間。在花園裏，她會對着一大片一大片的玫瑰花暗彈淚珠。柏老太太不會忽視她的眼淚，望着她那盈盈欲涕的眸子，她會說：

『柏家有什麼地方對不起妳嗎？還是妳懊悔嫁給霈文了？或者，是我虐待了妳嗎？妳爲什麼一天到晚眼淚汪汪的，像給誰哭喪似的？』

她拭去了她的眼淚，頭一次，她發現自己竟沒有流淚的自由。但，柏老太太仍然不放過她，盯着她那蒼白而憂鬱的面龐，她嚴厲的問：

『妳爲什麼整天拉長了臉？難道我做婆婆的，還要每天看妳的臉色嗎？霈文不在家，妳算是對誰板臉呢？』

『哦，老太太！』她忍受不住的低喊着。『妳要我怎樣呢？妳到底要我怎樣呢？』

『要妳怎樣？』柏老太太的火氣更大了。『我還敢要妳怎樣？我整天看妳的臉色都看不完，我還敢要妳怎樣？妳不要我怎樣，我就謝天謝地了！我要妳怎樣？聽聽妳這口氣，倒好像我在欺侮妳……』

『好了，我錯了，我說錯了！』含煙連忙說，竭力忍住那急欲奪眶而出的眼淚。

在這種情形之下，她開始迴避柏老太太，她把自己關在臥室裏，整日不敢走出房門，因爲，一和柏老太太碰面，她必定動輒得咎。可是，柏老太太也不允許她關在房裏，她會說：

『我會吃掉妳嗎？妳躲避我像躲避老虎似的？還是我的身分比妳還低賤，不配和妳說話嗎？』

她又不敢關起自己來了。從早到晚，她不知道自己該怎樣做才能不挨罵，怎樣做才算是對的！隨時隨地，她都要接受老太太嚴厲的責備和冷漠的譏諷。至於她那不光榮的過去，更成爲老太太時不離口的話題：

『我們柏家幾代都沒有過妳這種身分的女人！』

『只有妳這種女人，才會挑唆男人瞞住母親結婚，妳眞聰明，造成了既成事實，就穩穩的取得了「柏太太」的地位了！』

『我早知道，霈文就看上了妳那股狐狸味！』

這種耳邊的絮絮叨叨，常逼得含煙要發瘋。一次，她實在按捺不住了，蒙住了耳朵，她從客廳中哭着衝進花園裏。正好高立德從茶園中回來，他們撞了一個滿懷，高立德慌忙一把扶住她，驚訝的說：

『怎麼了，房裏有定時炸彈嗎？』

她收住了步子，急急的拭去眼淚，掩飾的說：

『沒有，什麼都沒有。』

高立德困惑的蹙起了眉頭，仔細的看着她。

『但是，妳哭了？』

『沒有，』她猛烈的搖頭。『沒有，沒有，沒有。』

高立德不再說話了，可是，他知道這屋子裏有着一股暗流。只有他，因爲常在家裏，他有些了解含煙所受的折磨。但他遠遠的退在一邊，含煙既然一點也不願表示出來，他也不想管這個閒事，本來，婆媳之間，從人類有歷史以來，就有着數不清的問題。

花園中這一幕落到老太太眼中，她的話就更難聽了：

『已經開始了，是嗎？』她盯著她。『我早就料到妳不會放過高立德的！』

『哦，老太太！』含煙的臉孔雪白，眼睛張得好大好大。『您不能這樣冤枉我！您不能！』

『冤枉？』老太太冷笑着。『我瞭解妳這種女人，瞭解得太淸楚了！妳要怕被冤枉的話，妳最好離開他遠一點！我告訴妳，我看着妳呢，妳的一舉一動都逃不過我的眼睛！妳小心一點吧！』

含煙憔悴了，蒼白了。隨着日子的流逝，她臉上的光彩一日比一日暗淡，神色一日比一日蕭索。站在花園裏，她像弱柳臨風，坐在窗前，她像一尊小小的大理石像，那樣蒼白，那樣了無生氣。霈文沒有忽略這點。晚上，他攬着她，審視着她的面龐，他痛心的說：

『怎麼？妳像一株不服水土的蘭花，經過我的一番移植，妳反而更憔悴了。這是怎麼回事？含煙，妳不快樂嗎？告訴我，妳不快樂嗎？』

『哦，不。』她輕聲的說：『我很快樂，眞的，我很快樂。』她說着，卻不由自主的泫然欲涕了。

他深深的看着她，他的聲音好溫柔，好擔憂：

『含煙，妳要爲我胖起來，聽到嗎？我不願看到妳蒼白消瘦！妳要爲我胖起來，紅潤起來，聽到沒有？』

『是的，』她順從的說，淚珠卻沿頰滾落。『我會努力，霈文，我一定努力去做。』

他捧着她的臉，更不安了。

『妳爲什麼哭？』

『沒有，我沒哭，』她用手抱住他的腰，把臉埋在他懷中。『我是高興，高興你這樣愛我。』

他推開她，讓她的臉面對着自己，他仔仔細細的審視她，深深切切的觀察她，他的心靈悸動了，他多麼愛她，多麼愛這個柔弱的小妻子！

『告訴我，含煙，』他懷疑的說：『媽有沒有爲難妳？妳們相處得好嗎？』

『噢！』她驚跳了。急切的說：『你想到那兒去了？媽待我好極了，她是個好母親，我們之間沒問題，一點問題都沒有。』

『那麼，我懂了。』霈文微笑着，親暱的吻她。『妳是太悶了，可憐的、可憐的小女人，妳不該嫁給一個商人做妻子。這是我的過失，我經常把妳一個人丟在家裏，以後，我一定要早些回家，我要推掉一些應酬，我答應妳，含煙。』

『不，別為我躭誤你的工作，』含煙望着他。『可是，讓我去工廠和你一起上班吧！我會幫你做事！』

『妳希望這樣嗎？』

『是的。』

『這會使妳快樂些嗎？』

她垂下了頭，默然不語。

『那麼，好的，妳來工廠吧！像以前一樣，做我的女秘書！』

她喜悅的揚起睫毛來，然後，她抱住了他的脖子，主動的吻他，不住的吻他，不停的吻他。那晚上，她像個快樂的小仙子，像個依人的小鳥。可是，這喜悅只維持了一夜，第二天早餐桌上，柏老太太輕輕易易的推翻了整個的計畫，她用不疾不徐的聲音，婉轉而柔和的說：

『為什麼呢？含煙去工廠工作，別人會說我們柏家太小兒科了。而且，含煙在家可以給我作伴，女人天生是屬於家庭的，創事業是男人的事兒，是不是？含煙，我看妳還是留在家裏陪我吧！』

含煙看着柏老太太，在這一瞬間，她瞭解了一項事實，柏老太太不會放過她，永遠不會放過她！她像孫悟空翻不出如來佛的掌心似的，她也翻不出柏老太太的掌心。隨着含煙的目光，柏老太太露出那樣慈祥的微笑來，這微笑是給霈文看的，她知道。果然，霈文以高興的聲調，轉向含煙說：

『怎樣？含煙？我看妳也還是留在家裏陪媽好，妳說呢？』

含煙垂下了頭，好軟弱好軟弱的說：

『好吧，就依你們吧！我留在家裏。』

她看到柏老太太勝利的目光，她看到霈文欣慰的目光，她也看到高立德那同情而瞭解的目光。她把頭埋在飯碗上面，一直到吃完飯，她沒有再說過話。

就這樣，日子緩慢而滯重的滑了過去，含煙的憔悴日甚一日，這使柏霈文擔憂，他請了醫生給含煙診視，卻查不出什麼病源來，她只是迅速的消瘦和蒼白下去。晚上，每當霈文懷抱着她那纖細的身子，感到那瘦骨支離，不盈一把，他就會含着淚，擁着她說：

『妳怎麼了？含煙？妳到底是怎麼了？』

含煙會嬌怯的倚偎着他，喃喃的說：

『我很好，眞的，我很好。只要你愛我，我就很好。』

『可是，我的愛卻不能讓妳健康起來啊！』霈文煩惱的說，他不知道自己的小妻子是怎麼回事。

於是，柏老太太開始背着含煙對霈文說話了：

『她是個不屬於家庭的女人，霈文。我想，她以前的生活一定是很活躍的。她有心事，她一天到晚都愁眉苦臉的。她過不慣正常的生活，我想。』

『不會這樣！』霈文煩躁的說：『她只是身體太弱了，她一向就不很健康。』

春天來了，又過去了，暮春時節，細雨紛飛。含煙變得非常沉默了，她時常整日倚着欄杆，對着那紛紛亂亂的雨絲出神。也常常捧着一束玫瑰花暗暗垂淚。這天黃昏，霈文回家之後，就看到她像個小木偶似的獨坐窗前，膝上放着一張塗抹着字迹的紙，他詫異的走過去，拿起那張紙條，他看到的是含煙所錄的一闋詞：

『庭院深深深幾許？
楊柳堆煙，簾幙無重數，
玉勒雕鞍遊冶處，
樓高不見章台路！
雨橫風狂三月暮，
門掩黃昏，無計留春住！
淚眼問花花不語，

亂紅飛過鞦韆去！』

他看完了，再望向含煙，他看到含煙正以一對哀哀欲訴的眸子瞧着他，在這一瞬間，他有些瞭解含煙了，庭院深深深幾許？這含煙山莊成爲了一個精緻的金絲籠啊！他握住了她的手，在她面前的地毯上坐下來，把頭放在她的膝上，他輕輕的說：

『我們去旅行一次，好嗎？』

她震動了一下。

『眞的？』她問。

『眞的，我可以讓趙經理暫代工廠的業務。我們去環島旅行一次，到南部去，到阿里山去，到日月潭去，讓我們好好的玩一個星期。好嗎？』

她用手攬住他的頭，手指摩挲着他的面頰，她的眼睛深情脈脈的注視着他，閃耀着夢似的光芒。她低低的、做夢般的說：

『啊！我想去！』

『明天我就去安排一切，我們下星期出發，怎樣？』

她醉心的點點頭，臉龐罩在一層溫柔的光彩中。

但是，第二天，柏老太太把含煙叫進了她的房中，她銳利的盯着她，森冷的說：

『妳竟教唆着他丢下正經工作，陪妳出去玩啊？妳在家裏待不住了，是嗎？現在結婚才多久，已經是這樣了，以後怎麼辦呢？妳這種女人，我早就知道了，妳永遠無法做一個賢妻良母！但是，妳既嫁到柏家來，妳就該學習做一個正經女人，學習柏家主婦的規矩！』

於是，晚上，這個小女人對霈文婉轉輕柔的說：

『我不想去旅行了，霈文，我們取消那個計畫吧！』

『怎麼呢？』霈文不解的問。『爲什麼？』

『沒有爲什麼，』含煙轉開了頭，不讓他看到她眼中的淚光。『只是，我不想去了。』

霈文蹙起了眉頭，不解的看着她的背影，他覺得，他是越來越不瞭解她了。她像終日隱在一層薄霧裏，使他探索不到她的心靈，看不清她的世界，她距離他變得好遙遠好遙遠了。於是，他憤憤的說：

『好吧！隨妳便！只是，我費了一整天的時間去計畫，去安排，都算是白做了！』

含煙咬緊了牙，淚珠在眼眶裏打着轉，喉嚨中哽着好大的一個硬塊，她繼續用背對着他，默默的不發一語。這種沉默和冷淡更觸動了霈文的怒氣。他不再理她，自顧自的換上睡衣，鑽入棉被，整晚一句話也不說。含煙坐在床沿上，她就這樣呆呆的坐着，一任淚水無聲無息的在面頰上奔流。她看到了她和霈文之間的距離，她也看到她和霈文之間的裂痕。她隱隱感到，終有一天，這婚姻會完全粉碎。這撕裂了她的心，刺痛了她的感情。她不敢哭泣，怕驚醒了霈文，整夜，她就這樣呆坐在床沿上流淚。

黎明的時候，霈文一覺睡醒，才發現身邊是空的，他驚跳起來，喊着說：

『怎麼？含煙，妳一夜沒睡嗎？』

他扳過她的身子，這才看到她滿面的淚痕，他吃驚了，握着她的手臂，他惶然的叫：

『含煙！』

她望着他，新的淚珠又湧了出來，然後，她撲到他的腳前，用手臂緊抱着他，她哭泣着喊：

『哦，霈文，你不要跟我生氣，不要跟我生氣吧！我一無所有，只有你！如果你再跟我生氣，我就什麼都沒有了！那我會死掉，我一定會死掉！如果你有一天不要我，我會從松竹橋上跳下去！』

『噢，含煙！』他嚷着，戰慄的攬緊了她，急促的說：『我不該跟妳生氣，含煙，是我不好，都是我不好，別傷心了，含煙！我再不跟妳生氣了！再不了！我發誓不會了！』他擁住她，於是，他們在吻與淚中和解，重新設下無數的愛的誓言。為了彌補這次的小裂痕，霈文竟在數天後，送了含煙一個雕刻着玫瑰花的木盒，裏面盛滿了一盒的珠寶。不過，含煙幾乎從不戴它們，因為怕柏老太太看到之後又添話題。她只特別喜歡一個玫瑰花合成的金鷄心項鍊，她在那小鷄心中放了一張和霈文的合照，經常把這項鍊掛在頸間。

這次的誤會雖然很快就過去了，但是，含煙和霈文之間距離卻是眞的在一天比一天加重了。含煙是更憂鬱，更沉默了。這之間，唯一一個比較瞭解的人是高立德，他曾目睹柏老太太對含煙的嚴厲，他也曾耳聞柏老太太對她的訓斥，當含煙被叫到老太太屋裏，大加責難之後，她衝出來，卻一眼看到高立德正站在走廊裏，滿臉沈重的望着她。

她用手蒙住了臉，痛苦的咬住了嘴唇，高立德走了過來，在她耳邊輕聲的說：

『到樓下去！我要和妳談一談！』

她順從的下了樓，在客廳的沙發上坐下來。高立德站在她的面前，他低沉的說：

『妳爲什麼不把一切眞實的情況告訴霈文？妳要忍受到那一天爲止？』

她迅速的抬起頭來，緊緊的注視着高立德，她說：

『我不能。』

『爲什麼不能？』

『我不能破壞他們母子的感情！我不能讓霈文煩惱，我不能拆散這個家庭，我更不能製造出一種局面，是讓霈文在我和他母親之間選一個！』

『那麼，妳就讓她來破壞妳和霈文嗎？妳就容忍她不斷的折磨嗎？』

『或者，這是我命該如此。』含煙輕輕的說。

高立德嗤之以鼻。

『什麼叫命？』他冷笑着說：『含煙，妳太善良了，妳太柔弱了，我冷眼旁觀了這麼久的日子，我實在爲妳抱不平。妳沒有什麼不如人的地方，含煙，妳不必自卑，妳不必忍受那些侮辱，堅強一點，妳可以義正辭嚴的和她辯白呀！』

『那麼，後果會怎樣呢？』含煙憂愁的望着他。『爭吵得家裏鷄犬不寗，讓霈文左右爲難嗎？不！我嫁給霈文，是希望帶給他快樂，是終身的奉獻，因爲我愛他，愛情中是必定有犧牲和奉獻的，爲他受一些苦，受一些折磨，又有何怨呢？』

『別說得灑脫，』高立德憤憤不平的說：『妳照照鏡子，妳已經蒼白憔悴得沒有人樣了，妳以爲這樣下去，會永久太平無事嗎？不要太天眞！』他仆身向她，熱心的說：『妳既然不願意告訴霈文，讓我去對他說吧，我可以把我所看到的，和我所聽到的去告訴他，這只是我的話，不算是妳說的！』

含煙大大的吃了一驚，她迅速的、急切的抓住了他的手腕，一口氣的說：

『不，不，不！你絕不能！我請求你！你千萬不能對霈文吐露一個字！他一直以爲我和他母親處得很好！我費盡心機來掩飾這件事，你千萬不能給我說穿！我不要霈文痛苦！你懂嗎？你瞭解嗎？他是非常崇拜而孝順他母親的，他又那樣愛我，這事會使他痛苦到極點，而且……而且……』淚濛住了她的視線：『不能使他母親喜歡我，總是我的過失！』

高立德瞪視着她，怎樣一個女性！柏霈文，柏霈文，如果你不能好好愛惜和保護這個女孩，你將是天字第一號的傻瓜！他想着，嘴裏卻什麼話都沒有說。

『你答應我不告訴他，好嗎？』含煙繼續懇求的說，她那瘦小的手仍然攀扶在他的手腕上。

『唉！』他低嘆了一聲，注視着她，輕聲的說：『我只能答應妳，不是嗎？』

『謝謝你！』她幽幽的說，低下頭去。

就在這時，他們聽到樓梯上的響聲，兩人同時抬起頭來，柏老太太正滿面寒霜的站在樓梯上，冷冷的看着他們。含煙迅速的把手從高立德的手腕上收了回來，她僵在沙發中，臉色變得像雪一樣白了。

20

日子慢慢的流逝。秋茶採過沒有多久，冬天就來臨了，這年的冬天，雨季來得特別早，還沒進入陰曆十一月，簷邊樹梢，就終日淅瀝不停了。冬天不是採茶的季節，高立德停留在家的時間比以前更多了，相反的，柏霈文仍然奔波於事業，擴廠又擴廠，他收買了工廠旁邊的地，又在大興土木工程，建一個新的機器房。因爲建築圖是他自己繪的，他務希達到他的標準，不可更改圖樣，所以，他又親自督促監工，忙得不亦樂乎，忙得不知日月時間，天地萬物了。在他血管中，那抹男性的、創業的雄心在燃燒着，在推動着他，他成爲一個火力十足的大發動機。擁着含煙，他曾說：

『妳帶給我幸運和安定，含煙，妳是我的幸運，我的力量，我愛妳。』

含煙會甜甜的微笑着，她陶醉在這份感情中。努力吧！霈文！去做吧！霈文！發展你的前途吧！霈文！別讓你的小妻子羈絆了你，你是個男人哪！

但是，同時，柏老太太沒有放鬆含煙，她開始每日把含煙叫到她的屋子裏來，她要她停留在自己的面前，做針線，打毛衣，或唸書給她聽。她坦白的對含煙說：

『妳最好待在我面前，我得保護我兒子的名譽！』

『老太太！』她蒼白着臉喊。

『別說！』老太太阻止了她。『我瞭解妳！我完全瞭解妳是怎樣一種人物！』

她不辯白了。而且，隨着時間的消逝，她有種疲倦的感覺，隨她去吧！她順從柏老太太，不爭執，不辯白，當霈文不在家的時候，她只是一個機器，一個幽靈。她任憑柏老太太責罵和訓斥，她痲木了。

她的痲木却更刺激了柏老太太，她說她是個沒有反應的橡皮人，是不知羞的，是沒有廉恥的。不管怎麼說，含煙只會用那對大而無神的眸子望着她，然後輕輕的、輕輕的嘆口氣，慢慢的低下頭去。柏老太太更憤怒了，她覺得自己被侮辱了，被輕視了。因爲，含煙那樣子，就好像她是不值一理的，不屑於答覆的。她開始對那些鄰居老太太們說：

『我那個兒媳婦啊，妳跟她說多少話，她都像個木頭人一樣，只有在男人面前，她可就有說有笑的了。本來嘛，她那種出身……』

對於這種話，含煙照例是置若罔聞。但是，有關含煙的傳說，却不脛而走了。柏家是巨富豪門，一點點小事都可以造成新聞，何況是男女間的問題呢！因此，當第二年春天，開始採春茶的時候，那些採茶的女孩，都會唱一支小歌了：

『那是一個灰姑娘，灰姑娘，
她的眼睛大，她的眉兒長，
她的長髮像海裡的波浪，
她住在那残破的灶爐之旁！
她的舞步啊輕如燕，
她的歌聲啊可繞樑，
她的明眸讓你魂飛魄蕩！
有一天她跟隨了那白馬王子，
走入了宮牆！走入了宮牆！
穿綾羅錦緞，吃美果茶漿，
住在啊，住在啊——
那庭院深深的含煙山莊！』

這不知是那一個好事之徒寫的，因爲含煙深居簡出，一般人幾乎看不到她的廬山眞面目，因此，她被傳說成了一個神話般的人物。可喜的是這歌詞中對她並無惡意，所以，她也不太在乎。而且，另一件事完全分散了她的注意力，帶給她一份沉迷的、陶醉的、期盼的喜悅，因爲，從冬天起，她就發現自己快做母親了。

含煙的懷孕，使霈文欣喜若狂，他已經超過了三十歲，早就到了該做父親的年齡，他迫不及待的渴望着那小生命的降臨，他寵她，慣她，不許她做任何事。而且，他在含煙臉上看到了那份久已消失了的光彩，他暗中希望，一個小生命可以使她健康快樂起來。但是，柏老太太對這消息沒有絲毫的喜悅可言，暗地裏，她對霈文說：

『多注意一下你太太吧！你整天在工廠，把一個年輕的太太丟在家裏，而家裏呢，偏巧又有個年輕的男人！』

『媽！』霈文皺着眉喊：『妳在暗示什麼？』

『我不是暗示，我只是告訴你事實！』

『什麼事實？』霈文懷疑的問。

『含煙有心事，』柏老太太故意把話題轉向另一邊。『她只是受不慣拘束，我想。』

『妳到底知道些什麼？媽？』霈文緊釘着問。

『你自己去觀察吧，』柏老太太輕哼了一聲。『我不願意破壞你們夫妻的感情，我不是那種多事的老太婆！』

『可是，妳一定知道什麼！』霈文的固執脾氣發作了。柏老太太態度的曖昧反增加了他的疑心，他暴躁的說：『告訴我！媽！』

『不，我什麼都不知道，』老太太轉開了頭。『只看到他們常常握着手談天。』

『握着手嗎？』霈文哼着說，聲音裏帶着濃重的鼻音，他的眼睛瞪得好大。

『這也沒什麼，』柏老太太故意輕鬆的看向窗外。『或者，這也是很普通的事，立德既然是你的好朋友，當然也是她的好朋友，現在的社交，男女間都不拘什麼形迹的。何況，他們又有共同的興趣！』

『共同的興趣？』

『一個喜歡玫瑰花，另一個又是農業的專家，一起種種花，除除蟲，接觸談笑是難免的事情，你也不必小題大作！我想，他們只是很談得來而已！』

『哦，是嗎？』霈文憋着氣說，許許多多的疑惑都湧上了心頭，怪不得她心事重重，怪不得她從不離開含煙山莊！怪不得她總是淚眼汪汪的！而且……而且……她曾要求去工廠工作，她是不是也曾努力過？努力想逃避一段軌外的感情？他想着，越想越煩躁，越想越不安。但是，最後，他甩了甩頭，說：

『我不相信他們會怎樣，含煙不是這樣的人，這是不可能的！』

『當然，』柏老太太輕描淡寫的說。『怕只是怕，感情這東西太微妙，沒什麼道理好講的！』

這倒是眞的，霈文的不安加深了。他沒有對含煙說什麼，可是，他變得暴躁了，變得多疑了，變得難侍候了。含煙立即敏感的體會到他的轉變，她也沒說什麼，可是，一層厚而重的陰霾已經在他們之間籠罩了下來。

當懷孕初期的那段難耐的、害喜的時間度過之後，天氣也逐漸的熱了。隨着氣候的轉變，加上懷孕的生理影響，含煙的心情變得極不穩定。而柏老太太，對含煙的態度也變本加厲的嚴苛了。她甚至不再顧全含煙的面子，當着下人們和高立德的面前，她也一再給含煙難堪。含煙繼續容忍着，可是，她內心積壓的鬱氣却越來越大，像是一座活火山，內聚的熱力越來越高，就終會有爆炸的一日。於是，一天，當柏老太太又在午餐的飯桌上對她冷嘲熱諷的說：

『柏太太，一個上午沒看到妳，妳在做什麼？』

『睡覺。』含煙坦白的說，懷孕使她疲倦。

『睡覺！哼！』柏老太太冷笑着說：『到底是出身不同，體質尊貴，在我做兒媳婦的時代，那有這樣舒服？可以整個上午睡覺的？』

含煙凝視着柏老太太，一股鬱悶之氣在她胸膛內洶湧澎湃，她盡力壓制着自己，但是，她的臉色好蒼白，她的胸部劇烈的起伏着，她瞪視着她，一語不發。

這瞪視使柏老太太冒火，她也回瞪着含煙，語氣嚴厲的說：

『妳想說什麼嗎？別把眼睛瞪得像個死魚！』

含煙咬了咬嘴唇，一句話不經考慮的衝口而出了：

『我有說話的餘地嗎？老太太？』

柏老太太放下了飯碗，憤怒燃燒在她的眼睛中，她凝視她，壓低了聲音問：

『妳是什麼意思？』

『我的意思是——』含煙輕聲的，但却有力的、清晰的說：『在妳面前，我從沒有說話的餘地，妳是慈禧太后，我不過是珍妃而已！』

高立德迅速的望向含煙，她的反抗使他驚奇，但，也使他讚許，他不自禁的浮起了一個微笑，用一對欣賞而鼓勵的眼光望着她。這表情沒有逃過柏老太太的視線，她憤怒的望着他們，然後，她摔下了筷子，一句話也沒有說，就轉過身子，昂着頭，一步步的走上樓去了。她的步伐高貴，她的神情嚴肅，她的背脊挺直……那模樣，那神態，儼然就是慈禧太后。

目送她走上了樓，高立德微笑的說：

『做得好！含煙，不過當心一點兒吧！她不會饒過妳的！妳最好讓我對霈文先說個清楚！』

『不要！立德！』含煙急促的說：『請你什麼話都不要說！你會使事情更複雜化！』

於是，高立德繼續保持着沉默。但是，這天下午，霈文匆匆的從工廠中趕回來了，顯然是柏老太太打電話叫他回來的。他先去了母親的房間，然後，他回到自己的臥室，面對着含煙，他的臉色沉重而激怒。含煙望着他，她知道柏老太太對自己一定有許多難聽的言詞，她等待着，等待着霈文開口，她的表情是憂愁而被動的。

『含煙，妳是怎麼回事？』柏霈文終於開了口。聲音是低沉的，責備的，不滿的。『妳怎麼可以對媽那樣？她關懷妳，對妳好，而妳呢？含煙！妳應該感恩啊！』

含煙繼續望着他，她的眉峯慢慢的聚攏，她的眼睛慢慢的潮濕，但她沒有說話，一句話都沒說。

『含煙，妳變了！』霈文接着說：『妳變得讓人不瞭解了！我不懂妳是怎麼了，妳有什麼心事嗎？妳對柏家不滿嗎？我對妳還不夠好嗎？含煙，說實話，妳最近的表現讓我失望！』

含煙仍然望着他，但，淚水緩緩的沿着面頰滾落下來了，她沒有去擦拭它，她一任淚珠奔瀉，她的眼睛張得大大的，閃着淚光，閃着不信任的光芒。帶着悲哀，帶着委屈，帶着許許多多難言的苦楚。霈文緊鎖着眉頭，含煙的神情使他心軟，可是，他橫了橫心，命令的說：

『擦乾眼淚！含煙，去向媽道歉去！』

含煙輕輕的搖了搖頭。

『去！』霈文握住了她的肩膀，站在她的面前。她正坐在床沿上，仰着頭望着他。他搖撼着那肩膀，嚴厲的說：『妳必須去！含煙！』

『不！』她終於吐出了一個字。

『含煙！』他憤怒的喊。『立刻去！』

她垂下了頭，用手蒙住了臉，她猛烈的搖頭。

『不！不！不！』她一疊連聲的說。『別逼我，霈文，你別逼我！』

『我必須逼妳！』霈文的臉色嚴肅。『母親是一家之長，我不能讓人說，柏霈文有了太太就忘了娘，妳如果是一個好女人，一個好妻子，也不應該讓我面對這個局面，讓我蒙不孝之名！所以，妳必須去！』他的聲音好堅定，好沉重。『聽到了嗎？含煙，妳無從選擇，妳必須去！』

含煙抬起頭來了，她再度仰視着他，她的聲音空洞，迷惘，而蒼涼，像從一個好遠好遠的地方傳來：

『你一定要我這樣做？』她問，幽幽的，她的眼光透過了他，落在一個不知道的地方。

『是的！』霈文說，却不自禁的打了個寒戰，含煙的神情使他有種不祥之感。

『那麼，我去！』她站起身來，立即往門口走去，一面自語似的說：『但是，霈文，你會後悔！』

他抓住了她的胳膊，緊盯着她。

『妳是什麼意思？』

她望着他，緩緩的搖了搖頭，沒有回答。掙脫了他的掌握，她走出了門外。她的身子僵直，她的臉色蒼白而一無表情。她逕直走到柏老太太的門前，推開了門，她直視着柏老太太，用背台詞一樣的聲音，清清楚楚的說：

『我錯了，老太太，請妳原諒我。因爲我出身微賤，不懂規矩，冒犯了妳，希望妳寬宏大量，饒恕我的過失。』

說完，她不等柏老太太的回答，就立刻轉過身子，走回自己的房間，她只走到了房門口，就被一陣子突來的暈眩和軟弱打倒了，她蹌踉了一下，倉促間，她想用手扶住門，但沒有扶住，她仆倒了下去，暈倒在門前的地毯上面。

霈文大喊了一聲，他衝過來，抱住了她的頭，直着嗓子喊：

『含煙！含煙！含煙！』

她一無所知的躺着，頭無力的垂在他的手腕上。她的嘴唇毫無血色，呼吸微弱，霈文的心臟收緊了，絞痛了，冷汗從他額上沁了出來。他蒼白着臉，抱起她來，仍然一疊連聲的喊着：

『含煙！含煙！含煙！』

整棟房子裏的人都被驚動了，高立德也從他房裏衝了過來，一看到這情況，他立即採取了最理智的步驟，他衝向樓下客廳，撥了電話給含煙的醫生。這兒，霈文把含煙放在床上，他焦急的搖撼着她，掐着她的人中，用冷毛巾敷她的頭，一面不停的喊着：

『含煙！醒來！含煙！醒來！含煙，我心愛的，醒來吧！含煙！含煙！』他吻她的面頰，吻她的額，吻她那冷冰冰的嘴唇。但她毫無反應，她那張小小的臉比紙還白，烏黑的兩排長睫毛無力的垂着，在眼瞼下投下了兩個弧形的陰影。

醫生來了，經過了一番忙碌的打針，安胎，診斷，然後，醫生嚴重的說：

『最好別刺激她，讓她多休息，否則，這胎兒會保不住的。』

醫生走了之後，霈文仍然守在含煙的身邊。柏老太太只來看了一眼，就走開了，她認爲含煙的暈倒完全是矯情，是裝模作樣，因此，她對她更增加了一份嫌惡，多會施手段的小女人！她顯然又讓霈文神魂顛倒了。

好久之後，含煙才醒了過來，她慢慢的張開眼睛，一時間，有點兒恍恍惚惚，她似乎是想不起來發生了什麼事。霈文深深的注視着她，他憐惜的撫摸着她的面頰，她的頭髮，她那瘦瘠的小手。眼淚湧進了他的眼眶，他輕聲的叫：

『含煙！』

她望着他，想起經過的事情來了，翻轉了身子，她用背對着他，把頭埋進了枕頭裏，她什麼話都沒說。這無聲的抗議刺痛了他，他看着她的背脊，以及她那瘦弱的肩膀。她一向是多麼柔順，爲什麼變得這樣冷漠了？他痛心的想着。然後，他伸出手來，輕輕的撫弄着她的頭髮，低聲的說：

『別生我的氣，含煙，我也是無可奈何啊！我知道婆媳之間不容易相處，但是，誰教我們是晚輩呢？』

她繼續沉默着，躺在那兒動也不動。霈文心中的痛楚在擴大，他隱隱的感到，含煙在遠離他了，遠離他了。他摸不清她的思想，他走不進她的領域，他們間的距離越來越遠。爲什麼呢？他沉痛的思索着。難道……難道……難道眞是爲了高立德？他想着當她暈倒時，高立德怎樣白着臉奔向客廳去打電話請醫生，事後又怎樣焦灼的在門口張望……他的心變冷了，他的手指僵硬的停在她的頭髮上。就這樣，他在那兒呆坐了好長的一段時間。然後，他站起身來，一語不發的走出了房間。

含煙看着他出去，淚濡濕了枕頭，她仍然一動也不動的躺着，但是，在她的心底，那兒有一個裂口，正在慢慢的滴着血。

霈文下了樓，高立德正坐在客廳中看晚報，看到了他，高立德放下報紙，關懷的問：

『怎樣？她醒了嗎？』

霈文瞪着他，你倒很關心啊，他想着。走開去倒了一杯茶，握着茶杯，他看着高立德，慢吞吞的說：

『是的，醒了。』

高立德注視着他。

『霈文，』他忍不住的說：『待她好一點，你常不在家，她的日子並不好過！』

霈文的眼光直直的射在他的臉上。

『你的意思是什麼？』他悶悶的問。

『我想——』高立德沉吟的說：『你母親並不很喜歡她。』

哦，你倒知道了？霈文緊緊的盯着他。原來是你在挑撥離間哦！你想在我們家扮演什麼角色呢？他放下了茶杯，慢慢的，他一個字一個字的說：

『我也有句話要對你說，立德！以後，請你把心神放在茶園上，不要干涉我的家務事！』

高立德跳了起來，憤然的看向霈文，霈文却拋開他，逕自走上樓去了。高立德氣怔了，好久好久，他就這樣憤憤的對樓梯上瞪視着。

接着，一連好幾天，含煙沒有下床。霈文和含煙之間，那層隔閡的高牆已經豎起來了，他們彼此窺測着對方，却都沉默着，不肯多說話。含煙更憔悴，更蒼白了，對着鏡子，她常喃喃的自語着：

『妳快死了！妳已經沒有生氣了，妳一定會死去！』

於是，她嘆息着，她不甘願就這樣死去，這樣沉默的死去！這樣委屈的死去！她走下了樓，那兒有一間給霈文準備的書房，但是，霈文太忙了，他從沒時間利用這書房。她走了進去，拿出一疊有着玫瑰暗花的信箋，她決心要寫點什麼，寫出自己的悲哀，寫出自己的愛情，寫出自己的心聲。於是，她在那第一頁上，寫下了一首小詩：

『記得那日花底相遇，
我問你心中有何希冀，
你向我輕輕私語：
「要妳！要妳！要妳！」
記得那夜月色旖旎，
你問我心中有何秘密？
我向你悄悄私語：
「愛你！愛你！愛你！」
但是今夕何夕？
你我爲何不交一語？
我不知你有何希冀，

你也不問我心底秘密，
只有杜鵑鳥在林中唏噓：
「不如離去！不如離去！」』

21

炎熱的夏季來臨了，隨着夏季的來臨，是一連好幾次的颱風和豪雨。對含煙來說，這個夏季是漫長的、難捱的，也是充滿了風暴和豪雨的。柏老太太變成了她的剋星，她的災難，和她的痛苦的泉源。從夏季開始，老太太就想出一個新的方式來折磨她，來凌侮她，她讓她爲她唸書，唸刁劉氏演義，那是一本舊小說，述說一個淫婦如何遭到天譴，每當她唸的時候，老太太就以那種責備的、含有深意的眼光望着她，似乎在說：

『妳就是這個女人！妳要遭到天譴！妳要遭到天譴！』

然後，她開始訓練她走路的姿勢，指正她的談吐，她不住的說：

『把妳那些歡場的習氣收起來吧！妳該學着做一個貴婦人！瞧妳！滿臉的輕佻之氣！』

含煙受不了這些，一次，在無法忍耐的悲憤中，她冒雨奔出了含煙山莊，她狂奔，奔向松竹橋。那橋下，每當豪雨之後，山洪傾瀉，河水就會變得高漲而洶湧。她奔到河邊，却被隨後追來的高立德捉住了。拉住了她，高立德臉色蒼白的說：

『妳要做什麼？含煙？』

『讓我去吧！我受不了！我受不了！』她哭泣着。

『含煙！勇敢起來！』高立德深深的望着她，語重心長的說：『妳受了這麼多苦難和委屈，都是爲了愛霈文，如果妳尋了死，這一切還有什麼價値呢？勇敢起來吧！妳一直是我見過的最勇敢的女人！終有一天，霈文會瞭解妳，妳吃的苦不會沒有代價的！好好的活下去！含煙！爲了霈文，爲了妳肚裏的孩子！』

是的，爲了霈文，爲了肚裏的孩子！她不能死！含煙跟着立德回到了家裏。從此，高立德密切的注意着含煙，保護着含煙，也常終日陪伴着含煙，跟她談天，竭力緩和她那愁慘的情緒。他沒有把含煙企圖尋死的事告訴霈文，因爲，關於他和含煙的蜚聞，已經在附近傳開了，他怕再引起霈文不必要的誤會。

而含煙呢，自從淋雨之後，就病倒了，有好幾日，她無法起床，等到能起床的時候，她已形銷骨立，虛弱得像一具幽靈，她常常無故暈倒，醒來之後，她會對立德說：

『不要告訴霈文，因爲他並不關心！』

霈文眞的不關心嗎？不是。他沒有忽略含煙的虛弱，沒有漠視她的蒼白，但，他把整個眞實的情況完全歪曲了。他認爲這份蒼白，這份憔悴，都爲了另一個人！他懷疑她，他譏刺她！他嘲弄她！在他的譏刺和嘲弄下，含煙更沉默了，更瑟縮了，更憂愁了。含煙山莊不再是她的樂園，不再是她做夢的所在，這兒成爲了她的地獄，她的墳墓！她不願再對霈文做任何解釋，她一任他們間的冷戰延續下去，一任他們的隔閡和距離日甚一日。看到含煙和自己默默無言，和立德反而有說有笑，霈文的疑心更重了。於是，他對她明顯的冷淡了，挑剔了。他憤恨她的蒼白，他詛咒她的消瘦，他把這些全解釋成另一種意義。一次，看到她又眼淚汪汪的獨坐窗前，他竟冷冷的唸了一首古詩：

『美人捲珠簾，
深坐顰蛾眉，
但見淚痕濕，
不知心恨誰？』

聽出他語氣裏那份冷冷的嘲諷和酸味，含煙抬起眼睛來瞪視着他，問：

『你以爲我在恨誰？』

『我怎麼知道？』霈文沒好氣地說，就自管自的走出了房間，用力的帶上房門。這兒，含煙倒在椅子中，她閉上了眼睛，一層絕望的、恐怖的、痛苦的浪潮攫住了她，淹沒了她，撕碎了她。她無力的在椅背上轉側着頭，嘴裏喃喃的，一疊連聲的低喊：

『哦，霈文！哦，霈文！哦，霈文！別這樣吧！我們別這樣吧！我是那麼那麼愛你！』

這些話，霈文沒有聽見，他已聽不見含煙任何愛情的聲音了，嫉妒和猜疑早就蒙住了他的耳朵，幻化了他的視線。他那扇愛情的門，也早就封閉起來了。含煙被關在那門外，再也走不進去。

就在那哀愁的、悶鬱的、充滿了風暴的日子裏，一條小生命在不太受歡迎的情況下出世了。由於含煙體質衰弱，那小生命也又瘦又小。剛出世的嬰兒都不太漂亮，紅通通的滿臉皺紋，像個小老頭。柏霈文雖然情緒不佳，却仍然有初做父親的那份欣喜。可是，這份欣喜却粉碎在柏老太太的一句話上面：

『啊，這個小東西，怎樣又不像爸爸，又不像媽媽！看她的樣子，顯然柏家的遺傳力不夠强呢！』

人類是殘忍的，上帝給了人類語言的能力，却沒料到語言也可以成爲武器，成爲最容易運用而最會傷人的武器。柏霈文的喜悅消失了，他常常瞪視着那個小東西，一看好幾小時，他研究她，他懷疑她。嬰兒時期的小亭亭因爲體質柔弱，是個愛哭愛吵的孩子，她的吵鬧使柏霈文煩躁，他常對她大聲的說：

『哭！哭！哭！妳要哭到那一天爲止？』

含煙是敏感的，她立即看出柏霈文不喜歡這孩子，夜深人靜，她常攬着孩子流淚，低低的對那小嬰兒說：

『亭亭，小亭亭，妳爲什麼要來到這世界呢？我們都是不受歡迎的，妳知道嚒？』

可是，高立德却本着那份純眞的熱情，他喜愛這孩子，他一向對『生命』都有一種本能的熱愛。於是，他常常抱着小亭亭在屋內嬉笑，他也會熱心的接過奶瓶來餵她，看到她發皺的小臉，他覺得高興，他會驚奇的笑着說：

『噢！我從來不知道嬰兒是這個樣子的！』

這一切看到柏老太太和柏霈文的眼中，就變了質，變得可怕而汚穢了。柏老太太曾對柏霈文說：

『我看，孩子喜歡高立德遠勝過喜歡你呢！我也從沒有看過像高立德那樣的大男人，會那樣喜歡抱孩子的，還是別人的孩子！』

含煙山莊中陰雲密佈了，像颱風來臨前的天空，佈滿了黑色的、厚重的雲層，空氣是窒悶的、陰鬱的、沉重的，颱風快來了。

是的，颱風來了。

那是一次巨大的颱風，地動屋搖，山木摧裂，狂風中夾着驟雨，終日撲打着窗檽。天黑得像墨，花園內的榕樹被颳向了一個方向，樹枝扭曲着，樹葉飛舞着，柳條彼此纏繞，糾結，在空中掙扎。玫瑰花在狂風暴雨下喘息，枝子折了，花朶碎了，滿地的碎葉殘紅，含煙山莊的門窗都緊閉着，風仍然從窗隙裏穿了進來，整個屋子的門窗都在簌簌作響，都在震動，都在搖撼。

霈文仍然去了工廠，午後，他冒着雨回到含煙山莊，一進客廳的門，他就一直看到高立德坐在沙發裏，懷抱着小亭亭，正搖撼着她，一面嘴裏喃喃不停的說着：

『小亭亭乖，小亭亭不哭，小亭亭不怕風，不怕雨，長大了做個女英雄！』

含煙站在一邊，正拿着一瓶牛奶，在搖晃着，等牛奶變冷。一股怒氣衝進了霈文的胸中，好一幅溫暖家庭的圖畫！他一語不發的走過去，把滴着水的雨衣脫下來，拋在餐廳的桌子上。含煙望着他，心無城府的問：

『雨大嗎？』

『妳不會看呀！』霈文沒好氣的說。

含煙怔了一下，又說：

『聽說河水漲了，過橋時沒怎樣吧？阿蘭說松竹橋都快被水淹了！』

『反正淹不到妳就行了！』霈文接口說。

含煙咬了咬嘴唇，一層委屈的感覺抓住了她。她注視着霈文，眉頭輕輕的鎖了起來。

『你怎麼了？』她問。

『沒怎麼。』他悶悶的回答。

她把奶瓶送進了孩子的嘴中，高立德依舊抱着那孩子，含煙解釋的說：

『亭亭被颱風嚇壞，一直哭，立德把她抱着在房裏兜圈子，她就不哭了。』

『哼！』柏霈文冷笑了一聲。『我想他們是很投緣的，倒看不出，立德對孩子還有一套呢！』說完，他看也不看他們，就逕自走上樓去了。這兒，含煙和高立德面面相覷，最後，還是高立德先開口：

『妳去看看他吧！他的情緒似乎不太好！』

含煙接過了孩子，慢慢的走上樓，孩子已經銜着奶瓶的橡皮嘴睡着了。含煙先把孩子放到育兒室的小床中，給她蓋好了被。然後，她回到臥室裏，霈文正站在窗前，對着窗外的狂風驟雨發呆，聽到含煙進來，他頭也不回的說：

『把門關好！』

含煙楞了楞，這口氣多像他母親，嚴厲，冰冷，而帶着濃重的命令味道。她順從的關上了門，走到他的身邊，他挺直的站在那兒，眼睛定定的看着窗外，那些樹枝仍然在狂風下呻吟、扭曲、掙扎，他就瞪視着那些樹枝，臉上毫無表情。

『好大的雨！』含煙輕聲的說，也站到窗前來。『玫瑰花都被雨打壞了。』

『反正高立德可以幫妳整理它們！』霈文冷冰冰的說。

含煙迅速的轉過頭來望着他。

『怎麼了？你？』她問。

『沒怎麼，只代妳委屈。』他的聲音冷得像從深谷中捲來的寒風。

『代我委屈？』

『是的，妳嫁我嫁錯了，妳該嫁給高立德的！』他說，聲音很低，但却似乎比那風雨聲更大，更重。

『你——』含煙瞪着他。『你是什麼意思？』

『妳知道我是什麼意思！』霈文轉過頭來了，他的眼睛緊緊的盯着她，裏面燃燒着一簇憤怒的火焰，那面容是痛恨的，森冷的，怒氣冲天的。好久以來積壓在他胸中的懷疑、憤恨，和不滿，都在一刹那間爆發了。他握住了她的手腕，他的臉俯向了她，他的聲音喑啞的，一個字，一個字的冒了出來：『我只告訴妳一句話，假若妳一定要和高立德親熱，也請別選客廳那個位置，在下人們面前，希望妳還給我留一點面子！』

『霈文！』含煙驚喊，她的眼睛張得那樣大，那樣不信任的、悲痛的、震驚的望着他。她的嘴唇顫抖了，她的聲音淒楚的、悲憤的響着：『難道……難道……難道你也以為我和立德有什麼問題嗎？難道……連你都會相信那些謠言……』

『謠言！』霈文大聲的打斷了她，他的眼睛覷眦成了一條縫，又大大的張開來，裏面盛滿了憤怒和屈侮：『別再說那是謠言，空穴來風，其來有自！謠言？謠言？我欺騙我自己已經欺騙得夠了！我可以不相信別人說的話，難道我也不相信自己的眼睛？』

『自己的眼睛？』含煙喘着氣：『你的眼睛又看到些什麼了？』

『看到妳和他親熱！看到你們卿卿我我！』霈文的手指緊握着她的胳膊，用力捏緊了她，她痛得咧開了嘴，痛得把身子縮成一團。他像一隻老鷹攫住了小鷄一般，把她拉到自己的面前，他那冒火的眼睛逼近了她的臉。壓低了聲音，他咬牙切齒的說：『告訴我吧，妳坦白的告訴我一件事，亭亭是高立德的孩子嗎？』

含煙震驚得那麼厲害，她瞪大了眼睛，像聽到了一個焦雷，像看到了天崩地裂，她的心靈整個都被震碎了。窗外的豪雨仍然像排山倒海似的傾下來，房子在震動，狂風在怒吼……含煙的身子開始顫抖，不能控制的顫抖，眼淚在她的眼眶中旋轉。她幾次想說話，幾次都發不出聲音，直到現在，她才眞正的明白了一件事，自己的世界是完完全全的粉碎了！

『妳說！妳說！快說呀！』霈文搖着她，搖得她渾身的骨頭都鬆了，散了。搖得她的牙齒格格作響。『說呀！快說！說呀！』

『霈……文，』含煙終於說了出來。『你……你……你是個混蛋！』

『哦？我是個混蛋？這就是妳的答覆？』霈文一鬆手，含煙倒了下去，倒在地毯上，她就那樣仆伏在地上，沒有站起身來。霈文站在她面前，俯視着她。他說：『一個戴綠帽子的丈夫，永遠是最後一個知道眞情的人！我想，這件事早就人盡皆知了，只有我像個大傻瓜！含煙，』他咬緊了牙：『妳是個賤種！』

含煙震動了一下，她那長長的黑髮鋪在白色的地毯上面，她那小小的臉和地毯一樣的白。她沒有說話，沒有辯白，但她的牙齒深深的咬進了嘴唇裏，血從嘴唇上滲了出來，染紅了地毯。

『我今天才知道我的幼稚，我竟相信妳淸白，妳美好，相信妳的靈魂聖潔！我是傻瓜！天字第一號的傻瓜！我會去相信一個歡場中的女子！』他重重的喘着氣，怒火燒紅了他的眼睛。『含煙！妳卑鄙！妳下流！既失貞於婚前，又失貞於婚後！我是瞎了眼睛才會娶了妳！』

含煙把身子縮成了小小的一團，她蜷伏在地毯上，像是不勝寒惻。她的感情凍結了，她的思想麻木了，她的心已沉進了幾千萬呎深的冰海之中。霈文的每一句話，每一個字，都像是一根帶刺的鞭子，狠狠的抽在她身上、心上，和靈魂上。她已痛楚得無力反抗，無力掙扎，無力思想，也無力再面對這份殘酷的現實。

『妳不害羞嚒？含煙？』柏霈文仍然繼續的說着，在狂怒中爆發的說着：『我把妳從那種汚穢的環境裏救出來，誰知妳竟不能習慣於乾淨的生活了！我早就該知道妳這種女人的習性！我早就該認淸妳的眞面目！含煙，妳這個忘恩負義的女人！妳這個沒有良心、沒有靈魂的女人！妳竟這樣對待我，這樣來欺騙一個愛妳的男人！含煙！妳這個賤種！賤種！賤種！賤種！』

他的聲音大而響亮，蓋過了風，蓋過了雨。像巨雷般不斷的劈打着她。看着她始終不動也不說話，他憤憤的轉過身子，預備走出這房間，他要到樓下去，到樓下去找高立德拚命！他剛移動步子，含煙就猝然發出一聲大喊，她的意識在一刹那恢復了過來。不不，霈文！我們不能這樣！不能在誤會中分手！不不，霈文！我寗可死去，也不能失去你！不不，霈文！她爬了過來，一把抱住了霈文的腿，她哭泣着把面頰緊貼在那腿上，掙扎着，啜泣着，斷續着說：

『我……我……我沒有，霈文，我從……沒有做過對不起你的……的事情，我愛……愛你，別離……離開我！別……別遺棄我！霈……霈文，求……求你！』

他把脚狠狠的從她的胳膊中抽了出來，踢翻了她。他冷笑了。

『妳不願離開我？妳是愛我呢？還是愛柏家的茶園和財產？』

『哦！』含煙悲憤的大喊了一聲，把頭埋進臂彎中，她蜷伏在地下，再也沒有力量爲自己作多餘的掙扎和解釋了。她任憑霈文衝出房間，她模糊的聽到他在樓下和高立德爭吵，他們吵得那麼兇，那麼激烈，她聽到柏老太太的聲音夾雜在他們之中，她聽到老張和阿蘭在勸架，她也聽到育兒室裏孩子受驚的大哭聲，這鬧成一團的聲音壓過了風雨，而更高於這些聲音的，是柏老太太那尖銳而高亢的嗓音：

『你們值得嗎？爲了一個行爲失檢的女人傷彼此的和氣！霈文！你不該怪立德，你只該怪自己娶妻不愼呀！』

『哦，』含煙低低的喊着：『我的天，我的上帝！這世界多殘忍！多殘忍哪！』

她的頭垂向一邊，她的意識模糊了，飄散了，消失了。她的心智散失了，崩潰了。她暈了過去。

不知道過了多久，她醒了過來，天已經黑了。她發現自己仍然躺在地毯上，包圍着她的，是一屋子的黑暗與寂靜。她側耳傾聽，雨還在下着，但是，颱風已成過去了。那雨是淅淅瀝瀝的，偶爾還有一兩陣風，從遠處的松林裏穿過，發出一陣低幽的呼號。她躺了好一會兒，然後，她慢慢的坐了起來，暈眩打擊着她，她搖搖欲墜。好不容易，她扶着床站起身來，摸索着把電燈打開了，屋子裏只有她一個人，夜，好寂靜，好冷清。世界已經把她完全給遺棄了。

她看了看手錶，十一點！她竟昏睡了這麼久！這幢屋子裏其他的人呢？那場爭吵怎樣了？還有亭亭——哦，亭亭！一抹痛楚從她胸口上劃過去，她那苦命的、苦命的小女兒啊！

她在床沿上坐了很久很久，茫然的、痛楚的坐着。然後，她站起身來，走出房間，她來到對面的育兒室中，這麼久了，有誰在照顧這孩子呢？她踏進了育兒室的門，却一眼看到孩子熟睡在嬰兒床中，阿蘭正坐在小床邊打盹，看到了她，阿蘭抬起頭來，輕聲說：

『我剛餵她吃過奶，換了尿布，她睡着了。』

『謝謝妳，阿蘭。』含煙由衷的說，眼裏蓄着淚。『妳幫我好好帶小亭亭。』

『是的，太太。』阿蘭說，她相當同情着含煙，在她的心目裏，含煙是個溫和而善良的好女人。『我會的。』

『謝謝妳！』含煙再說了一句，俯下身子，她輕輕的吻着那孩子的面頰，一滴淚滴在那小臉上，她悄悄的拭去了它。抬起頭來，她問阿蘭：

『先生呢？』

『他在客人房裏睡了。』

『高先生呢？』

『他收拾了東西，說明天一清早就要離開，現在他也在他房裏。』

『哦。』含煙再對那孩子看了一眼，就悄悄的退出了育兒室。走到樓下書房裏，她用鑰匙打開了書桌抽屜，取出了一册裝訂起來的，寫滿字迹的信箋，這是她數月來所寫的一本書，一頁一頁，一行一行，一字一字，全是血與淚。捧着這本册子，她走上了樓，回到臥室中，關好房門。她取出了柏霈文送她的那一盒珠寶，把那本册子鎖入盒子裏。然後，她坐下來，開始寫一個短箋：

『霈文：

我去了。在經過今天這一段事件之後，我知道，這兒再也沒有我立足之地了。千般恩愛，萬斛柔情，皆已煙消雲散。我去了，抱歉，在我離開這個世界，在我離開你之前，我最後要說的一句話，竟是：我恨你！

關於我走進含煙山莊之後，一切遭遇，一切心迹，我都留在一本手册之中，字字行行，皆爲血淚寫成。如果你對我還有一絲絲未竟之情，請爲我善視亭亭，她是百分之百，千分之千的你的骨血。那麼，我在九泉之下，也當感激。

我把手稿一册，連同你送給我的珠寶、愛情、夢想一起留下。眞遺憾，我無福消受，你可把它們再送給另一個有福之人！

霈文，我去了。從今以後，松竹橋下，唯有孤魂，但願河水之清兮，足以濯我沾污之靈魂！霈文，今生已矣，來生——咳，來生又當如何？

仍願給你

最深的祝福

含煙絕筆』

寫完，她把短箋放在珠寶盒上，一起留在床頭櫃上面的小檯燈下。在燈旁，仍然插着一瓶黃玫瑰，她下意識的取下一枝來。然後，她披上一件風衣，習慣性的拿起自己的小手袋，悄悄的下了樓，走出了大門。花園內積水頗深，水中飄浮着斷木殘枝，雨依舊在斜掃着，迎面而來的風使她打了個寒戰。她踩進了水中，一步一步的，走向了鐵門，打開了門邊的一扇小門，她出去了，置身在含煙山莊以外了。

雨掃着她，風吹着她，她的長髮在風雨中飄飛。路上到處都是積水與泥濘，她毫不在意。像一個幽靈，她踏過了積水，她穿過了雨霧，向前緩緩的移動。她心中朦朦朧朧想着的是，大家給她的那個綽號：灰姑娘！是的，灰姑娘，穿着仙女給她的華裳，坐着豪華的馬車，走向那王子的宮堡！妳必須在午夜十二點以前回來，否則，妳要變回衣衫襤褸的灰姑娘！現在是什麼時間？過了十二點了！

她笑了起來，雨和淚在臉上交織。雨，濕透了她的頭髮，濕透了她的衣服，她走着，走着，一步一步的走向了那道橋——那道將把她帶向另一世界的橋。

雨，依然在下着，冷冷的，颼颼的。

22

暴風雨是過去了。

方絲縈慢慢的醒了過來，迷迷糊糊的張開眼睛，她發現自己正躺在臥室的床上，那黑底金花的窗帘靜靜的垂着，床頭那盞白紗的小燈亮着。燈下，那瓶燦爛的黃玫瑰正綻放着一屋子的幽香。她輕輕的揚起了睫毛，神思恍惚的看着那玫瑰，那窗帘，那白色的地毯……一時間，她有些迷亂，有些昡惑，有些朦朧，她不知道自己是誰？正置身何處？是那飽受委屈的章含煙？還是那個家庭教師方絲縈？她蹙着眉，茫然的看着室內，然後，突然間，她的意識恢復了，她想起了發生過的許多事情：柏霈文，高立德，章含煙……她驚跳了起來，於是，她一眼看到了柏霈文，正坐在床尾邊的一張椅子裏，大睜着那對呆滯的眸子，似乎在全力傾聽着她的動靜。她剛一動，他已經迅速的移上前來，他的手壓住了她的身子，他的臉龐上燃燒着光彩，帶着無比的激動，他喊着：

『含煙！』

含煙！含煙？方絲縈戰慄了一下，緊望着面前這個盲人，她退縮了，她往床裏退縮，她的呼吸急促，她的頭腦暈眩，她瞪視着他，用一對戒備的、憤怒的、怨恨的眸子瞪視着他，她的聲音好遙遠，好空洞，好蒼涼：

『你在叫誰？柏先生？』

『含煙！』他迫切的摸索着，搜索着她的雙手，他找到了，於是，他立即緊緊的握住了這雙手，再也不肯放鬆了。坐在床沿上，他俯向她，熱烈的、悔恨的、歉疚而痛楚的喊着：『別這樣！含煙，別再拒我於千里之外！原諒我！原諒我！這十年，我已經受夠了，妳知道嗎？每一天我都在悔恨中度過！豈止每一天！每一時！每一分！每一秒！妳不知道那日子有多漫長！我等待着，等待着，等待着，等待着……哦，含煙！』他喘着氣喊，他的身子滑下了床沿，他就跪在那兒了。跪在床前面，他用雙手緊抓住她的手，然後，他熱烈的、狂喜的把嘴唇壓上了她的手背，他的嘴唇是灼熱的。『上帝赦我！』他喊着。『妳竟還活着！上帝赦我！天！我有怎樣的狂喜！怎樣的感恩！哦，含煙，含煙，含煙！』

他的激動和他的熱情沒有感染到她的身上，相反的，他這一篇話刺痛了她，深深的刺痛了她，勾起了十年以來的隱痛和創傷，那深埋了十年的創傷。她的眼眶潮濕了，淚迷糊了她的視線，她費力的想抽回自己的手，但他緊緊的攥住她，那樣緊，緊得她發痛。

『不不，』他喊：『我不讓妳再從我手中跑出去！我不讓！別想逃開！含煙，我會以命相拚！』

淚滑下了她的面頰，她掙扎着：

『放開我，先生，我不是含煙，含煙十年前就淹死在松竹橋下了，我不是！你放開我！』她喉中哽塞，她必須和那洶湧不斷的淚浪掙扎。『你怎能喊我含煙？那個女孩早就死了！那個被你們認爲卑鄙、下流、低賤、淫蕩的女孩，你還要找她做什麼？你……』

『別再說！含煙！』他阻止了她，他的臉色蒼白，他的喉音喑啞。『我是傻瓜！我是笨蛋！妳責備我吧！妳罵我吧！只是，別再離開我！我要贖罪，我要用我有生之年向妳贖罪！哦，含煙！求妳！』他觸摸她，從她的手腕，一直摸索到肩膀。『哦，含煙！妳竟活着！那流水淹不死妳，我應該知道！死神不會帶走枉死的靈魂，噢！含煙！』他的手指碰上了她的面頰。

『住手！』她厲聲的喊，把身子挪向一邊。『你不許碰我！你沒有資格碰我！你知道嗎？』

他的手僵在空中，然後無力的垂了下來。他面部的肌肉痙攣着，一層痛楚之色飛上了他的眉梢，他的臉色益形蒼白了。

『我知道，妳恨我。』他輕聲的說。

『是的，我恨你！』方絲縈咬了咬牙：『這十年來，我沒有減輕過對你的恨意！我恨你！恨你！恨你！』她喘了口氣：『所以，把你的手拿開！現在，我不是你的妻子，我不是那個受盡委屈，哭着去跳河的灰姑娘！我是方絲縈，另一個女人！完完全全的另一個女人！你走開！柏霈文！你沒有資格碰我，你走開！』

『含煙？』他輕輕的、不信任的低喚了一聲，他的臉被痛苦所扭曲了。不由自主的，他放開了她，跪在那兒，他用手蒙住了臉，手肘放在床沿上，他就這樣跪着，好半天都一動也不動。然後，他的聲音低低的，痛苦的，從他的手掌中飄了出來。『告訴我，妳要怎樣才能原諒我？告訴我！』

『我永不會原諒你！』

他震動了一下，手垂下來，落在床上，他額上有着冷汗，眉峯輕輕的蹙攏在一塊兒。

『給我時間，好嚒？』他婉轉的、請求的說。『或者，慢慢的，妳會不這樣恨我了。給我時間，好嚒？』

『你沒有時間，柏霈文。』她冷冷的說：『你不該把高立德找來，你不該揭穿我的眞面目，現在，我不會停留在你家裏了，我要馬上離去！』

他閉上了眼睛，身子搖晃了一下。這對他是一個大大的打擊，他的嘴唇完全失去了血色。

『不要！』他急切的說：『請留下來，我請求妳，在妳沒有原諒我以前，我答應妳，我絕不會冒犯妳！只是，請不要走！好嗎？』

『不！』她搖了搖頭，語音堅決。『當你發現我的眞況之後，我不能再在你家中當家庭教師……』

『當然，』他急急的接口：『妳不再是一個家庭教師，妳是這兒的女主人……』

『滑稽！』她打斷了他。

『妳不要在意愛琳，』他迫切的說着：『我和她離婚！我馬上和她離婚，我把台北的工廠給她！我不在乎那工廠了！我告訴妳，含煙，我什麼都不在乎，只求妳不走！我馬上和她離婚……』

『離不離婚是你的事。』她說，聲音依然是冷淡而堅決的。『反正，我一定要走！』

他停頓了片刻，他臉上有着忍耐的、壓抑的痕迹，好半天，他才問：

『沒有商量的餘地嚒？』

『沒有。』

他低下頭，沉思了好一會兒，再抬起頭來的時候，他唇邊有個好淒涼，好落寞，好蕭索，又好愴惻的笑容，那額上的皺紋，那鬢邊的幾根白髮，他驟然間看起來蒼老了好多年。他的手指下意識的摸索着方絲縈的被面，那手指不聽指揮的、帶着神經質的震顫。他無法『看』，但他那呆滯的眼睛却是潮濕的，映着淚光，那昏濛的眸子也顯得清亮了。這神情使方絲縈震動，依稀恍惚，她又回到十年前了。這男人！這男人畢竟是她生命裏最重要的人呵！曾是她那個最溫柔的，最多情的，最纏綿的丈夫！她凝視着他，不能阻止自己的淚潮氾濫。然後，她聽到他的聲音，那樣軟弱，無力，而帶着無可奈何的屈辱與柔順。

『我知道，含煙，我現在對妳沒有任何資格要求什麼，我想明白了。別說以前我所犯的錯誤，是多麼的難以祈求妳的原諒，就論目前的情形，我雖不知道當初妳是怎樣逃離那場苦難，怎樣去了國外的。但我却知道，妳直到如今，依然年輕美貌，而我呢？』他的苦笑加深了。『一個瞎子！一個廢物！我有什麼權利和資格再來追求妳？是的，含煙，妳是對的！我沒有資格！』

方絲縈閃動着眼瞼，霈文這篇話使她頗有一種新的、被感動的情緒，但是，在這種情緒之外，她還另有份微微的、刺痛似的感覺，她覺得被歪曲了，被誤解了，一個瞎子！她何嘗因他瞎了就輕視了他？這原是兩回事呵！他不該混爲一談的！

『所以，』霈文繼續說了下去。『我不勉强妳，我不能勉强妳，只是，不爲我，爲了亭亭吧！那可憐的孩子！她已經這樣依賴着妳，熱愛着妳，崇拜着妳！別離開！含煙，爲了那苦命的孩子！』

『哦！』方絲縈崩潰的喊：『你不該拿亭亭來要脅我！這是卑劣的！』

『不是要脅，含煙，不是要脅！』他迫切的、誠懇的、哀求的說：『我怎敢要脅妳？我只請妳顧全一顆孩子的心！妳知道她，她是多麼脆弱而容易受傷的！』

方絲縈眞的沉吟了，這孩子！這孩子一直是她多大的牽繫！多大的思念！爲了這孩子，她留在台灣。爲了這孩子，她去正心教書。爲了這孩子，她甘願冒着被認出來的危險，搬進柏宅。爲了這孩子，她不惜和愛琳正面衝突！而現在，她却要離開這孩子了嗎？她如何向亭亭交代呢？她惶然了，她失措了。坐在床上，她弓起了膝，把下巴放在膝上，她盡力的運用着思想，但她的思想却像一堆亂麻，怎麼也整理不出頭緒來。何況，她的情緒還那樣凌亂，心情還那樣激動着！

『亭亭到那兒去了？』她忽然想起亭亭來了，自從她暈倒到現在，似乎好幾小時過去了，亭亭呢？

『立德帶她出去了，他要給我們一段單獨相處的時間。』柏霈文坦白的說，猛的跳了起來。

『我忘了，妳還沒有吃晚餐，我去叫亞珠給妳下碗麵來。』

『我不餓，我不想吃。』她說，繼續的沉思着。

『我讓她先做起來，妳想吃的時候再吃，同時，我也還沒吃呢！』他向門邊走去，到了門口，他又站住了，回過頭來，他怔怔的叫：『含煙！』

『請叫我方絲縈！』她望着他。『含煙早已不存在了。』

『方絲縈？絲縈？』他喃喃的唸着，忽然間，一層希望之色燃亮了他的臉，他很快的說：『是的，絲縈，屬於含煙的那些悲慘的時光都過去了，以後，該是屬於方絲縈的日子，充滿了甜蜜與幸福的日子！絲縈，一個新的名字，將有一個新的開始！』

『是的，新的開始！』她接口說：『我是必須要有一個新的開始，我將離開這兒！』

他頓了頓，忍耐的說：

『關於這問題，我們再討論好嗎？現在，首先，妳必須要吃一點東西！』

打開房門，他走出去了。他的臉上，仍然燃滿了希望的光彩。他大踏步的走出去，眉梢眼角，有股堅定不移的、充滿決心的神色。他似乎又恢復到了十年前，那個不畏困難，不怕艱鉅，勢達目的的年代。

深夜，亭亭在她的臥室裏熟睡了，這孩子在滿懷的天眞與喜悅中，渾然不知家中已有了怎樣一份旋轉乾坤的大變動。方絲縈仍和往常一樣照顧着她上床，她也和往常一樣，用手攀住方絲縈的脖子，吻她，用那甜甜軟軟的童音說：

『再見！老師！』

方絲縈逗留在床邊，不忍遽去，這讓她牽腸掛肚的小生命啊！她一直看到她熟睡了，才悄悄的走出房間，眼眶裏蓄滿了淚。

現在是深夜了，孩子睡了，亞珠和老尤也都睡了。但是，在柏宅的客廳裏，那大吊燈依然亮着。柏霈文、高立德和方絲縈都坐在客廳中，在一屋子幽幽柔柔的光線裏，這三個人都有些兒神思恍惚，有些兒不敢相信，這聚會似乎是不可思議的。高立德和柏霈文都銜着煙，那煙霧氤氳，彌漫，擴散……客廳裏的一切，在煙霧籠罩中，朦朧如夢。

『那次，我們始終沒有撈起屍體，』高立德深思的說：『我曾經揣測過，妳可能沒死，但是，妳的風衣勾在斷橋的橋柱上，風衣的口袋裏插着一朵黃玫瑰。而那時山洪爆發，河水洶湧而急湍，如果妳跳了河，屍體不知會沖到多遠，所有參與打撈的人都說沒有希望找到屍體……一直經過了兩個禮拜，我們才認了……』

『不，』霈文打斷了高立德的敍述：『我沒有認！我一直抱着一線希望，妳沒有死！我在全台北尋訪，我查核所有旅館名單，我去找妳的養父母，甚至於——我去過每一家舞廳，酒樓，我想，或者妳在絕望中，會……』

『重操舊業？』方絲縈冷冷的接了口。『你以爲我所受的屈辱還不夠深重？』

『哦，』柏霈文說：『那只是我在無可奈何中的胡亂猜測罷了，那時，只要有一絲絲希望，我都絕不會放棄去找尋的，妳知道。』他噴出一大口煙霧，他那深沉的、易感的面容隱在那騰騰的煙霧中。『說實話，我想我那時是在半瘋狂的狀態裏……』

『不是半瘋狂，簡直就是瘋狂！』高立德插口說：『我還記得那天早上的事，一幕幕清楚得像昨天一樣。我是第一個起來的人，因爲我已決心馬上離開含煙山莊了。天剛剛亮，我涉着水走出大門，發現鐵門邊的小門是敞開的，我覺得有些奇怪，却沒有太注意，大路上的水已淹得很深，我一路走過去，看到茶園裏全是水，我還在想，這些茶樹遭了殃了！那時還下着雨，是颱風以後的那種持續的豪雨。我冒着雨走，路上連一個人都沒有。我一直走到松竹橋邊，然後，我就大大的嚇了一跳，那條橋已經斷了，水勢洶湧而急湍的奔瀉下去，黃色的濁流夾雜着斷木和殘枝，我想，糟了，一定是上游的山崩了，而目前呢，通台北的唯一一條路也斷了，就在這時候，我看見了那件風衣，妳最愛穿的那件淺藍色的風衣，勾在斷橋的欄杆上！我大吃一驚，頓時知道發生了什麼事！我立即車轉身子，發狂似的奔回含煙山莊，我才跑到山莊門口，就看到霈文從裏面發瘋似的衝出來，他一把抓住我，問我有沒有看到妳，我喘着氣告訴他風衣的事，於是，我們再一起奔回松竹橋……』他頓了頓，深吸了一口煙。方絲縈沉默着，傾聽這一段經過是讓人心酸的，她捧着茶杯，眼睛迷濛的注視着杯裏那淡綠色的，像翡翠般的液體，柏家的綠茶！

『我們到了橋邊！』高立德繼續說了下去。『霈文一看到那件風衣就瘋掉了。他也不顧那剩下的斷橋有多危險，就直衝了上去，取回了那件風衣，祇一看，我們就已經斷定了是妳的，口袋裏有朵黃玫瑰，還有一個鷄心項鍊。那時，霈文的樣子非常可怕，他狂喊、號叫着妳的名字，並且企圖跳到水裏去，我祇得抱住他，他和我掙扎，對我揮拳，我祇好跟他對打，我們在橋邊的泥濘和大雨中打成一團……咳，』他停住了，苦笑了一下，看着方絲縈。『含煙，妳可以想像那副局面。』

方絲縈默然不語，她的眼睛更迷濛了。

『我們打得很激烈，直到老張也追來了，我和老張才合力制伏了霈文，但他說什麼也不肯離開橋邊，叫囂着說要到激流中去找尋妳，說妳或許被水冲到了淺灘或是岸邊，他堅決不肯承認妳死了。於是，老張守着他，我回到含煙山莊，打電話去報警，去求助……兩小時後，大批的警員和救護車都來了，我們打撈又打撈，什麼都沒有。警員表示，以水勢來論，屍體早就冲到好遠好遠了。於是，一連四、五天，我們沿着河道，向下游打撈，仍然沒有。霈文不吃不喝不睡，日日夜夜，他就像個瘋子一樣，坐在那個橋頭上。』

方絲縈低垂着頭，注視着茶杯，一滴淚靜悄悄的滴入杯中，那綠色的液體立即漾出無數的漣漪。

『接着，霈文就大病一場，發高熱，昏迷了好幾天，等他稍微能走動的時候，他就又像個瘋子似的在大街小巷中去做徒勞的搜尋了。我也陪着他找尋，歌台舞榭，酒樓旅館……深夜，他就捧着妳的手稿，呆呆的坐在客廳的窗前，一遍又一遍的讀着，常常這樣讀到天亮。那時候，我們都以爲他要精神失常了。』

他又頓了頓。霈文深倚在沙發中，一句話也不說，煙霧籠罩住了他整個的臉。

『那段時間裏，他和他母親一句話也不說，我從沒看過那樣固執的人。他生病的時候，老太太守在他床邊流淚，他却以背對着她，絕不回顧。我想，事情演變到這個樣子，老太太心裏也很難過的。霈文病好了，和老太太仍然不說話，直到好幾個月以後，亭亭染上了急性肺炎，差點死去，老太太和霈文都日夜守在床邊，為搶救這條小生命而努力，當孩子終於度過了危險期，霈文才和老太太說話。這時，我們都認為，妳是百分之百的死了。不過，整個含煙山莊，都籠罩着妳的影子，那段日子是陰沉、晦暗而淒涼的，我也很難過，自己會牽涉在這件悲劇裏，所以，那年秋天，我終於不顧霈文的挽留，離開了含煙山莊，到南部去另打天下了。』

他停住了，注視着方絲縈。方絲縈的眼睛是潮濕而清亮的，但她的面容却深沉難測。

『這就是妳走了之後的故事，』高立德喝了一口茶：『全部的故事……』

『不，不是全部！』霈文忽然插了進來，他的聲音裏帶着難以抑制的激情。『故事並沒有完。立德走了以後，我承認我的日子更難以忍受了，我失去了一個可以和他談妳的對象。我悔恨，我痛苦，我思念着妳。夜以繼日，這思念變得那樣強烈，我竟常常幻覺妳回來了，深夜，我狂叫着妳的名字醒過來，白天，我會自言自語的對妳說話，我這種病態的情況造成了含煙山莊鬧鬼的傳說。於是，人人都說山莊鬧鬼，一夜，阿蘭從外面回來，居然狂奔進屋，說是看到一個人影在花園裏剪玫瑰花。這觸動了我的一片癡心，我忽然想，如果妳眞死了，而死後的人眞有靈魂，那妳會回來嗎？噢，含煙，我是開始在等妳的鬼魂了。而且一日比一日更相信那鬧鬼的說法，所以，我想，妳是故意折磨我，所以不願在我面前顯身。後來，我看了許多關於鬼魂的書，彷彿鬼魂出現時，多半在燭光之下，而非燈燭輝煌的房間裏。所以，從第二年開始，我每夜都在樓下那間小書房裏，燃上一支蠟燭，我就睡在躺椅中等妳，在書桌上，我爲妳準備好了紙筆，我想，這或者會誘惑妳來寫點兒什麼。唉！』他嘆口氣。『傻麼？但是，當時我眞是非常非常虔誠的！』

方絲縈悄悄的抬起了睫毛來，靜靜的注視着霈文，她面部的肌肉柔和了。高立德看得出來，她是有些兒動容了。

『妳信麼？這種點蠟燭的傻事我竟持續了一年半之久，然後，那一夜來臨了。我不知道是我的虔誠感動了天地，還是我的癡心引動了鬼神，那夜，我看到妳了，含煙。妳站在桌前一片昏黃的燭光之中，披着長髮，穿着一件白紗的洋裝，輕靈，飄逸。手裏握着一枝紅玫瑰，默默的、譴責似的望着我。我那樣震動，那樣驚喜，那樣神魂失據！我呼叫着妳的名字，奔過去想拉住妳的衣襟，但是妳不讓我觸摸到妳，妳向窗前隱退，我狂呼着，向妳急迫的伸着手，哀求妳留下。但是，妳去了，妳悄悄的越出了窗子，飄散在那夜霧迷濛的玫瑰園裏，我心痛如絞，禁不住張口狂叫，然後，我失去了知覺。當我從一片驚呼和嘈雜聲中醒來，發現我躺在花園中，而整個含煙山莊，都在熊熊烈火裏。他們告訴我，火是被蠟燭引起，當時我在書房中，已被煙薰得昏了過去。當他們把我拖出來時，都以爲我被燒死了。我從花園的地上跳起來，知道所有的人都逃離了火場，沒有人受傷，才安了心。在我恍恍惚惚的心智裏，還認爲這一場烈火是妳的意旨，妳要燒毀含煙山莊。我癡望着烈火燃燒，不願搶救，燒吧！山莊！燒吧！我喃喃的唸叨着。可是，立即，我想起放在臥室中的、妳那份手稿，我毫不考慮的衝進火場，一直跑上那燃燒着的樓梯，衝進臥房。那時整個臥房的門窗都燒起來了，我在煙霧中奔竄，到後來，我已經迷迷糊糊，自己也不知拿到了什麼，樓板垮了，我直掉下去，大家把我拖出來，事後，他們告訴我，我一手抱着那裝着妳的珠寶和手稿的盒子，另一隻手裏，却緊抱着那尤莉特西和奧菲厄斯的大理石像。我被送進了醫院，灼傷並不嚴重，却受了很重的腦震盪，等我醒來後，我發現我瞎了。』

方絲縈深深的望着他，眼裏又被淚霧所迷濛了。

『這就是失火的眞相，後來，大家竟說是我放火燒掉含煙山莊的，那就完全是流言了。我的眼睛，當時並非絕對不治，醫生說，如果冒險開刀，有治療的希望，可是，我放棄了。當年既然有眼無珠，如今，含煙既去，要眼睛又有何用？我保留了含煙山莊的廢墟，在附近重造這幢屋子。兩年後，爲了亭亭乏人照顧，我奉母命娶了愛琳，但是，心心念念，我的意識裏只有含煙，我經常去含煙山莊，等待着，等待着，唉！』他長嘆一聲：『這一等，竟等了十年！含煙，妳畢竟是回來了。』

方絲縈用牙齒輕咬着茶杯的邊緣，那杯茶已經完全冰冷了。

『但是，含煙，』高立德眩惑的望着她。『妳是怎樣逃開那場災難的？那晚，妳走出含煙山莊之後，到底發生了一些什麼事？』

怎樣逃開那場災難的？方絲縈握着茶杯，慢慢的站起身來，走向窗口。是的，那晚，那晚，那晚到底發生了些什麼？她看着窗外，窗外，月色朦朧，花影髣髴，夜，已經很深了。

23

『我的遭遇非常簡單，我根本沒有跳河。』她從窗前回過頭來，安安靜靜的說，眼前浮動着一團霧氣，那夜的一切如在目前，那雨，那風，那積水的道路，那呼嘯的松林，那奔湍着的激流，那搖搖欲墜的橋樑……她倚着窗子，出神的看着牆上的壁燈。回憶往事，使她痛苦，也使她傷心。

『怎麼呢？』高立德追問。『那斷橋，和那件風衣，妳似乎沒有第二個可能呵！而且，妳不是去跳河的嗎？』

『是的，我去跳河。』她沉思的說：『我那時什麼意識都沒有，我只想死，只想結束自己，越快越好。那時，死亡對我一點也不恐怖，反而，那是一個溫床，我等着它來迎接我，帶我到一個永久的、沉迷的、無知無覺的境界裏去。就這樣，我從積水的道路上一直走到松竹橋，到了橋邊，我才呆住了。我從來沒有聽過那樣大的水聲，我說聽，因爲那時四周十分黑暗，我極目看去，只能看到一片黑暗的水面，反射着一點點的粼光。而那條橋，却在水中呻吟、掙扎，夾着枝木斷裂的響聲，我想，橋要斷了，馬上要斷了，或是已經斷了。因爲我沒法看清橋的情況到底是怎樣了？』

她啜了一口茶，走回到沙發前面來，高立德深深的注視著她。柏霈文却略帶緊張的傾聽着她的說話，濃濃的煙霧不斷的從他的鼻孔中冒出來。

『我在那橋邊站立了好一會兒。』她坐下去，繼續的說着。『什麼事都不做，只是傾聽着那流水的奔瀉聲，我心裏模糊的想着，我將要走上橋，然後從橋上跳下去，可是，我又聽到了橋的碎裂聲。於是，我想，橋斷了。果然，一陣好響的斷裂聲，夾雜着傾倒的聲音，我就在這些聲音裏，走上了橋。我預備一步一步的走過去，一直走到橋的中斷處，那麼，我就會掉進水裏去了。就這樣，我走着，一步步的走着，而那橋却在我腳下搖晃，每一塊木頭都在格格作響，每跨一步，我就想，下面一步一定是空的了，但，下面仍然是實在的。然後，一陣風來，我站不住，我撲倒在欄杆上，那橋立即又是一大串的碎裂聲，我站起來，發現衣服鈎住了，我捨棄了那件衣服，繼續往前走，我急於要掉進水裏去，可是，好幾步之後，我發覺我的腳觸及的地方不再是木板，而是泥土了，我已經平安的渡過了橋，並沒有掉進水裏去。我好驚愕，好詫異，也好失望，就在這時，一陣嘩啦啦的巨響使我驚跳起來，那條橋，是眞的斷了。』

她潤了潤嘴唇，思想深深的沉浸在記憶的底層裏。

『我想，我當時一定呆了好幾分鐘，然後，我折回了身子，又往橋上走去，這次，我想，即使橋仍然沒斷，我也要從橋中間跳下去。我大步的走，一脚跨上了木板，可是，我突然怔住了。隱隱中，我似乎聽到了一個聲音，不知來自何處，細微、淸晰，而又有力的在我耳畔響着：

『「不要再去！不要再去！妳已經通過了那條苦難的橋，不要回頭！往前走，妳還年輕，妳還有一大段美好的生命！別輕易結束自己！再想一想！再想一想！」

『我眞的站住了，而且眞的開始思想了！自從走出含煙山莊，我一直無法思想，但是，現在，我那思想的齒輪却轉得飛快。我居然走過了這條橋，這是上帝的意旨嗎？誰能說在這個冥冥的、廣漠無邊的宇宙裏，沒有一個至高無上的力量？我舉首向天，雨淋在我的臉上，冷冰冰的，涼沁沁的。於是，忽然間，我覺得心地空明，煩惱皆消，一個新的我，一個全新的我蛻變出來了！我已經走過了這條死亡的橋，於是，我也重投了胎，脫胎換骨，我不再是那個柔弱的、順從的、永遠屈服於命運的章含煙了！我聽着那河水的奔瀉，我聽着那激流的呼號，我握住拳，對那流水說：

『「章含煙！章含煙！從今以後，妳是淹死了！妳死在這條橋下了！至於我呢？我是另一個人！我還要好好的活下去！去另創一個天下！」

『轉過身子，我大踏步的向台北走去了。』

她停住了，輕輕的吐出一口長氣。柏霈文一動也不動的坐着。一大截煙灰落在他的衣服上，他好久都忘記去吸那支煙了。這時，他抬起頭來，臉向着上面，他那無神的眸子呆怔怔的瞪着，但他整個臉上，都閃耀着一份感恩、虔誠的光彩。

『兩小時後，我到了台北，一個孤身的女子，我不敢去旅社，那時，離天亮已經不遠了。我到了火車站，在候車室中，一直等到天亮。這時，我才發現我很幸運，因爲我帶出來的手袋裏，還有一千多元現款和我的證件。於是，早上八點多鐘，我乘了第一班早車南下，一直到了高雄。那時，我並不知道我要到高雄做什麼，只是覺得跑遠一點比較好，免得你們找到我，我希望，你們都認爲我是淹死了，因爲，我再也不願回含煙山莊。

『到了高雄的第一件事，我買了一套新衣服，然後找了一家小旅社，好好的洗了一個澡，睡了一大覺。醒來後，我重新衡量眼前的局面，一千多元不夠我維持幾天，我必須找工作，同時，租一間簡陋的房子。於是，我立即租了房子，由於一時找不到好工作，我到了前金區一家小百貨店去當了店員。』

柏霈文嘆了口氣。他的面容因爲憐惜，因爲歉疚，因爲惻而扭曲了。

『我的店員生涯只做了三天，就被一件突來的意外所中止了。一天，一個少女來買東西，我驚奇的發現，她竟是我中學時代的好友，自從高中畢業以後，我們就不通音訊了。那次重逢使我們兩人都很興奮，她的家就住在那商店的附近，那晚，我住在她那裏，我們暢談終夜。我沒有把我的故事告訴她，我只說，我新遭遇了一場變故，一件很傷心的事。那時我仍然蒼白而消瘦。她同情我，於是，她極力勸我不要做店員，暫時到她家裏去住。我也在一種無可無不可的心情下答應了。

『當時，她正在辦出國手續，她問我願不願意也一起辦着試試，在那時候，中學畢業就可以出國。我說沒有旅費，辦也無益，但她勸我先申請了學校再說，結果，很意外的，竟申請到了。我那同學也申請到了，力勸我想辦法出國，一來改換環境，以前的滄桑全可以忘了，二來學一些新的東西，充實自己。三來，這是一個全新的開始，從此可以做一個新人！我也躍躍欲試，只是，我沒有旅費，也沒有保證金，但是，像靈機一閃般，我看到了手上的戒指……咳，』她輕喟了一聲，望着柏霈文。『三克拉的鑽戒！這鑽戒竟幫我渡過了海，直飛另一個世界！所以，當你們在舞廳裏一家家找尋我的時候，我已經在美國的大學裏唸教育系了。』

柏霈文坐正了身子，一種感動的神色使他的臉孔發亮，他的聲音低沉而溫柔：

『老天有它的安排，一切都是公平的。』他嘆息。『妳開始過另一份生活，而我呢，却被陷進了黑暗的地獄，這是報應，不是嗎？』

方絲縈不語，她細小的牙齒輕咬着嘴唇，眼光深深的、研究的停在柏霈文的臉上。高立德熄滅了手裏的煙蒂，望着方絲縈，他眩惑的問：

『後來呢？什麼因素使妳回國的？』

『我讀完了大學，又進了研究院，專攻兒童教育，拿到碩士學位以後，我到西部一個小城市裏去教書，那兒只有我一個中國人，我一教就是五年，這樣，前後我在美國待了十年了，使我耿耿難於忘懷的，是亭亭。每當我看着那些孩子們，我就會聯想起亭亭，不住的揣測她有多高了，她長得如何，她的生活怎樣，這種想念隨着時間，有增無減。而且，這時，一個名叫亞力的美國人，正用全力追求着我，最後，我終於答應了亞力的求婚。』

柏霈文震動了一下，他的面容顯得有些蒼白，呼吸有些急促。

『自從到美國後，我就將中文名字改成了方絲縈，我恨章含煙那名字，而且，章不是我的本姓，那是我養父的姓，他早就終止我的收養了，我改回了本姓，換名為絲縈。事實上，在美國，我都用英文名字。和亞力訂婚後，我對亭亭的思念更切了，於是，我決心回國一趟。

『剛好，那時我有三個星期的休假，我告訴亞力，我必須回台灣看看，在我的心意，我只要想辦法看一眼亭亭，看一眼就夠了，假若她過得很好，我也就可以安安心心的嫁給亞力了。亞力對於我這一段過去是一點也不知道的，他只認為我是思鄉病發了，他也同意我回國走一趟，我們約好，等我回美國後就結婚，於是，五月，我回到了台灣。

『這就是那個五月的下午，我怎會走到含煙山莊的廢墟裏去的原因，那時，我根本不知道山莊已成為了廢墟，更不知道霈文失明的事，我只想徘徊在山莊附近，找機會窺視一下亭亭。我到了那兒，竟碰到了霈文，同時，發現你失明了。倉卒間，我隱匿了自己的眞面目，我相信，經過了這麼一段漫長的時間，我又在國外住了這麼多年，你不可能再認出我的聲音了。』

『妳錯了，』柏霈文到這時才開口。『雖然妳的聲音確實變了很多，妳希望我完全認不出來仍然是不可能的事。只是，當時我已認定含煙是死了，所以，我只怔了一下，而妳又說得那麼不可能是含煙，我就更認為是自己的幻覺。』

『好吧，不管怎樣，我那天竟見到亭亭了！』方絲縈繼續說着：『你們不能想像我的震動，在看到那孩子的第一眼，我就完全崩潰了！所有母性的、最強烈的那份感情都回復到我的胸中和我的血管裏！她那樣瘦小，那樣稚弱，那樣美麗，又那樣楚楚可憐！我再也控制不住自己，我看到的是一個失去了母親，又缺乏着照顧的孩子！在那一刹那間，我就決定了，我要留下來，我要留在我孩子的身邊，照顧她，保護她！

『接着幾天之內，我打聽了許多有關你家裏的事情，我知道你家的舊傭人都已不在，甚至連工廠中都換了新人，我知道立德也已離開，我再也不怕這附近會有人認出我來，因爲以前的含煙，也是終日關在家裏，鎮上沒有人認識的。所以，我大膽的留下來，並謀得了正心的教員位置。但，爲了怕有人見過我的照片，我仍然變換了服裝和打扮，戴上了一副眼鏡。』

『其實，這是無用的，』高立德接口說：『服裝打扮和時間都改變不了妳，妳依然漂亮，只是，妳顯得堅定了，成熟了，有魄力了！』

『事實上，你要知道，我已不再是含煙了！』方絲縈說，定定的注視着高立德。『那個含煙早就淹死了！也因爲有這份自信，所以我敢於走進柏家的大門，來當亭亭的家庭教師！』

『可是，妳第一晚來這兒吃飯，我就有了那種感覺，』柏霈文說，他又顯得興奮了。『我覺得妳像含煙，强烈的感覺到含煙回來了，所以，我才會那樣迫切的爭取妳！又佈置下那間和當初一模一樣的房間，來刺探妳！自從含煙山莊燒毀後，我再也不種植玫瑰花，我怕聞那股花香，它使我黯然神傷，但是，爲了妳，我却吩咐他們準備一瓶黃玫瑰。妳瞧，我並不是茫然無知的！但是，妳逃避得太快了！每次我要刺探妳的時候，妳就遠遠的逃開！哎，含煙，妳讓我在暗中摸索了這麼久！』

『你早就懷疑了？』

『是的！我一日比一日加深我的懷疑，我開始想，含煙不一定是死了！我們始終沒有撈着屍體，憑那一點斷定她是死了呢？於是，我的信心越來越強了，再加上老尤又說……』

『老尤？』她怔了怔。

『是的，老尤！妳不認得他，他却在十年前見過妳，他原是給工廠開運輸茶葉的卡車司機，妳在工廠的時候，他見到過妳。但是，到底是十多年了，他也無法斷定了，但是，據他的許多敍述和描寫，使我更加相信妳是含煙，所以……』

『哦，原來老尤是你的密探！』方絲縈恍然的說：『怪不得他總是用那樣怪怪的眼光看我！』

『妳不要責怪他，』柏霈文說：『他對妳非常恭敬的！他認爲妳是個最完美的女性！事實上，妳一走進柏家，就已經成女主人了，亞珠也崇拜妳！』

『女主人！』方絲縈冷笑了一聲：『我可不稀罕！』

『我知道，』柏霈文急切的說，那層焦灼的神情又來到他的臉上。『不是妳稀罕，是我稀罕！』

『是嗎？』她冷冷的說：『這是人類的通病，失去的往往是最好的，得到了也就不知珍惜了！』

『再試一次，好嗎？』他迫切的問。

『我說過了，不！』她注視着他，忽然又想起一件事來。『再告訴我一件事，那晚在含煙山莊的廢墟裏，你知不知道你抓住的是我？』

『哦！』他有些困惑，有些迷惘。『我不能斷定，但是，我希望是妳，也希望妳就是含煙！』

『你用了一點詭計，我想。什麼時候，你才能斷定我是含煙了？』

『當我從昏迷中醒來，發現妳睡在躺椅上，而老尤又告訴我，妳昨晚回來時，曾掉落了一朵玫瑰花，含煙山莊的玫瑰花！那時，我就知道了，所有的前後情形都連鎖了起來，我知道，方絲縈就是章含煙！』

『那麼，你還要叫立德來做什麼？』

『防止妳逃避！妳會逃避的，我知道！而且，我也還不能百分之百的斷定！』

『好了，現在，你拆穿了我。』方絲縈用一種堅定的、冷淡的語氣說：『我在住到這兒的第一天，就下過一個決心，我不被認出來就罷了，如果有一天被認出來了，那就是我離開的一天！』

『含煙！』柏霈文的臉色又蒼白了。『我說過，我不敢祈求妳原諒，但是，妳看在亭亭的面子上吧！』

『亭亭？』她站了起來，走到窗口。『你就會抬出亭亭來做武器！』她的聲音裏充滿了怨憤。『你不愛護她，你不憐惜她，逼得我不得不留在這兒，現在，你又想用她來做武器拴住我！』

『不是的，含煙！』

『我不是含煙！』

『好的，絲縈，』他改口說：『我是愛那孩子的，但是，她更需要母親呵！』

方絲縈閉上了眼睛，她又覺得暈眩，柏霈文這句話擊中了她的要害，攻入了她最軟弱的一環！亭亭！亭亭！亭亭！她怎忍心離去？怎忍心拋開那可憐的孩子？她的嘴裏說得再强硬，她心中却多麼軟弱！事實上，她願用全世界來換取和那孩子在一塊兒的權利！她不能容忍和那孩子分離，她根本不能容忍！用手扶住了落地窗的框子，她把額頭倚在手背上，她閉着眼睛，滿心絞痛，痛得額上冷汗涔涔。她將怎樣？她到底將要怎樣？

一隻手輕輕的搭在她的肩上，她一驚，回過頭來，是高立德。他用一對好溫和、又好瞭解的眸子瞧着她，低低的說：

『留下吧！含煙！隨便妳提出什麼條件，我想霈文都會答應妳的。主要的是，妳們母女別再分開了！』

『是的，』霈文急急的接口，他也走到窗前來，滿臉焦灼的祈求。『只要妳留下，隨便妳提什麼條件都可以！』

『眞的嗎？』她沉吟着。

『是的！』柏霈文堅決的說。

『你不會反悔？你不會破壞約定？』

『不會！妳提出來吧！』

『那麼，第一點，我是方絲縈，不是含煙，你不許叫我含煙！我仍然是亭亭的家庭敎師！』

『可以！』

『第二點，你永不可以侵犯我！也不許示愛！』

『含煙……』他喊着。

『怎樣？做不到嗎？』她抬高了聲音。

『不不！』他立即說，咬了咬牙。『好！我答應妳，再有呢？』

『關於我是含煙這一點，只是我們三人間的秘密，你絕不能再洩漏給任何人知道！我要一切維持現狀！』

『可以！』

『還有，』含煙咬了咬嘴唇。

『怎樣？』柏霈文追問。

『你必須和愛琳和好！』

『什麼？』他大吃了一驚。

『你必須和愛琳和好！』方絲縈重複了一句。『她是你的妻子，只要你心裏沒有含煙的鬼魂，你們可以相處得很好！事實上，她是很愛你的！』

『妳這是强人所難！』他抗聲說：『這太過分了！含煙！』

『瞧！馬上就犯忌了！』

『哦，絲縈，』他改口，焦灼而煩躁的。『除去這最後一項，其他我都可以答應妳！』

『不能除去！你要爲跟她和好而努力，我會看着你，否則，我隨時離去！』

『絲縈，求妳……』

『不行！』她斬釘截鐵的。

『哦！』他猶豫的說，額上有着汗珠，終於，他橫了橫心，一甩頭說：『好吧！我就答應妳！』

方絲縈輕呼出一口氣來，忽然覺得好疲倦好疲倦。屋內沉靜了下去，這晚的談話，是如此的冗長！她虛弱的看向窗外，遠遠的天邊，已經冒出了黎明時的第一線曙光。

24

早上，雖然帶着一夜無眠的疲倦，方絲縈仍然牽着亭亭的手，到學校去上課了。目送這母女二人的身影，消失在道路的盡頭，高立德和柏霈文站在柏宅的大門口，都佇立良久。然後，高立德嘆口氣說：

『眞是讓人不能相信的事！』

這是暮秋時節，陽光燦爛而明亮的照射着，柏霈文沐浴在陽光裏，帶着滿身心難言的溫暖和激情。一夜長久的談話並沒有使他疲倦，相反的，却讓他振奮和激動。感覺得到那份陽光的美好，他說：

『我們走走，如何？』

『好吧，』高立德點點頭。『我也想去看看你的茶園，我來的時候就注意到了，你讓野草全竄出來了。』

『我還有心情管那個！』柏霈文慨然而嘆。他們沿着道路向前走，高立德本能的注視着那些茶樹，不時跑進茶園裏去，摘下一片葉子來察看着。柏霈文却心神恍惚。走了一段，柏霈文站住了，說：『告訴我，她變了很多，是嗎？』

『你是說含煙？』高立德沉吟着。『是的，她是變了很多！完全出乎我意料！』他深思着。『她比以前成熟，堅定，而且，更迷人了。』

『是嗎？』柏霈文吸了口氣。『我猜也是這樣的！立德，你猜怎麼，我要重新開始，我要爭取她！不計一切的爭取她！』

『霈文，』高立德慢吞吞的說：『我勸你不要輕舉妄動！』

『你的意思是──』

『她不是以前的她了！如果你看得到她，你就會明白這一點！她再也不是個柔弱的、嬌怯的小女孩，她已經完完全全長成了！她是說得出做得到的。我想，你最好照她的意思做，否則，她會離開這兒！』

『可是──』霈文急急的說：『難道她一點也不顧慮以前的恩情？』

『恩情？』高立德笑了笑。『霈文，以前是你對不起她，她對你的懷恨可能遠超過恩情！何況，十年是一段漫長的時間，她仍然小姑獨處，而你反而另結新歡！你希望她記住什麼恩情呢？』

柏霈文怔住了，一層失望的、茫然的神色浮上了他的眉梢，他呆立在那兒，好半天默然不語。半晌，他才喃喃的重複了一句：

『是的，我希望她記住什麼恩情呢？』

『不過，你也別灰心，』高立德又不自禁的把手按在他的肩上。『人生的事情很難講，誰也不能預料以後的發展，你瞧，我們一直以為含煙死了，誰會料到十年之後，她會忽然出現，而且，搖身一變，她已學成歸國，不再是那個可憐兮兮的小女工，不再是那不知何去何從的、被虐待的小媳婦。她獨立了，站得比我們誰都穩！我告訴你，霈文，那是一個奇異的女人！你眞不該失去她！為了十年前的事，我到現在還想揍你一頓呢！』

『揍吧！』柏霈文苦笑了一下。『我保證絕不還手！我是該挨一頓揍的！』

『不，我不揍你。』高立德笑了。『你已經揍了你自己十年了，我何忍再加上一拳？』他在他肩上用力拍了一下。『可是，現在夠了，霈文，停止虐待你自己吧！你也該振作起來了。』

『你放心，』柏霈文挺了挺肩膀。『我是要振作起來了。你說含煙變了，但是，我要得回她！我告訴你吧，我一定要得回她！你想我辦得到嗎？』

『你去試着辦吧！不過，小心一些！她現在是一枝帶刺的玫瑰了，弄得不好，你會被扎得遍體鱗傷！』

『我不怕遍體鱗傷！』柏霈文咬緊了牙，他的臉上恢復了信心與光彩。『我相信一句話：工夫用得深，鐵杵磨成針！我非達目的不可！』

『我預祝你成功！』高立德感染了他那份興奮和信心。『我希望能看到你重建含煙山莊！』

『重建含煙山莊！』柏霈文叫了起來，他的臉孔發亮。『你提醒了我！是的，我要重建含煙山莊！要恢復那個大的玫瑰園！她仍然愛着玫瑰花，你知道嗎？哦，』他忽然想了起來。『立德，你的農場怎樣？你來了，就忙着弄清楚含煙的事，我都忘了問問你。還有你太太和孩子們，都好嗎？』

『是的，他們都好，』高立德說，他已經在六年前結了婚。『南部太陽大，兩個孩子都晒得像小黑炭一樣。至於農場嘛——』他沉吟了一下。『慘澹經營而已。我不該弄那些乳牛，台灣的牛奶實在不好發展。可能，我要把牛賣掉。』

『我說——』霈文小心的，慢慢的說：『把整個農場賣掉，如何？』

『怎麼？』高立德盯着他。『我不懂你的意思！』

『你瞧，我的茶園已經弄得一場糊塗了，現在已是該收秋茶的時候，我也沒精力去處理，而野草呢，你說的，已經到處都是。去年我所收的茶青，只有你在的時候的一半。所以——我說，回來吧，立德。像以往一樣，算你的股份，我們等於合夥。怎樣？能考慮嗎？』

高立德微笑着，注視着那一片片的茶園，他確實有種心痛的感覺，野草滋生着，茶葉已經長老了，却還沒有採摘，而且，顯然很久都沒有施肥了，那些茶樹已露出營養不良的痕跡。這茶園！這茶園曾耗費過他多少的心血！他沉思着，許久沒有說話。

『怎樣呢？』柏霈文追問着。

『哦，你不瞭解我的情緒，』高立德終於說。『我很願意回到你這兒來。但是，我那農場雖小，到底是我自己的一番事業，而這茶園……』

『我懂了。』柏霈文打斷了他。『你認爲是在幫別人做，不是你自己的事業！你錯了，立德。我是來請求你跟我合作，既然是合作，這也是你的事業。而且，茶葉都認得你，不認得我，它們都聽你的話，立德，你是它們的主人！』

高立德笑笑。

『說得好！霈文，你打動了我。』他說：『但是，我現在的情況和以前不同，以前我是單身漢，現在我有一個家，一切總有個牽掣。所以，你讓我考慮考慮吧！』

『我告訴你，立德，』霈文興奮的說：『我要重建含煙山莊，然後，我要搬回到山莊裏去住，至於現在我住的這棟房子，就剛好給你和你的家人一起住！你瞧，這不是非常圓滿嗎？』

『你要住回含煙山莊？和愛琳一起？』高立德懷疑的問。

『不！我要和愛琳離婚，我的元配並沒有死亡，那婚姻原就無效！』

『別忘了你答應含煙的話！』

『那是不得已！』

『她會要你兌現的！她是個堅決的小婦人！』

『我會努力，』柏霈文說：『我要重建我的家：丈夫、妻子，和他們的女兒，該團聚了！這原是個幸福的家庭啊！』

『好吧！我看你的！』高立德說：『我可以跟你約定，那一天，你眞說服了含煙，解決了你跟愛琳的婚姻，重建了含煙山莊！那麼，我就那一天回來，再來重整這個茶園！』

『眞的嗎？』

『眞的！』

『那麼，我們一言爲定！到時候，你必定回來，不再用各種理由來搪塞我！』

『是的！不過，你還有一段艱苦的路程呢！』

『那是我的問題！』柏霈文說，伸出手來。『我們握手爲定吧！不許反悔！』

於是，兩個男人的手緊緊的握在一起了，一層新的友誼和信念，也在這緊握的手中滋生了。高立德驚奇的看着霈文，他看到了一張明亮而果決的臉，看到了一個勇敢的、堅定的、新的生命。他是那樣迷惑——這完全是一個死而復甦的靈魂呵！

黃昏的時候，方絲縈牽着亭亭的手走出學校，才出校門，就一眼看到柏霈文和高立德都站在校門旁邊。亭亭立刻拋開了方絲縈的手，撲奔過去，叫着說：

『爸爸！爸爸！高叔叔！高叔叔！』

柏霈文抓住了亭亭的小手，用手攬着她那小小的肩，他微笑着，笑得好溫柔，充滿了寵愛和喜悅。他撫摸了一下她的頭髮，說：

『今天在學校裏乖嗎？有沒有被老師罵？』

『沒有！訓導主任還誇我好呢！』

『眞的？』

『不信你問方老師！』

方絲縈站在一邊，她正用一種訝異的神情注視着柏霈文。他變了！她立刻發現了這一點，他渾身都充滿了一份熱烈的溫情，他的臉孔明亮，他的聲音和煦，他恢復成了一個『人』，一個活生生的、有血有肉有骨頭的人！她瞪視着他，而亭亭已經跑了過來，搖着她的手，那孩子用一種愛嬌的聲音，甜甜的說：

『妳告訴爸爸！方老師！妳告訴爸爸！』

『是嗎？』柏霈文的臉轉向了方絲縈這邊。『她說得對嗎？』他的聲音好溫柔好溫柔，他的臉上綻放着一片柔和的光彩。

『是的，她說得對。』方絲縈慢吞吞的說，她的神志好恍惚。

『你看！是吧？我沒撒謊！』亭亭得意的轉向了她的父親。接着，她又轉向了高立德：『高叔叔，你要在我家住幾天？』

『我明天就要走！』

『那麼快？怎麼不多住幾天呢？』

『妳要高叔叔下次把兩個弟弟帶來陪妳玩！』柏霈文說。

方絲縈驚奇的看着高立德。

『你結了婚？』她問。

『六年了。有兩個小孩，全是男的。』

『一定很可愛。』

『很淘氣。』他說，拉起亭亭的手。『來！亭亭，我們來賽跑，看誰先跑到家門口，怎樣？』

『好！你先讓我十秒鐘！』亭亭說。

『行！』

亭亭拔起腿就跑了起來，一對小辮子在腦後一拋一拋的，兩個大蝴蝶結的緞帶飛舞著。小裙子也鼓滿了風，像一把張開的小傘。高立德回頭對方絲縈說：

『妳有個好女兒。含煙，好好教育她呵！』

說完，他也像個大孩子一樣，撒開腿向前追去了。

這兒，方絲縈和柏霈文被留在後面了。方絲縈看着高立德和亭亭的背影，不能不覺得高立德是故意要把他們拋下來的。她看了看身邊的柏霈文，無奈的說：

『我們走吧！柏先生！』

『柏先生？』他說：『一定要這樣稱呼嗎？最起碼，妳可以叫我一聲霈文呵！』

『不行，我們約定好了的，一定要維持現狀，我不能讓下人們疑心。』

他輕嘆了一聲。兩人沉默的向前走去，好一會兒，他說：

『妳今天一定很累，昨晚，妳根本一夜都沒睡過。』

『還好！』她淡淡的說。

『我想要把含煙山莊重建起來，妳覺得怎樣？我想，妳會高興再有一個大的玫瑰園。』

『我不在乎什麼玫瑰園！』她不太高興的說。『至於要不要重建含煙山莊，那是你的事，我管不着！』

他被刺傷了，忍耐的，他又輕嘆了一聲。

『我猜，我讓妳很討厭，是吧？』他說：『妳那個在美國的朋友，那個亞力，他很漂亮嗎？』

『是的，他很漂亮。』

『妳沒有按時間回去，他怎樣了？』

『他會等的！』她故意的說，事實上，亞力在大罵了她一頓之後，就閃電和另一個美國女孩訂婚了。她並不惋惜，她認爲自己的選擇沒有錯誤。

『哦，』柏霈文像挨了一下悶棍。『那麼，妳還準備回美國去嗎？』

『遲早總要去的！』

『哦，可是，昨晚妳答應過留下了？』

『那並不是一輩子呵！我只說目前不離開而已。』

他咬咬牙，額上有一根青筋在跳動着。

『我覺得——』他悶悶的說：『妳變得很多，妳變殘忍了。』

『殘忍？』她冷哼了一聲。『那是學來的！』

『也變得無情了！』

『有情的人是傻瓜！』

『哦！』他微喟着，不由自主的，再發出了一聲嘆息。談話變得很難繼續下去了。他不再說話，只是默默的行走，她也沉默的走在一邊。他臉上，剛才在學校門口的那份喜悅和陽光都消失了，取而代之的，是一層重而厚的陰霾。他的脚步不經心的往前邁着，手杖也隨意的拖在身邊，他的心思顯然是迷茫而抑鬱的。因此，他直往路邊的一根電線桿走去，眼看就要撞到電桿上去，方絲縈出於本能的衝過去，一把拉住了他，喊：

『小心！』

就這樣一拉，他迅速的收住步子，方絲縈正衝上前，兩人竟撞了一個滿懷。他扶住了她，於是，他的手捉住了她的，他不肯放開了，緊緊的握住這隻柔若無骨的小手，他喃喃的激動的喊：

『含煙！』

她怔了幾秒鐘，然後，她就用力的抽出了自己的手來，憤怒的說：

『好！離開你的許諾不過幾小時，你就這樣不守信用！我看，這兒是絕對待不下去了！』

『哦，含煙，不，絲縈！』他急急的說：『原諒這一次，我不過是一時忘情而已。』

方絲縈正要再說什麼，亭亭喘着氣對他們跑了過來，一面跑，一面笑，一面喘，一面說：

『爸爸！方老師！你們猜怎樣？我跑贏了！不過，』她站住，做了個好可愛的鬼臉，壓低聲音說：『不過，高叔叔是故意讓我贏的！我看得出來！』她拉住了方絲縈的手，立即，她有些吃驚的看看方絲縈，又看看柏霈文，用很担憂的聲音說：『你們在生氣嗎？你們吵架了嗎？是嗎？爸爸?方老師?』

『妳方老師在生我的氣,』柏霈文抓住了機會,開始利用起亭亭來了。『她說要離開我們呢!』

『眞的嗎?方老師?』亭亭眞的受了驚嚇,她用那對坦白而天眞的眸子,驚慌的看着方絲縈,用自己的兩隻手緊抱住她的手。『爸爸惹妳生氣,我又沒有惹妳生氣呀?方老師!』她怪委屈的說。

『是呀!亭亭又沒惹妳生氣!』柏霈文接口說。

方絲縈狠狠的瞪了柏霈文一眼,不過,柏霈文是看不見的。方絲縈心中有着一肚子的火,但是,在亭亭面前,她却無法發作。看着亭亭那張憂愁的小臉,她只得故作輕快的說:

『誰生氣了?根本沒人生氣呀!』

『是嗎?眞的?』亭亭歡呼起來了。然後,她嘻笑着,一隻手拉住柏霈文,一隻手拉住方絲縈,她竟俯頭在每人的手上吻了一下,用軟軟的、眞摯的、天眞的童音說:『好爸爸!好方老師!你們不要吵架,不要生氣吧!我唱歌給你們聽!』

於是,她一隻手牽着一個人,小小的身子夾在兩個大人的中間,她跳跳蹦蹦的走着,一面走,一面唱:

『我有一隻小毛驢,
我從來也不騎,

有一天我心血來潮，
騎着去趕集，
我手裏拿着小皮鞭，
心裏眞得意，
不知怎麼嘩啦啦啦，
摔了一身泥！』

方絲縈的眼眶潮濕了，緊握着那隻小手，她覺得心中好酸楚好酸楚。亭亭那孩子氣的、喜悅的歌聲震撼了她，這不再是她第一次在正心門口所看到的那個憂憂鬱鬱的小女孩了。這孩子，這讓她牽腸掛肚的小女兒，她怎忍心離開她？

柏霈文同樣被這歌聲所震動，他的眼眶也潮濕了，孩子走在中間，唱着歌，他和含煙走在兩旁，漫步在黃昏的小徑上。這是多年以來，夢寐所求的場面呵！如今，竟會如願以償了，但是，這局面能維持多久？能維持多久？他是否能留得住含煙那顆已冷了的心？

他們往前走着，亭亭仍然不住口的唱着歌。方絲縈和柏霈文都沉默着，他們的臉色是感動的，眼眶是潮濕的。高立德站在門口等着他們，看到這樣一幅圖畫，他的眼眶不由自主的也潮濕了。

這天晚上，柏霈文吩咐，很早就吃了晚飯，他堅持亭亭今晚不必再補功課了，因爲，方老師很累了。確實，一夜無眠，又上了一天課，再加上這麼多感情上的衝擊、壓力、困擾……她是眞的倦了，非常非常的疲倦了。她很早很早就回到了臥房，她想睡了。或者，在一次充足的睡眠之後，她可以再好好的想一想。

一進房，是撲鼻而來的玫瑰花香，床頭櫃上，又換了新鮮的玫瑰花了。方絲縈不禁輕嘆了一聲。換上了睡衣，刷過了頭髮，她神思迷惘的走到床前。不行，她今天是什麼都不能再想了，她必須要睡了。掀開被褥，她正要躺下去，却忽然吃了一驚，在那雪白的被單上，一枝長莖的紅玫瑰正靜靜的躺着，在玫瑰下面，壓着一張紙條。她拾起了玫瑰，取出那張紙條，上面，是一個盲人的、歪扭而凌亂的字跡：

『祝

好夢無數』

她頹然的放下了花，頹然的倒在枕上。滿被褥都是芬芳馥郁的玫瑰花香。她闔上眼睛，無法成眠，腦子裏充滿了零零亂亂的思緒，迷迷茫茫的感覺，和一份酸酸楚楚的柔情。她再睜開眼睛，那床頭櫃上的玫瑰花都對她燦爛的笑着。

25

第二天一早，高立德就回到南部去了。同日的黃昏，方絲縈帶着亭亭走進客廳時，發現愛琳回來了。

愛琳已經換上了家常的衣服，一件橘紅色的毛衣，和同色的裙子，仰靠在沙發中，她若有所思的注視着小几上的一瓶紅玫瑰。在飯廳的桌上，也有一大瓶，不知何時開始，這客廳中到處都是玫瑰花了。聽到她們進來，愛琳懶洋洋的抬起睫毛來，看了她們一眼，心不在焉的問：

『亭亭，妳爸爸到那裏去了？』

『他出去了嗎？我不知道，我在學校裏。』亭亭說，有些兒怯生生的，她一看到愛琳，就像小老鼠見到了貓似的。方絲縈才想起剛剛沒有看到老尤和車子，顯然柏霈文是出去了。

『他的病倒好了？』愛琳問，一面用一個小銼刀修着指甲。也不知道是在向誰問話。

『好了，早就好了。』方絲縈代亭亭回答了，注視着愛琳，出於禮貌的問：『您回來多久了？』

『下午到家的。』愛琳說，突然抬起眼睛來，深深的看了方絲縈一眼。『方小姐，坐下談談嗎？』

方絲縈坐了下去，一面把手裏的書本交給站在一邊的亭亭說：

『亭亭，把這些書放到我屋裏去。妳也把制服換下來吧，免得明天上課時又髒了。』

亭亭捧着書本走上樓去了。方絲縈掉回眼光來，才發現愛琳正用一對研究的、怪異的眼神，緊緊的盯着她。

『方小姐，』她慢吞吞的說：『妳似乎很喜歡孩子？』

『是的。』

『妳爲什麼不結婚？』

方絲縈怔了怔，接着就苦笑了一下。她看着愛琳，不知她今天是怎麼回事，找她談話！這是很反常的！她總不會一回家就發現了什麼端倪吧？那是不可能的。何況她還沒有見着霈文。

『每個人有不同的遭遇，妳知道。』她廻避的說。

『戀愛過嗎？』愛琳追着問。

『是的。』她有些不安。

『怎樣呢？有段傷心的往事，我想。』

『哦！』她無力的應了一聲，看着愛琳，她想採取主動了。『不是每個人都有您這樣的運氣，柏太太。有個幸福的家庭是不容易的。』

『哼！』她冷笑了一聲，漂亮的大眼睛冷冷的盯着她。『妳在諷刺嗎？妳也看到了！幸福家庭，可眞夠幸福、夠溫暖的！』

『只要妳願意讓它幸福……』她低低的說。

『妳說什麼？』愛琳捉住了她的語音。『妳的意思是——』

『柏太太！』她俯向她，這幾句話倒是非常誠懇的。『妳可以改變一切的，只要妳願意！那父親和那孩子，都很需要妳呢！』

『妳怎麼知道？』愛琳挑高了眉梢，她那美麗的大眼睛裏有着火焰，憤怒的、仇恨的火焰。『妳根本不知道！妳什麼都不知道！他們都不需要我，他們需要的，只是一個鬼魂！章含煙的鬼魂！』

方絲縈情不自已的打了個冷戰。

『我從沒聽說過，人會戰勝不了鬼魂的！』她軟弱的、勉強的說。

『那麼，妳現在就聽說過了！』愛琳說，看着她。然後，她忽然轉變了話題。『好吧！告訴我吧！我離開的這幾天家裏發生了什麼事？』

『怎麼？』她一驚。『沒什麼呀，只有——只有亭亭喊高叔叔的那個客人來住過兩天。』

『這個我知道了。亞珠已經說了。他來幹嘛？』

『不——不知道。』

『這些花呢？』愛琳指着那瓶玫瑰：『是爲什麼？』

『哦？』方絲縈瞪着她。

『妳不懂嗎？柏家客廳裏從沒有玫瑰花！這是他的法律！現在，這些花是為了什麼？』

『我——對不起，我不知道。』

『妳不知道嗎？』她緊緊的望着她。『可是，妳的房裏也在開玫瑰花展呢！』

那麼，她到過她的房裏了！方絲縈迎視着愛琳的目光，這女人並不糊塗呵！她的感覺也是敏銳的。反應也是迅速的。她咬咬嘴唇，輕聲的說：

『柏太太，柏先生並沒有給我法律，說我房裏不能有玫瑰花呵！』

愛琳斜睨着她，好半天沒有說話，方絲縈開始感到那份劍拔弩張的氣氛在她們之間醞釀。她不喜歡這樣，她並不願和愛琳樹敵，無論如何，在這家庭裏，她只是個僱用的家庭教師，而愛琳却是女主人呵！

『當然，他沒有給妳法律，』愛琳慢吞吞的開了口：『就是這個，才讓人奇怪呢！』

方絲縈站起身來，很快的，她說：

『呵，柏太太，假若這些玫瑰花使妳不高興，我把它拿去丟了吧！』

『哦，不不，』愛琳立即阻止了她。『想必這些玫瑰花會使有些人高興的，要不然他不會叫亞珠跑那麼遠的路去買！噢，方小姐，請坐下好嗎？』

方絲縈無奈的坐了回去，她看着愛琳，不知她到底想要怎樣？愛琳靠在沙發裏，又開始修起她的指甲來了。好長一段時間，她就那樣修着、剪着、銼着，根本連頭都不抬一下，似乎根本不知道方絲縈的存在。這種漠視，這種傲氣，這種頤指氣使的主人態度，使方絲縈受傷了。她深深的注視她，靜靜的問：

『柏太太，妳要我留下來，有什麼事嗎？』

愛琳伸開了自己的手指，打量着那些修好了的指甲，然後，她突然掉過頭來問：

『會擦指甲油嗎？』

『哦？』方絲縈愕然的。

『我問妳，會不會塗指甲油？妳可以幫我塗一下。』

方絲縈瞪視着她，於是，在這一剎那間，她明白了。愛琳要她留下來，沒有別的，只是要屈侮她，要挫折她，她要找一個發洩的對象，去發洩她那一肚子的怨氣。而她呢？成爲了愛琳最好的發洩者。

『哦，對不起，』她說：『我不會。』

『不會？』她挑了挑眉毛。『那妳會做什麼？會侍候瞎子，我想。』

方絲縈驚跳起來，她按捺不住了。張大了眼睛，她盯着愛琳，用壓抑的、憤怒的語氣問：

『妳是什麼意思？柏太太？』

『哈哈！』她冷笑了。『別那樣緊張，沒有作賊，就不必心虛呵！』她也站起身來了，把指甲刀扔在桌上，她走到窗邊，看着外面。窗外有汽車喇叭聲，柏霈文回來了。

方絲縈仍然呆立在客廳裏，她的心情又陷進了一份混亂的迷惘之中，在迷惘之餘，還有種委屈的、受傷的、矛盾的，和痛楚的感覺。噢，這一切弄得多麼複雜，多麼尷尬？她如何繼續留下去？以後又會怎樣發展？在愛琳的盛氣凌人下，她能待多久？難道十年前受的委屈還不夠？現在還要來受愛琳的氣？

她慢慢的轉過身子，向樓梯的方向走去。她的脚步好滯重，好無力。才走到了樓梯口，她就聽到身後一聲門響，和柏霈文那興奮的呼叫聲：

『絲縈！妳在嗎？』

方絲縈站住了，回過頭來，她看到柏霈文站在客廳門口，手中高舉着一個大紙卷，臉上遍佈着高興的、喜悅的光彩。她來不及開口，窗前的愛琳就發出了一聲輕哼。聽到這聲輕哼，柏霈文臉上的喜悅消失了，他高舉的手乏力的垂了下來，把臉轉向了窗子，他猶豫的說：

『愛琳，是妳？』

『是的，是我，』愛琳冷冰冰的說，看了站在樓梯口的方絲縈一眼。『不過，你要找的絲縈也在這兒！』

方絲縈低低的、無奈的嘆息。這種氣氛之下，她還是走開的好。回過身子，她向樓上走去。

可是，立即，愛琳厲聲的喝住了她：

『站住，方小姐！』

她愕然的站住，回過頭來，愛琳那對火似的眸子，正銳利的盯着她。

『妳沒聽到妳的主人在叫妳嗎？妳怎麼可以自顧自的往樓上走？下來！』

方絲縈的背脊挺直，肌肉僵硬。站在那兒，扶着樓梯的扶手，她居高臨下的看着客廳裏的一切。柏霈文的臉色蒼白了，他的聲音急促而沙啞：

『愛琳，妳這是做什麼？方小姐有自由做她要做的事，她高興上樓就上樓，高興下樓就下樓！』

『是嚒？』愛琳用鼻音說：『她在這家裏是女王嗎？我偏要叫她下來！我看，慢慢的，她快要騎到我的頭上去了呢！下來，聽到了嗎？方小姐！』

方絲縈面臨了一項考驗，下樓，是將自尊和情感都一脚踩碎。上樓，是對這個家庭和亭亭告別。她呆立在那兒，一動也不動。而柏霈文却先她發作了，他走向了愛琳，大聲而憤怒的吼叫着說：

『妳沒資格對方小姐下命令！愛琳！她也無須乎聽從妳！如果妳自愛一點兒，就少開尊口！』

愛琳的身子挺直了，她的眉毛挑得好高好高，眼睛瞪得好大好大，怒火燃燒在她的臉上和眼睛裏，她逼近了霈文，胸口劇烈的起伏着。喘着氣，她用低沉的、殘酷的、仇恨的聲音說：

『柏霈文！你這個混蛋！你這個瞎子！你不必包庇那個女人，我知道，你的眼睛雖瞎，你的壞心眼可不瞎！今天，我要叫她走！我告訴你，我到底還是這家裏的女主人！』她掉頭對着方絲縈：『聽到了嗎？收拾妳的東西，馬上離開柏家！』

『絲縈！』柏霈文急促的喊：『不要聽她的！不要聽她的！妳不是她請來的……』

『走！聽到了嗎？』愛琳也喊着：『如果妳還有一點兒志氣，一點兒自尊，就別這樣賴在別人的家裏！聽到了嗎？走！馬上走！』

方絲縈緊緊的咬住了牙，胸口像燃燒着一盆火，又像有數不清的浪潮在那兒翻騰洶湧，她的視線變成了一片模糊，她聽到愛琳和霈文仍然在那兒吼叫，但她已經完全聽不清楚他們在吼叫些什麼了。轉過身子，她開始機械化的、無力的、沉重的向樓上走去。聽到她上樓的脚步聲，柏霈文不顧一切的追了過來，力竭聲嘶的、又急又痛的喊着：

『絲縈！妳絕不能走！聽我的！妳絕不能走！』

他衝得那麼急，在他前面，有張椅子攔着路，他直衝了過去，連人帶椅子都傾跌在地下，發出一陣嘩啦啦的巨響。他摸索着站了起來，這一下顯然摔得很重，好一會兒，他扶着樓梯的欄杆，不能移動。然後，他仰頭向着樓梯，用那麼焦灼而擔憂的聲音，試探的喊：

『絲縈？』

方絲縈嚥下了哽在喉嚨口的硬塊。一甩頭，她毅然的撇開了柏霈文，自顧自的走上了樓。到了樓上，她才吃驚的看到亭亭正坐在樓梯最高的一級上，兩手抓着樓梯的欄杆，張大了眼睛注視着樓下的一切。她的小臉已嚇得雪白，瘦小的身子在那兒不停的顫抖着。看到了方絲縈，她伸出了她的小手來，求助似的拉着方絲縈，兩行淚水滑下了她的小臉，她啜泣着輕聲叫：

『方老師！』

方絲縈拉住了她，把她帶進了自己的屋裏。關上了房門，她坐在椅子中，把那顆小小的腦袋緊緊的攬在自己的懷裏。她撫摸她的面頰，撫摸她的頭髮，撫摸她那瘦瘦的小手。然後，她把自己的臉埋進了那孩子胸前的衣服裏，開始沉痛的、心碎的啜泣起來。

那孩子吃驚了，害怕了，她抱着她的身子，搖着她，嘴裏不住的低呼着：

『方老師！方老師！方老師！』

然後，那小小的身子溜了下去，溜到地毯上，她跪在方絲縈的面前了，把兩隻手放在方絲縈的膝上，她仰着那遍是淚痕的小臉，看看方絲縈，低聲的、哀求的說：

『妳不走吧？方老師？求妳不要走吧！求求妳！求求妳！方老師？』

透過了淚霧，方絲縈望着孩子那張清清秀秀的臉龐，她的心臟收緊，收緊，收緊成了一團。她輕輕的拂開亭亭額前的短髮，無限憐惜的抹去了亭亭頰上的淚痕，再把那孩子的頭溫柔的壓在自己的膝上。噢！她的孩子！她的女兒！她的『家』！現在，她將何去何從？何去何從？就這樣，她用手抱着亭亭，坐在那兒，許久許久，一動也不動。

樓下，柏霈文和愛琳的爭執之聲，仍然傳了過來，而且，顯然這爭吵是越來越激烈了。隨着爭吵的聲浪，是一些東西摔碎的聲響。那詬罵聲，那詛咒聲，那摔砸聲……造成了巨大的喧囂和雜亂。方絲縈沉默着，那蜷伏在她膝上的孩子也沉默着。最後，一切終於安靜了下來，接着，是汽車驚人的喇叭聲響，和車子飛馳出去的聲音。方絲縈和亭亭都明白，愛琳又駕着車子出去了。

方絲縈以爲柏霈文會走上樓來，會來敲她的門，但是，沒有。一切都很安靜，非常非常安靜，安靜得讓人吃驚，讓人心慌。到了吃晚飯的時候，方絲縈才帶着亭亭走下樓。她看到柏霈文沉坐在一張高背的沙發椅裏，蒼白着臉，大口大口的噴着煙霧。亞珠正輕悄的在收拾着地上的花瓶碎片。雜在那些碎片中的，是一地被蹂躪後的玫瑰花瓣。

餐桌上的空氣非常沉悶，三個人都默然不語，柏霈文的神情是深思而略帶窺伺性的。他似乎在防範着什麼，或者，他在等待着方絲縈的發作。可是，方絲縈很安靜，她不想再多說什麼，對霈文，即使再埋怨，再發脾氣，又有什麼用呢？亭亭帶着一臉的畏怯，瑟縮在兩個大人的沉默之下。於是，一餐飯就在那沉默而安靜的氣氛下結束了。飯後，方絲縈帶着亭亭走上樓去，在樓梯口，她的脚絆到了一樣東西，她彎腰拾了起來，是柏霈文帶回來要給她看的那個紙卷，她打開來，看到了一張畫得十分精緻的建築圖樣，上面用紅筆寫着：

『含煙山莊平面圖』

她知道柏霈文這一天忙了些什麼了。他無法再自己設計，只得求助於他人，想必，他和那建築師一定忙了整個下午。她不由自主的感到一陣痙攣般的痛楚，呵，這男人！呵，她曾夢想過的含煙山莊！她走到柏霈文的面前，把這紙卷放在柏霈文的膝上，她低聲說：

『你的建築圖，先生。』

柏霈文握住了那圖樣，一語不發。但他的臉仰向了她，帶着滿臉的期盼與等待，似乎在渴望着她表示一點什麼。她什麼都沒說。她也不敢說什麼，因爲她的喉嚨哽住了，任何一聲言語都會洩漏她心中的感情。她帶着亭亭繼續往樓上走去，但是，當她上樓前再對他投去一瞥，他那驟然浮上臉來的蕭索、落寞，和失意却震動了她，深深的、深深的震動了她。

整晚，她都在亭亭屋裏，教她作功課，陪伴着她。一直到亭亭上了床，她仍然坐在床邊，望着她那睡意朦朧的小臉。她為她整理着枕頭，拂開那滿臉的髮絲，同時，輕輕的、輕輕的，她為她唱着一支催眠歌：

『夜兒深深，人兒靜靜，
小鳥兒也停止了低吟，
萬籟俱寂，四野無聲，
小人兒啊快閉上眼睛，
風聲細細，夢魂輕輕，
願微笑在妳唇邊長存！
…………………』

那孩子張開眼睛來，朦朦朧朧的再看了方絲縈一眼，她打了個呵欠，口齒不清的說：

『老師，妳像我媽媽！』

閉上眼睛，她睡了。方絲縈彎下身子，輕吻着她的額，再唱出下面的兩句：

『睡吧睡吧，不要心驚，
守護着妳啊妳的母親！』

孩子睡着了。她給她掖好了四周的棉被，把洋娃娃放在她的臂彎裏。然後，她站在床邊，靜靜的望着她，淚水模糊了她的視線，那孩子的臉像浮在一層水霧裏，好久之後，她悄悄的退出了這房間，關上房門。於是，她發現柏霈文正靠在門邊上，在一動也不動的傾聽着她的動靜。她呆了呆，默默的看了看他，就垂下頭，想繞過他回到自己的屋裏去，可是，他準確的攔住了她。

『絲縈！』他輕聲叫：『說點兒什麼吧！為妳所受的委屈發脾氣吧！別這樣沉默着。好嗎？』

她不語，兩滴淚珠悄悄的滑下了她的面頰，跌落了下去。她輕輕的擺脫了他，向自己的門口走去，他沒有再攔阻她，只是那樣靠在那兒，帶着一臉的痛楚與求恕。她走進了自己的房間，回過頭來，低低的拋下了一句：

『再見！』

她不敢再看他，很快的，她把門關了起來。

26

午夜，方絲縈平躺在床上，瞪視着天花板，呆呆的發着楞。在她身邊的地毯上，她的箱子打開着，所有的衣物都已經整齊的收拾好了。她本來準備再一次的不告而別，可是，到了臨走前的一刹那，她又猶豫了。她是無法拎着箱子悄無聲息的離開的，而且，正心的課程必須繼續下去，她以前的宿舍又早已分配給了別人。她如果要走，只好先去住旅社，然後再租一間屋子住，每天照常去正心上課。但是，這樣，柏霈文會饒過她嗎？

『呵，這一切弄得多麼複雜，多麼混亂！』

她想着，眼睛已經瞪得乾而澀。這家庭，在經過愛琳這樣強烈的侮辱和驅逐之後，什麼地方還能容她立足？走，已經成了當急之務，她無法再顧慮亭亭，也無法再做更深一層的研究了。是的，她必須離去，必須在愛琳回來之前離去！否則，她所面臨的一定是一連串更深更重的屈辱！她不能猶豫了，她已經沒有選擇的餘地！女主人已經對妳下了逐客令了，妳只有走！

她站了起來，對着地上的那口箱子又發了一陣呆，最後，她長嘆了一聲。合起箱子，她把它放在屋角，管他什麼箱子呢？她盡可以把一切都安排好了之後，再來取這口箱子，即使不要它，也沒什麼關係，她不再是以前那個窮丫頭了，在她的銀行存摺上，她還有着足夠的金錢。她穿上了外套，拿起手提包，不由自主的，她看了看床頭櫃上的玫瑰花，依稀恍惚，又回到了十年前的那個晚上，那個凄苦的風雨之夜！這是第二次，她被這個家庭所放逐了！呵！柏霈文，柏霈文，她與這個名字是何等無緣！她的眼睛朦朧了。

忽然，她驚覺了過來，夜已深了，愛琳隨時可能回來，此時不走，還等到什麼時候？她拉了拉衣領，再嘆了口氣，打開房門，她對走廊裏看過去，四周靜悄悄的，整個柏宅都在沉睡着，柏霈文的房門關得很緊，顯然，他也已經進入夢鄉了。她悄悄的走了出來，輕輕的，輕輕的，像一隻無聲的小貓。她走下樓，客廳裏沒有燈光，暗沉沉的什麼都看不到。她不敢開燈，怕驚醒了下人們。摸索着，她向門口走去，她的腿碰到了桌脚，發出一聲輕響，她站住，側耳傾聽，還好，她並沒有驚醒誰。她繼續往前走，終於走到了門口，她伸出手來，找到了門柄，剛剛才扭動了門柄，一隻手突然從黑暗中伸了出來，一把抓住了她的手腕，她大驚，不自禁的發出一聲輕喊，然後，她覺得自己的身子被人抱住了，同時，聽到了霈文那低沉而暗啞的聲音：

『我知道妳一定又會這樣做！不告而別，是嗎？所以我坐在這兒等着妳，妳走不了！含煙，我不會再放過妳了！永遠不會！』

她掙扎着，想掙出他的懷抱，但他的手腕緊箍着她，他嘴裏的熱氣吹在她的臉上。

『這樣是沒用的，』她說，繼續掙扎着。『你放開我吧！如果我安心要走，你是怎樣也留不住的！』

『我知道，』他說：『所以，我要妳打消走的念頭！妳必須打消！』

『留在這兒聽你太太的辱罵？』她憤憤的問。『十年前我在你家受的屈辱還不夠多，十年後再回到你這兒來找補一些，是嗎？』

『妳不會再受任何委屈，任何侮辱，我保證。』

『你根本保證不了什麼。』她說：『你還是放開我吧，我一定要在你太太回來前離開這兒！』

『妳就是我太太！』

她停止了掙扎，站在那兒，她在黑暗中瞪視着他的臉，一層憤怒的情緒從她胸中昇了起來，迅速的在她血管中蔓延。許許多多積壓的委屈、寃枉、憤怒，都被他這句話所勾了起來，她瞪着他，狠狠的瞪着他，憋着氣，咬着牙，她一個字一個字的說：

『你還敢這樣說？你還敢？你給過我一些什麼？保護？憐惜？關懷？這十年來，你在做些什麼……』

『想妳！』他打斷了她。

『想我？』她抬高了眉毛。『愛琳就是你想我想出來的嗎？』

『那是媽的主意，那時我消沉得非常厲害，她以為另一個女人可以挽救我，自妳走後，媽一直對我十分歉疚，她做一切的事，想來挽回往日的過失，妳不知道，後來媽完全變了，變成了另一個人……』

『我不想聽！』她阻止了他。『我不想再聽你的任何事情，你最好放開我，我要走了！』

『不！』他的手更加重了力量。『什麼都可以，我就是不能放開妳！』

『你留不住我！你知道嗎？明天放學後，我可以根本不回來，你何苦留我這幾小時，讓我再受愛琳的侮辱？你如果還有一點人心，你就放手！』

『我不能放！』他喘息着，他的聲音裏帶着强烈的激情。『十年前的一個深夜，我失去過妳，我不能讓老故事重演，我有預感，如果我今夜讓妳離開，我又會失去妳！妳原諒我，含煙，我不能讓妳走！如果我再失去妳一次，我會發瘋，我會發狂，我會死去，我會……呵，含煙，請妳諒解吧！』

『我不要聽你這些話，你知道嗎？我不在乎你會不會發瘋發狂，你知道嗎？』她的聲音提高了，她奮力的掙扎。『我一定要走！你放手！』

『不！』

『放手！』

『不！』

『放手！』她喊着，拚命扳扯着他的手指。

『不，含煙，我絕不讓妳走，絕不！』他抱緊了她，他的胳膊像鋼索般綑牢了她，她掙不脫，她開始撕抓着他的手指，但他仍然緊箍不放，她扭着身子，喘息着，一面威脅的說：

『你再不放手，我要叫了。』

『叫吧！含煙，』他也喘着氣說：『我絕不放妳！』

『你到底放不放手？』她憤怒到了極點。

『不，我不能放！』

『啪！』的一聲，她揚起手來，狠狠的給了他一個耳光，在這寂靜的深夜裏，這一下耳光的聲音又清脆又響亮。她才打完，就楞住了，吃驚的把手指銜進了嘴中。她不知道自己怎會有這種行爲，她從來也沒有打過人。瞪大了眼睛，她在黑暗中望着他，她看不清他的表情，但可以感到他胸部的起伏，和聽到那沉重的呼吸聲。她想說點什麼，可是，她什麼都說不出來。然後，好像經過了一個世紀那麼久，她才聽到他的聲音，低低的、沉沉的、幽幽的、柔柔的、安安靜靜的在說：

『含煙，我愛妳。』

她忽然崩潰了，完完全全的崩潰了。一層淚浪湧了上來，把什麼都遮蓋了，把什麼都淹沒了。她失去了抵抗的能力，她也不再抵抗了。用手蒙住了臉，她開始哭泣。傷心的，無助的，悲悲切切的哭泣起來。這多年來的痛苦、折磨、掙扎……到了這時候，全化爲了兩股淚泉，一瀉而不可止。於是，她覺得他放鬆了她，把她的手從臉上拉開，他捧住了她的臉，然後，他的唇貼了上來，緊緊的壓在她的唇上。

一陣好虛弱的暈眩，她站立不住，傾跌了下去，他們滾倒在地毯上，他擁着她，他的唇火似的貼在她的唇上，帶着燒灼般的熱力，輾轉吸吮，從她的唇上，到她的面頰，到她的耳朵、下巴，和頸項上。他吻着她，吮着她，抱着她。一面喃喃不停的低呼着：

『哦，含煙，我心愛的，我等待的！哦，含煙，我愛妳！我愛妳！我愛妳！』

她仍然在哭，但是，已是一種低低的嗚咽，一種在母親懷裏的孩子般的嗚咽。她不由自主的偎着他，把她的頭緊靠着他那寬闊的胸膛。她累了，她疲倦了，她好希望好希望有一個保護。緊倚着他，她微微戰慄着，像個受傷了的、飛倦了的小鴿子。

『都過去了，含煙。』他輕撫着她的背脊，輕撫着她的頭髮，把她拉起來，他們坐進了沙發中，他攬着她，不住的吻着她的額頭，她那濕潤的眼睛，和那小小的唇。『不要離開我，不要走，含煙，我的小人兒，不要走！我們要重新開始，含煙，我答應妳，一切都會圓滿的，我們將找回那些我們損失了的時光。』

她不說話，她好無力好無力，無力說任何的話，她只能靜靜的靠在他的肩頭。然後，一陣汽車喇叭聲劃空而來，像是一個轟雷震醒了她，她驚跳起來，喃喃的說：

『她回來了。』

『別動！』他抱緊了她。『讓她回來吧！』

『你——』她驚惶而無助的。『你預備怎樣？』

『面對現實！我們都必須面對現實，含煙。如果我再逃避，我如何去保有妳？』

『不，』她急迫的、惶恐的。『不要，這樣不好，我不願……』她沒有繼續說下去，門開了，一個身影跌跌衝衝的閃了進來，一聲電燈開關的響聲，接着，整個屋子裏大放光明。方絲縈眨動着眼瞼，驟來的强光使她一時睜不開眼睛，然後，她看到了愛琳。後者鬢髮蓬鬆，服裝不整，眼睛裏佈滿了紅絲，搖搖晃晃的站在那兒，睜大了一對恍恍惚惚的眸子，不太信任似的看着他們。好半天，她就那樣瞪視着，帶着兩分驚奇和八分醉意。顯然，她又喝了過量的酒。

『呃，』終於她打着酒呃，扶着沙發的靠背，口齒不太靈便的開了口：『你們……你們倒不錯！原來……原來是這樣的！方——方小姐，好手段哪！這個瞎子並不十分容易勾引的！妳倒教教我，妳——妳怎樣到手的？妳怎樣讓他——讓他拋掉了那個鬼魂？』

方絲縈蜷伏在沙發中，無法移動。一時間，她不知道該說什麼，該做什麼，也不知該如何處置這種局面。愛琳顯然醉得厲害，這樣醉而能將車子平安駕駛回來，不能不說是奇蹟了。柏霈文站起身來了，他走向愛琳的身邊，深吸了一口氣，冷靜的說：

『妳喝了多少酒？』

『你關心嗎？』她反問，忽然縱聲大笑了起來，把手搭在柏霈文的手腕上，她顛躓了一下，柏霈文本能的扶住了她，她把臉湊近了柏霈文，慢吞吞的說：『我喝了酒，是的，我喝了酒，你在意嗎？你明知道我是怎樣的女人，抽煙、喝酒、跳舞、打牌……我是十項全能！你知道嗎？十項全能！而且，我有成打的男朋友，台中，台北，高雄，到處都有！他們都漂亮，會玩，年輕！比你强一百倍，一千倍，一萬倍！你以爲我在乎你！柏霈文！我不在乎你！我告訴你，我不在乎你！你這個瞎子！你這個殘廢！我告訴你，』她湊在他耳邊大吼：『我不在乎你！』

柏霈文的身子偏向了一邊，愛琳失去了倚靠，差點兒整個摔倒在地下，她扶住了沙發，好不容易才站穩，踮跟著，她繞到沙發前面來，就軟軟的傾倒在方絲縈對面的沙發上，乜斜著醉眼，她看著方絲縈，用一個手指頭指著她，警告似的說：

『我——我告訴妳，呃，妳這個——這個小賤種，妳如果眞喜歡——喜歡這個瞎子，我——讓給妳！我不希罕他！不過，妳——妳——妳會制鬼嗎？一個落水鬼！含煙山莊的鬼？妳——妳——』她認眞的看她，揚起了那兩道長長的眼睫毛，眸子是水霧濛濛的，神情是醉態可掬的。『妳眞的會捉鬼嗎？說不定，妳是個女巫！一個女巫！』她又打了個酒呃，把手指按在額上。『妳一定是女巫，因爲我看到好幾個妳，好幾個！哈哈！我一定有兩個頭，是不是？我有兩個頭嗎？』

柏霈文走了過來，站在愛琳的面前。他的臉色是鄭重、嚴肅，而略帶惱怒的。

『聽著！愛琳！』他說：『我本來想在今晚和妳好好的談一談，但是，妳醉成這個樣子，我看也沒有辦法談了。所以，妳還是上樓去睡覺吧，我們明天再談！』

『談，談，談！』她把臉埋在沙發靠背中，用手揉著自己的頭髮，含含糊糊的說：『你要和我談？哈哈，呃，你居然和我還會有話談？我以爲，你——呃，你只有和鬼才有話談呢！呃，』她用手擁住頭，和一陣突然上湧的嘔心作戰，閉上眼睛，她喘了口氣，費力的把那陣難過給熬過去了。柏霈文伸出手來，抓住了她的手腕：

『上樓去吧！妳！』他說，帶點命令味道。

她猛力的掙開了他，突然間，她像隻被觸怒的獅子般昂起了頭來，對著柏霈文，爆發似的又吼又叫：

『不許碰我！你這個混蛋！你永不許碰我！你這個無心無肝無肺的廢物！你給我滾得遠遠的！滾得遠遠的，聽到了嗎？柏霈文！我恨你！我討厭你！討厭你！討厭你！討厭你！討厭你……』

她一口氣喊了幾十個『討厭你』，喊得力竭聲嘶。方絲縈相信傭人們和亭亭一定都被吵醒了，但他們早就有了經驗，都知道最好不聞不問。愛琳的喉嚨啞了，頭髮拂了滿臉，淚水迸出了她的眼眶，她仆伏在沙發背上，忽然哭泣了起來，莫名其妙的哭泣了起來。

『妳醉了！』柏霈文冷冷的說：『妳的酒瘋發得眞可以！』

方絲縈靜悄悄的看著這一切，然後，她從她蜷縮的沙發中走出來了，一直走到愛琳的身邊，她俯下身去，把手按在她的肩膀上，她用一種自己也不相信的，那麼友好而溫柔的聲音說：

『回房間去吧！讓我送妳到房裏去，妳需要好好的休息一下了。』

『不不不！』愛琳像個孩子般的說，在沙發中輾轉的搖著頭，繼續的哭泣著，哭得傷心，哭得沉痛。

『妳讓她去吧！』柏霈文對方絲縈說。『她準會又吐又鬧的弄到天亮！』

『我送她回房去！』方絲縈固執的說，看了柏霈文一眼：『你也去睡吧，一切都明天再談，今晚什麼都別談了，大家都不夠冷靜。』

『答應我妳不再溜走。』柏霈文說。

『好的，不溜走。』她輕輕的嘆息。『明天再說吧！』

她挽住了愛琳，後者已經鬧得十分疲倦和乏力了。她把她從沙發上拉了起來，讓她的手繞在自己的肩膀上，再挽緊了她的腰，嘴中不住的說：

『走吧！我們上樓去！上去好好的睡一覺！走吧！走吧！走吧！』

愛琳忽然變得非常順從了，她的頭乏力的倚在方絲縈的肩上，跟著方絲縈踉踉蹌蹌的向前走去，她依舊在不停的嗚嗚咽咽，夾帶著酒呃和嘔心，她的身子歪歪倒倒的，像一株颶風中的蘆草。方絲縈扶著她走上了樓，又好不容易的把她送進了房間。到了房裏，方絲縈一直把她扶上床，然後，她脫去了她的鞋子，又脫掉了她的外套，再打開棉被來蓋好了她。站在床邊，她沒有離去，却呆呆的、出神的望著愛琳那張相當美麗的臉龐。愛琳顯然很難過，她不安的在床上翻騰，模糊的叫：

『水，我要水！給我一點水！』

方絲縈嘆了口氣，走到小几邊，她倒了一杯冷開水，拿到愛琳的床邊來，扶起愛琳的頭，她把杯子凑近她的嘴邊，愛琳很快的喝乾了整杯水。她的面頰像火似的發著燒，她把面頰倚在冰涼的玻璃杯上，呻吟著說：

『我頭裏面在燒火，有幾萬盆火在那裏燒！心口裏也是，』她把手按在胸上：『它們要燒死我！我一定會死掉，馬上死掉！』

『妳明天就沒事了。』方絲縈說，向門口走去，可是，愛琳用一隻滾燙的手抓住了她。

『別走！』她說：『我不要一個人待在這房裏，這房間像一個墳墓！別走！』

方絲縈站住了。然後，她乾脆關好了房門，到浴室中絞了一條冷毛巾，把冷毛巾敷在愛琳的額上，她就坐在床邊望着她。愛琳在枕上轉側着頭，她的黑眼珠迷迷濛濛的望着方絲縈，在這一刻，她像個孤獨而無助的孩子。她不再是兇巴巴的了，她不再殘酷，她不再刻毒，她只是個迷失的、絕望的孩子。

『我愛他，』她忽然說。『我好愛好愛他，我用盡了一切的方法，却鬥不過那個鬼魂！』她把臉埋在枕頭裏，像孩子般啜泣。

『我知道，』方絲縈低低的說：『我知道。我早就知道了。』淚蒙住了她的視線。

『剛結婚的時候，他抱着我叫含煙，含煙！那個鬼！』她詛咒，抽噎。『我以爲，總有一天，他會知道我，他會顧念我，但是，沒有！他心裏只有含煙，含煙，含煙！那個女人，把他的靈魂、他的心全帶走了！他根本是死的！死的！死的！』她哭着，拉扯着枕頭和被單。『一個人怎能和鬼魂作戰，怎能？我提出要離婚，他不在乎，我說要工廠，那工廠才是他在乎的！他不在乎我！他從不在乎我！從不！』

淚水從方絲縈的面頰上滴落了下來，她俯下身去，把頭髮從愛琳臉上拂開，把那冷毛巾換了一面，再蓋在她的額上。她就用帶淚的眸子瞅着她，長長久久的瞅着她。愛琳仍然在哭訴，不停的哭訴，淚和汗弄濕了整個臉龐。

『我從沒有別的男朋友，從來沒有！我到台中去只是住在我乾媽家，我從沒有男朋友！我要刺激他，可是，他沒有心呵！他的心已經被鬼抓走了！他沒有心呵！根本沒有心呵！』她抓住了方絲縈的手，瞪視着她。『我沒有男朋友，妳信嗎？』

『是的，』方絲縈點着頭。『是的，我知道。妳睡吧！好好的睡吧！再鬧下去，妳會嘔吐的，睡吧！』

愛琳闔上了眼睛，她是非常非常的疲倦了，現在，所有酒精都在她體內發生了作用，她的眼皮像鉛一樣的沉重，她的意識飄忽而朦朧。她仍然在說話，不停的說話，但是，那語音已經呢喃不清了。她翻了一個身，擁着棉被，然後，她長長的嘆息，那長睫毛上還閃爍着淚珠，她似乎睡着了。

方絲縈沒有立即離去，站在床邊，她為愛琳整理好了被褥，撫平了枕頭，再輕輕的拭去了她頰上的淚痕。然後，她低低的、低低的說：

『聽着，愛琳，撇開了敵對的立場，我們有多麼微妙的關係！我們愛着同一個男人，且曾是同一個男人的妻子。看樣子，我們之間，必定有一個要痛苦，不是妳，就是我，或者，最不幸的，竟是我們兩個！我們該怎麼辦呢？該怎麼協調這份尷尬？愛琳，最起碼，我們不要敵對吧！如果有一天，妳會想到我，會覺得我對妳還有一些兒貢獻，那麼，愛那個孩子吧！好好的愛那個孩子吧！』

她轉過身子，急急的走出了房間，淚，把一切都封鎖了，都遮蓋了。

27

愛琳呆呆的坐在窗前，對着那滿花園的陽光發楞。隔夜的宿醉仍舊使她昏昏沉沉的，昨夜的一切也都模模糊糊，但她知道發生了一些事情，一些很重要的事情。方絲縈，那個奇異的家庭教師，自己對她說了些什麼？她記得方絲縈曾逗留在她屋裏，她訴說過，她哭過，枕上的淚痕猶新！那麼，那家庭教師一定已知道了她心底最深處的祕密！而且，那家庭教師也說過一些什麼，是什麼呢？她努力的回憶，努力的思索，却什麼都想不起來了！

昨晚，昨晚像隱在一層濃霧裏，那樣朦朧，那樣混沌。唯一眞實的，是當她走進客廳，開亮電燈那一剎那所見到的一幕。那長沙發，方絲縈蜷伏在那兒，像一隻小貓，柏霈文緊擁着她，帶着滿臉最深切的激情！怎會呢？她想不透，怎會呢？或者，這只是自已的幻覺吧？或者，根本沒有昨晚那一幕吧！但是，不！她還記得方絲縈的打扮，沒有戴眼鏡，是的，這幾天她都沒有戴眼鏡，長髮披垂，穿了一身淺藍色的秋裝……她猛的打了個冷戰，不可否認，那家庭教師相當漂亮，可是，對一個瞎子而言，漂亮又怎樣呢？

她煩躁的站起身來，在屋內兜着圈子，然後，她打開房門，直着喉嚨喊：

『亞珠！亞珠！亞珠！』

亞珠急急的從後面跑過來，站在樓梯上，揚着聲音回答：

『是的，太太？』

『方老師呢？』愛琳問。

『到學校去了，和亭亭一起去的。』亞珠詫異的說。

哦，眞的！怎麼這樣糊塗！當然是到學校去了。愛琳咬了咬嘴唇，不管怎樣，今晚她要和這個女人好好的談一談！她要請她走路！她絕不能允許自己的地盤內再有人侵入，一個鬼魂已經夠了！又跑來一個活生生的人！哦，她不能容忍這個！她絕不能容忍！

『太太？』亞珠小心翼翼的。『妳要吃早餐嗎？』

『不要！給我沖杯牛奶拿到樓上來。』

『是的。』

關上了門，她繼續坐在桌前沉思。奇怪，不論她怎樣整理自己的思緒，她始終有點兒恍恍惚惚的。大概是酒的關係，酒會使人軟弱。她發現自己並不像想像那樣恨方絲縈，她心底有一點兒什麼奇異的東西，在那兒不聽指揮的容納着方絲縈！她困惑而迷茫的搖搖頭，昨夜，昨夜她到底和方絲縈談了些什麼。

亞珠送來了牛奶，愛琳立即在她身上嗅到了一股強烈的芬芳，她冷笑着說：

『玫瑰花味，妳又買了玫瑰！』

『是的，太太，買了好幾打！先生叫買的！我剛剛插了好幾瓶，妳這兒要一瓶嗎？』

『不要！妳去吧！』

亞珠退了下去。愛琳倚着窗子，情緒更亂了。天知道！這家中一定發生了一些什麼事！玫瑰花！玫瑰花！問題的核心在那個家庭教師身上嗎？

門上傳來了輕微的剝啄之聲，沒等她回答，門被推開了。她看過去，出乎意料之外的，門外竟是柏霈文！他穿着件灰色的套頭毛衣，灰色的西服褲，整潔，清爽，而且神采奕奕，愛琳驚異的望着他，從什麼時候開始，他已經擺脫了他那份憂鬱和消沉？他看來像一個嶄新的人。不但如此，愛琳還幾乎是痛心的發現，他雖然年紀已超過四十歲，雖然眼睛失明，他却依然挺拔、漂亮、儒雅，而瀟灑！依然是個吸引人的男人！難怪！難怪那個方絲縈會喜歡他！她盯着他，這男人，這男人是她的嚒？她曾多麼希望攬住那個濃髮的頭，撫平他眉心的皺紋，吻去他唇邊的憂鬱，可是，她沒有做到！而如今呢？是誰撫平了那眉間的皺紋，是誰吻去了那唇邊的憂鬱？

『我可以進來嚒？』柏霈文禮貌而溫文的問，很久沒有見到禮貌和溫文，那不是親切的代表，那是冷淡和疏遠。愛琳知道這個，她在他心裏是個陌生人。

『是的。』她的聲音生而澀。

他走了進來，關上了房門，他對這間房子的佈置並不熟悉，他是幾乎不進這屋子的。愛琳故意不去幫助他，讓他去摸索。他找着了沙發，坐了下來，他燃起了一支煙，一副準備長談的模樣。

『昨晚妳喝醉了。』他說。

『怎樣呢？』她問，不由自主的帶點挑戰的意味。『雖然醉了，並沒有醉到看不清楚我眼前的好戲的地步！你要知道！』

『我知道，』他吐出一口煙來，顯得冷靜、沉著，而胸有成竹。『我就爲了這個來和妳談。』

『別告訴我那是一時衝動……』

『不不，』他很快的接口。『不是一時衝動，完全不是。』他定了定，慢慢的說：『愛琳，我想，我們這勉强的婚姻再維持下去，對我們兩個都是一件沒有意義的事，所以，我來請求離婚。』

愛琳震動了一下，她緊緊的注視着他。

『爲了那個家庭教師嗎？』她不動聲色的問：『我想，你是眞的愛上她了。』

『是的。』他很乾脆的回答。

她又震動了一下。靠着窗子，她端着牛奶杯，有好半天沒有說話，她的眼睛注視着杯子，杯裏的熱氣冒了出來，昇騰着，彌漫着。

『怎樣呢？』他問。

一股怒氣從她胸坎中衝到頭腦裏。哦哦，這個天下最癡情的人！一個家庭教師！一個家庭教師！原來那副痴情面孔都是裝扮出來的呵！

『談離婚，這也不是第一次了！』她冷冷的說：『你不是知道我的條件嗎？』

他沉吟了一下。

『妳是指工廠？』

『是的。』

『妳知道，工廠和茶園是分不了家的，』他困難的說：『妳能提別的條件嗎？例如，現款、房屋，或是一部分的茶園？』

『不。』

他咬了咬牙，煙霧籠罩着他，他顯然面臨了一個巨大的抉擇。然後，他忽然用力的一甩頭，用堅決的、不顧一切的語氣說：

『好吧！我給妳！』

愛琳大吃了一驚，她不信任的看着柏霈文，幾乎不相信自己所聽到的。工廠，那是他的祖產，他事業的重心，她深深明白這工廠在他心中的分量，不止是物質的，也是精神上的，這工廠有他的血，有他的汗。而現在，他竟毅然決然的要捨棄這工廠了？爲了那個方絲縈？愛情的力量會這樣大嗎？這簡直是不可思議的！一層妒嫉的、痛苦的情緒抓住了她，她的聲音森冷：

『爲了那個家庭教師，你不惜放棄工廠？她對你是這樣重要嗎？』

『說實話，她比一百個工廠更重要。』

『哦？』柏霈文的那份坦白更刺激了她，這女人是怎樣做的？怎可能把一個男人的心收服到這個地步？她嫉妒她！她恨她！『和我離婚以後，你準備和她結婚嗎？』

他深思了一下，一種十分奇妙的神情昇到了他的臉上，他的臉被罩在一種夢似的光輝裏去了，他的神情溫柔，他的嘴角露出了一絲細膩的、柔和的微笑。

『是的。』他輕聲說。

這種表情，這種面色，這種她渴求而不可得的感情！她緊握着杯子，牛奶在杯中晃動，她的呼吸急促，她的頭腦昏亂，她的血脈僨張。

『那麼，我們就這樣講定吧，』柏霈文又開口說：『總之，我們也做了六、七年的夫妻，我希望好聚好散。我今天會去台北找我的律師，我想盡快把這事辦好。關於工廠，』他心痛的嘆了口氣：『我會叫老張來，妳可以讓他把帳本拿給妳看。假若妳沒有其他的意見，我就這樣子去辦了！』

『慢着！』她忽然衝口而出的。『你是這樣迫不及待的要離婚呵！』

『怎樣呢？』柏霈文鎖起了眉頭。

『我並沒有同意呵！』

『愛琳！』柏霈文吃驚的喊。『妳是什麼意思？』

『我的意思是：我不同意離婚！』她盯着他，一個字一個字的說。

『可是，我已經答應把工廠給妳！』柏霈文急切的說。『整個的工廠，妳隨時要，隨時接收！』

『我改變主意了！』愛琳把牛奶杯放在桌上，斬釘斷鐵的說：『我不要你的工廠，我也不要離婚！你想那樣順心的娶那個女人，你辦不到！』

『妳這是為什麼呢？』柏霈文的身子向前傾，焦灼使他的臉色蒼白，他的眉毛鎖成了一團，聲音迫切而急躁：『妳坦白說吧！妳還想要些什麼？妳說吧！只要是我有的，妳都拿去吧！別為難我！愛琳！我告訴妳，我一定要和妳離婚，我愛那個女人，我不惜犧牲一切，誓必要得到她！妳了解嗎？反正，妳不愛我，妳有的是男朋友，妳就放手吧！妳會得到用不完的金錢，妳沒有任何損失，為什麼妳不肯？愛琳，妳就算做一件好事吧！』

他簡直是在哀求了！幾時看到他如此低聲下氣過？愛琳的心臟絞緊了。『反正，妳不愛我，妳有的是男朋友……！妳沒有任何損失！』噢，柏霈文，柏霈文，你這個瞎子！瞎子！瞎子！她迅速的瞪着他，冒火的瞪着他。她的聲音尖銳而高亢：

『不！我不離婚！隨你怎麼說，我不離婚！我不要你的東西，你的財產，我只是不要離婚！』

『妳這是和我作對！』柏霈文站起身來，一直走到愛琳的面前。『妳何苦呢？愛琳？使我痛苦，妳也得不到什麼好處呀！妳的目的是什麼呢？』

『我討厭那個女人！』愛琳叫了起來：『她會勾引你，是嗎？她既然會强佔別人的丈夫，我也有對付她的一套，我到底是這家裏的女主人，是嗎？我非但不要和你離婚，我還要她走！要她離開柏宅！』

『愛琳！』柏霈文額上的青筋突了起來，他喘着氣說：『我認清妳了！愛琳，妳比我想像中更壞，更惡毒，更殘酷！妳是冷血的動物！妳沒有熱情，沒有溫暖！妳寗可做損人不利己的事，却不肯成全一對苦難中的戀人！是的，我認淸妳了！但是，妳阻止不了我！我告訴妳，我這次是拚了命的！妳阻止不了的，我要得到她，不管用怎樣的方式，我都要得到她！』

愛琳瞪大了眼睛看着他，她是那樣震驚，那樣激動，那樣不能相信！她從沒看過柏霈文如此激動，如此堅決！他的話刺傷了她，刺痛了她，她喃喃的說：

『哦！她是眞的戰勝了那個鬼魂了！』

『鬼魂？』柏霈文厲聲說：『別再提鬼魂兩個字！』

『你連提都不願提了！』愛琳點着頭：『她連含煙的位置都侵佔了。』

『她侵佔不了含煙的位置，』柏霈文說，堅定的、冷靜的。『因爲她就是含煙！』

『你瘋了。』愛琳嗤之以鼻。

『我沒有瘋，這祕密已經保不住了，坦白告訴妳吧，她就是含煙！她十年前並沒有淹死，而去了美國，現在，她回來了！妳懂了嗎？她沒有侵佔妳的位置，是妳侵佔了她的！』

『我不相信！』愛琳喘着氣，猛烈的搖着頭。『我一個字都不相信！這是謊話！天大的謊話！是你編出來的故事，你想含煙想瘋了，才會編出這樣一個荒謬的故事來！我一個字也不信！』

『這却是眞的！』柏霈文說：『每一個字都是眞的！所以她會那樣愛亭亭，所以她會願意做亭亭的家庭教師！她騙過了所有的人，也騙過了我，直到三天前，我用電報把高立德找了來，才拆穿了她！現在，妳明白了嗎？妳明白我爲什麼那樣愛她，那樣發瘋般的要得到她了嗎？因爲她是我的妻子！我等待了十年，我期盼了十年，我不能再失去她！我不能！』

『哦，天！哦，天！』愛琳低呼着，不由自主的向後退，退到了沙發邊，她就好軟弱的倒了進去。用手蒙住了臉，她開始相信了這件事的眞實性，她的思想混淆了，她的意識迷糊了，她的感情陷進了一份完完全全的昏亂中。這件事情打擊了她，大大的打擊了她。

『妳懂了嗎？愛琳？』柏霈文又逼近了她。『我對妳抱歉，十分十分抱歉，當初，我不該和妳結婚的。現在，妳能同情我們的處境嗎？瞭解我們的心情嗎？假若妳肯離婚，我會感激妳，非常非常感激妳。愛琳，我會補償妳的損失，我會！』

你補償不了！柏霈文，你如何補償？愛琳昏亂的想着。淚水衝進了她的眼眶。許許多多的疑惑，現在像鎖鍊般的連鎖了起來。哦，那個家庭教師，竟是亭亭的生母！怪不得她像個母鷄保護幼雛般用翅膀遮着那孩子！哦，天！怎會有這樣的事情？怎會？

『我不信，』她呻吟着說：『我還是不信。』

『看看這個。』柏霈文從口袋裏掏出了一個金鷄心。『打開鷄心，看看裏面的照片！』

愛琳接過了鷄心，打開來，那張小小的合照就呈現在眼前了，她看着那個少女，皓齒明眸，長髮垂肩。她『啪』的一聲合上了鷄心。是的，她改變得並不多，依然漂亮，依然風姿嫣然！她遞還了那鷄心，喃喃的說：

『是的，是她！那鬼魂！那幽靈！她踏着夜霧而來，掠奪別人的一切！』

柏霈文不太明瞭愛琳的話，但是，他也無心去瞭解她的話。收回了鷄心，他以迫切的、誠懇的、近乎祈求的聲調，急促的說：

『妳懂了吧？愛琳？懂得我爲什麼這樣發瘋，這樣癡狂了吧？請答應我吧，取消了我們的婚姻關係，妳就成全了一個破碎的家庭！答應了吧，愛琳！爲我，爲含煙，爲亭亭，也爲妳。』

愛琳癡癡的坐在那兒，有一種又想哭、又想笑的衝動。這是多麼荒謬而複雜的故事！妳丈夫那個早已死亡的前妻，會突然出現，來向妳討還她的位置！而現在，她將怎樣呢？怎麼辦呢？退出自己的位置，讓給那個幽魂嗎？噢！她瞪着柏霈文，後者仍然在不停的說着：

『好嗎？愛琳？關於我的財產，只要我做得到，妳要多少，都沒有關係，我可以給妳！就算妳幫了我一個忙，好嗎？愛琳？』

好嗎？愛琳？好嗎？愛琳？他這一刻多溫柔！所有的財產，妳要多少都可以！只要還我自由！她突然猛的從沙發裏站了起來，一直走到窗子旁邊，她大聲的說：

『我不知道！我必須要想一想！你走開吧！讓我想一想，我現在沒有辦法答覆你！』

『愛琳！』

『給我幾天的時間，我現在不能作決定！我要和那個女人談一談！那個鬼魂！』

『愛琳，』柏霈文的神情緊張。『請不要傷害她，請不要刺激她，她已經受了過多她不該受的苦難！』

愛琳掉過頭來，直視着柏霈文，她的目光奇異而古怪，她的聲音深幽而低沉：

『告訴我，你到底有多愛她？有多深？』

柏霈文沉吟了一下，然後，他輕輕的唸了幾個句子，是含煙當日最愛唱的一支歌裏的：

『海枯石可爛，
情深志不移，
日月有盈虧，
我情曷有極！』

愛琳注視着窗外，視線越過了那山坡，那茶園，她似乎看到了含煙山莊，那廢墟，那眞是個廢墟嗎？淚慢慢的滑下了她的面頰，慢慢的，慢慢的，滴落在窗櫺上。

28

天氣是多變的，早上還是晴朗的好天氣，到下午却飄起了霏霏細雨，天空黑暗了下來，秋意驟然的加濃了。放學的時候，方絲縈已經感到那份涼涼的秋意，走出校門，一陣風迎面而來，那樣涼颼颼的，她不自禁的打了個寒戰。抬頭看了看天空，雲是低而厚重的，校門口的一棵不知名的樹，撒了一地的落葉。細細的雨絲飄墜在她的臉上，帶來一份難言的蕭索的感覺。

『哦，老尤開車來接我們了。』亭亭說。

眞的，老尤的車子停在路邊，他站在那兒，恭恭敬敬的打開了車門，微笑着說：

『下雨了，先生要我來接妳們。』

方絲縈再仰頭看了看天空，雨絲好細，好柔，好輕靈。像煙，像霧，像一張迷迷濛濛的大網。她深呼吸了一下，吸進了那份濃濃的秋意。然後，她對老尤說：

『你把亭亭帶回去，我想在田野間散散步。』

『妳沒有雨衣，小姐。』老尤說。

『用不着雨衣，雨很小，你們去吧！』

『快點回來哦！老師，妳淋雨會生病。』亭亭仰着一張天眞的小臉說。

『沒關係，去吧！』她揉了揉亭亭的頭髮，推她鑽進了汽車。

車子開走了。

沿着那條泥土路，方絲縈向前慢慢的走着。雨絲好輕柔，輕輕的罩着她。她緩緩的向前移動，像行走在一個夢裏，那惻惻的風，那濛濛的雨，那泥土的氣息，和那松濤及竹籟，把她牽引到了另一個境界，另一個不爲人知的、朦朧而混沌的境界裏。她沉迷了，陶醉了，就這樣，她一直走到了含煙山莊的廢墟前。

推開了那扇鐵門，她走進去，輕緩的游移在那堆殘磚廢瓦中。雨霧下的廢園更顯得落莫，顯得蒼涼。那風肆無忌憚的在倒塌的門窗中穿梭，藤蔓垂掛在磚牆上，正靜悄悄的滴着水，老榕樹的氣根在寒風中戰慄，柳樹的長條上綴滿了水珠，亮晶晶的，每滴水珠裏都映着一座含煙山莊——那斷壁殘垣，那枯藤老樹。

她嘆息。多少的柔情，多少的蜜意，多少古老的往事。都湮沒在這一堆廢墟裏。誰還能發掘？誰還能找尋？那些埋葬的故事和感情？屬於她的那一份夢呢？像這廢墟，像這雨霧，一般的蕭索，一般的迷濛，她怕自己再也拼不攏那些夢的碎片了。

在一堆殘磚上坐下來，她陷入一種沉沉的冥想中，一任細雨飄飛，一任寒風惻惻。她不知坐了多久，然後，她被一聲呼喚所驚動了。

『含煙！』

她抬起頭來，一眼看到柏霈文正站在含煙山莊的門口，帶着滿臉的焦灼和倉皇。他那瘦長的影子浴在薄暮時分的雨霧裏，有份特殊的孤獨與淒涼。

『含煙，妳在嗎？含煙？』柏霈文走了進來，拄着拐杖，他脚步微帶蹌踉。他穿着一件深藍色的雨衣，在他的臂彎中，搭着方絲縈的一件風衣。

方絲縈從斷牆邊站了起來，她不忍看他的徒勞的搜索。一直走到他的面前，她說：

『是的，我在這兒。』

一層狂喜的光彩燃亮了他的臉，他伸出手來觸摸她，長長的吐出一口氣來。

『哦，我以爲……我以爲……』他喃喃的說着。

『以爲我走了？』她問，望着他，那張臉上刻劃着多麼深刻的摯情！帶着多麼沉迷的癡狂！哦！要狠下心來離開這個男人是件多麼困難的事！她眞會走嗎？帶走他那黑暗世界中最後的一線光明？

『哦，是的，』他倉促的笑了，竟有點兒羞澀。『我是驚弓之鳥，含煙。』他摸摸她的頭髮，再摸摸她那冰冷的手。『妳濕了，妳也冷了！多麼任性！』他幫她披上了風衣，拉緊她胸前的衣襟。

『老尤說妳不肯上車，一個人冒着雨走了，我眞嚇了一大跳。呵，別捉弄我了，妳再嚇我幾次，我會死去。』

『我只是想散散步。』她輕聲說，費力的把眼光從他臉上掉開，望着那雨霧下的廢墟。『這兒像一個墳場，埋葬了歡樂和愛情的墳場。』

『會重建的，含煙，』他深沉的說：『我答應過妳，一切都會重建的。』

『有些東西可以重建，只怕有些東西重建不了。』於是，她輕聲的唸一首詩，一首法國詩人魏爾崙的詩：

『在寂寞而寒冷的古園中，
剛剛飄過兩條影子朦朧。
他們眸子木然，雙唇柔軟，
他們的言談幾乎不可聞。
在寂寞而寒冷的古園中，
兩個幽魂喚回往事重重。
……………………
——那時，天空多藍，希望多濃！
——希望已飛逸，消沉，向夜空。

如此他們步入野燕麥間，
只暮天聽見他們的言談。』

『妳在唸什麼？』柏霈文問。

『一首詩。』

『希望妳沒有暗示什麼，』柏霈文敏感的說：『我現在很怕妳，因爲我猜不透妳的心思，把握不住妳的情感，我總覺得，妳在想辦法離開我。於是，我必須用我的全心來窺探妳，來監視妳，來牢籠妳。』

『再給我築一個金絲籠，像以前一樣？那個籠子幾乎關死了我，這一個又將怎樣？』

『沒有籠子。』他說。

『那你就任我飛翔吧！』

他打了個寒戰，聲音微微有些兒戰慄：

『我將任妳飛翔，但是，小鳥兒却知道那兒是牠的家。』

『是嚒？』她幽幽的問，看着那廢墟。我的家在那兒呢？這廢墟是築巢的所在嗎？何況，鵲巢鳩佔，舊巢已不存在，新巢又禁得起多少風風雨雨？

『我們走吧，含煙，妳淋濕了。』他挽着她的手。

『我還不想回去，』方絲縈說：『淋雨有淋雨的情調，我想再走走。』

『那麼，我陪妳走。』

於是，他們走出了含煙山莊，沿着那條泥土路向前走去，暮秋的風雨靜幽幽的罩着他們。好一陣，他們誰都沒有說話，然後，他們一直走到了松竹橋邊。聽到那流水的潺湲，柏霈文說：

『有一陣我恨透了這一條河。』

『哦，是嗎？』她問：『僅僅恨這一條河嗎？』

『還有，我自己。』

她沒有說話，他們開始往回走，走了一段，柏霈文輕輕伸手挽住了她，她沒有抗拒，她正迷失在那雨霧中。

『我一直想告訴妳，』柏霈文說：『妳知道，三年前，媽患肝癌去世了。妳知道她臨死對我說的是什麼？她說：「霈文，如果我能使含煙復活，我就死亦瞑目了。」自妳走後，我們母子都生活在絕望和悔恨裏，她一直沒對我說過什麼關於妳的話，直到她臨死。含煙，妳能原諒她嗎？她只是個剛强任性而寂寞的老人。』

方絲縈輕輕的嘆息。

『妳能嗎？』

『是的。』

『那麼，我呢？妳也能原諒嗎？』他緊握住了她的手，她那涼涼的、被雨水所濡濕了的手。

她又輕輕的嘆息。

『能嗎?能嗎?能嗎?好含煙?』

『是的。』她說,輕聲的。『我原諒了,早就原諒了。但是,這並不代表我接受了你的感情。』

『我知道,給我時間。』

她不語,她的眼光透過了濛濛的雨霧,落在一個遙遠的、遙遠的、遙遠的地方。

晚上,雨下大了。方絲縈看着亭亭入睡以後,她來到了愛琳的房門口,輕輕的敲了敲門。柏霈文的門內雖沒有燈光,但是,方絲縈知道他並沒有睡,而且,他一定正警覺的傾聽着她的動靜。所以,她必須輕悄的、沒有聲息的到愛琳屋裏,和她好好的傾談一次。

門開了,愛琳穿着一件粉紅色的睡袍,站在房門口,瞪視着她。方絲縈不等她做任何表示,就閃進了房內,並且關上了房門。用一對坦白而眞摯的眸子,她看着愛琳,低低的說:

『對不起,我一定要和妳談一談。』

愛琳向後退,把她讓進了屋子,走到梳妝台前面,她燃起了一支煙,再默默的看着方絲縈。這還是第一次,她仔細的打量方絲縈,那白皙的皮膚,那烏黑的眼珠,那小巧的嘴和尖尖的小下巴,那股淡淡的哀愁,和那份輕靈秀氣,自己早就該注意這個女人呵!

『坐吧!方——呵,』她輕蹙了一下眉毛。『該叫妳什麼?方小姐?章小姐?還是——柏太太?』

方絲縈凝視着愛琳，她的眼睛張大了。

『他都告訴了妳？』

『是的。』愛琳噴一口煙：『一個離奇的、讓人不能相信的故事！』

『天方夜譚。』方絲縈輕聲的說，嘆了一口氣，她的睫毛低垂，微顯蒼白的面容上浮起了一個淡淡的、無奈的、楚楚可憐的微笑。愛琳頗被這微笑所打動，她對自己的情緒覺得奇怪，想像裏，她會恨她，會嫉妒她，會詛咒她。可是，在這一刻，她對她沒有敵對的情緒，反而有種奇異的、微妙的、難以解釋的感情。這是爲什麼？僅僅因爲昨晚她曾照顧過醉後的她？

『謝謝妳昨晚照顧我。』愛琳忽然想了起來。

『沒什麼。』

『我昨晚說過什麼嗎？』

方絲縈溫柔的望着她，那對大眼睛裏有好多好多的言語。於是，愛琳明白了，自己一定說過了一些什麼，一些只能對最知己、最親密的姐妹才能說的話。她低下頭，悶悶的抽着煙。

『我來看妳，柏太太，因爲我有事相求。』方絲縈終於開了口。

是的，來了！那個元配夫人出來討還她的原位了！愛琳挺直了背脊。

『什麼事？』她的臉孔冷冰冰的。

『既然妳已經知道了我的本來面目，我想，我們就一切都坦白的談吧。』方絲縈說，懇切的注視着愛琳，聲音裏帶着一絲溫柔的祈求。『我以一個母親的身分，鄭重的把我的孩子託付給妳，請妳，不，求妳，好好的幫我照顧她吧！我會很感激妳。』

愛琳吃驚了。她的眼睛張得好大好大，詫異的瞪着方絲縈，這幾句話是她做夢也想不到的。

『我不懂妳的意思。』她說。

『我很不願這麼說，』方絲縈用舌頭潤了潤嘴唇。『但是，這是事實，妳似乎不喜歡那孩子。我只請求妳，待她稍微好一點……』

『妳在暗示我虐待了那孩子？』愛琳竟有些臉紅。

『不是的，我不敢。』方絲縈輕柔的說，露出了一股委曲求全的神態。『只是，每個孩子都希望溫情，何況，妳是她的媽媽，不是嗎？』

『妳才是她的媽媽！』

『她永不會知道這個。事實上，她叫妳媽媽。所以，妳是她的母親，現在是，將來也是。而我呢，只不過隱姓埋名的看看她，終究要離開的。』

『離開？』愛琳熄滅了煙蒂。『妳必須說清楚一點！我以為，妳將永不離開呢！』

『在正心教完這一個學期，我就必須回美國去了。』方絲縈靜靜的看着愛琳。『現在離放寒假只有一個月了，所以，這是我停留在這兒最後的一個月。妳瞭解我的意思了嗎？我十分捨不得亭亭，假若妳肯答應我，好好照顧她，我……』一層淚浪突然湧了上來，她的眸子浸在水霧之中了。『我說不出我的心情，我想，我們都是女人，都有情感，妳會瞭解我的。』

愛琳緊緊的注視着她，好一會兒，她沒有說話，然後，她拉了一張椅子，在方絲縈對面坐了下來。她的眼光仍然深深的、研判的停留在她臉上。

『妳在施捨嗎？寬宏大量的把妳的丈夫施捨給另一個女人？是嗎？』

『不，妳錯了。』方絲縈迎視着她的目光，也深深的回視着她。『我不是那樣的女人，如果我愛的，我必爭取。問題是——』她頓了頓。『十年是一個很漫長的時間，我無法再恢復往日的感情，妳瞭解嗎？何況，在美國，我的未婚夫正等着我去結婚。我不可能在台灣再停留下去，我必須回去結婚。』

兩個女人對面對的看着，這是她們第一次這樣深刻的打量着對方，研究着對方，同時，去費心的想瞭解和看透對方。

『可是——』愛琳說：『妳難道不知道他想娶妳嗎？他今天已經對我提出離婚的要求了。』

『是嗎？』方絲縈微微揚起了眉梢，深思的說：『那只是他片面的意思，那是根本不可能的，因爲，我已經不愛他了，我停留在這兒半年之久，只是爲了亭亭。如果亭亭過得很快樂，我對這兒就無牽無掛了。我必定要走，要到另一個男人身邊去！』

『可是——』愛琳懷疑的看着她：『妳就不再顧念霈文，他確實對妳魂牽夢縈了十年之久！』

『我感動，所以我原諒了他。』她說：『但是，愛情是另外一回事，是嗎？愛情不是憐憫和同情。』

『那麼，妳的意思是說，妳走定了？』

『是的。』

『他知道嗎？』

『他會知道的，我預備盡快讓他瞭解！』

愛琳不說話了，她無法把目光從方絲縈的臉上移開，她覺得這女人是一個謎，一個難解的人物，一本複雜的書。好半天，她才說：

『如果妳走了，他會心碎。』

『一個女性的手，可以縫合那傷口。』方絲縈輕聲的說。『他會需要妳！』

愛琳挑起了眉毛，她和方絲縈四目相矚，誰也不再說話，室內好安靜好安靜，只有窗外的雨滴敲打着玻璃窗，發出叮叮咚咚的聲響。遠處，寒風正掠過了原野，穿過了松林，發出一串低幽的呼號。

愛琳走到了窗邊，把頭倚在窗櫺上，她看着窗外的雨霧，那雨霧濛濛然，漠漠無邊。

『我不覺得他會需要我，』她說：『他現在對我所需要的，只是一張離婚證書。』

『當然妳不會答應他！』方絲縈說，走到愛琳的身邊來。『他馬上會好轉的，等我離開以後。』她的聲音迫切而誠懇。『請相信我，千萬別離開他！』

愛琳掉轉了頭來，她直視着方絲縈。

『妳似乎很急切的想撮合我們？』她問。

『是的。』

『爲什麼？』

『如果他有一個好妻子，有一個幸福的家庭，我就擺脫了我精神上的負荷。而且，我希望亭亭生活在一個正常而美滿的家庭裏。』

『妳有沒有想過，假若妳和他重新結合，才算是個完美的家庭？』她緊釘着問，她的目光是銳利的，直射在方絲縈的臉上。

『那已經不可能，』方絲縈坦白的望着她。『我說過，我已經不再愛他了。』

『眞的？妳不是爲了某種原因而故意這樣說？』

『眞的！完完全全眞的！』

愛琳重新望向窗外，一種複雜的情緒爬上了她的心頭。她覺得酸楚，她覺得迷茫，她覺得身體裏有一種嶄新的情感在那兒昇騰，她覺得自己忽然變得那麼女性，那麼軟弱。在她的血管中，一份溫溫柔柔的情緒正慢慢的蔓延開來，擴散在她的全身裏。

『好吧，』她回過頭來。『如果妳走了，我保證，我會善待那孩子。』

眼淚滑下了方絲縈的面頰，她用帶淚的眸子瞅著愛琳。在這一刹那間，一種奇異的、嶄新的友誼在兩個女人之間滋生了。方絲縈沒有立即離去，沒有人知道那天晚上，兩個女人之間還談了一些什麼，但是，當方絲縈回到自己屋子的時候，夜已經很深很深了。

29

接下來的一個月，柏霈文的日子是在一種迷亂和混沌中度過的。方絲縈每日帶著亭亭早出晚歸，一旦回到柏宅之後，她也把絕大部份的時間耗費在亭亭的身上，理由是期考將屆，孩子需要複習功課。柏霈文有時拉住她說：

『別那樣嚴重，妳已經不是家庭教師了呵！』

『但是，我是個母親，是不？』她輕聲說，迅速的擺脫他走開了。

柏霈文發現，他簡直無法和方絲縈接近了，她躲避他像躲避一條刺蝟似的。他常常守候終日，而無法和她交談一語，每夜，她都早早的關了房門睡覺，清晨，天剛亮，她就帶著亭亭出去散步，然後又去了學校。柏霈文知道方絲縈在想盡方法迴避他，但他並不灰心，因為，寒假是一天天的近了，等到寒假之後，他相信，他還有的是時間來爭取她。

而愛琳呢？這個女人更讓柏霈文摸不清也猜不透，她似乎改變了很多很多，她絕口不提離婚的事，每當柏霈文提起的時候，她就會不慌不忙的，輕描淡寫的說：

『急什麼？我還要考慮考慮呢！』

這種事情，他總不能捉住愛琳來强制執行的。於是，他只好等下去！而愛琳變得不喜歡出門了，她終日逗留在家內，不發脾氣，不罵人，她像個溫柔的好主婦。有一天晚上，柏霈文竟驚奇的聽見，愛琳和亭亭以及方絲縈三個人不知爲了什麼笑成了一團。這使他好詫異，好警惕，他怕愛琳會在方絲縈面前用手段。籠絡政策一向比高壓更收效，他有些寒心了。

於是，他加緊的籌劃着重建含煙山莊，對於這件事，方絲縈顯露出來的也是同樣的冷淡和漠不關心。愛琳呢？對此事也不聞不問。這使柏霈文深受刺激，但是，不管怎樣，這年的年尾，含煙山莊的廢墟被清除了，地基打了下去，新的山莊開工了。

就這樣，在這種混混沌沌的情況中，寒假不知不覺的來臨了。和寒假一起來臨的，是雨季那終日不斷的，纏纏綿綿的細雨。

這天早上，完全出乎意料之外的，方絲縈來到了柏霈文的房中。

『我想和你談一談，柏先生。』

『又是柏先生？』柏霈文問，却仍然驚喜，因爲，最起碼，她是主動來找他的，而一個月以來，她躲避他還唯恐不及。『亭亭呢？』他問。

『愛琳帶她去買大衣了，孩子缺冬衣，你知道。』

柏霈文一楞，什麼時候起，她直呼愛琳的名字了？愛琳帶亭亭去買大衣！這事多反常！這後面隱藏了些什麼內幕嗎？一層强烈的、不安的情緒掩上了他的心頭，他的眉峯輕輕的蹙了起來。

『我不知道愛琳是怎麼回事，』他說：『我跟她提過離婚，但她好像沒這回事一樣，改天我要去請教一下律師，像我們這樣複雜的婚姻關係，在法律上到底那一樁婚姻有效？說不定，我和愛琳的婚姻是根本無效的，那就連離婚手續也不必辦了。』

『你用不着費那麼大的勁去找律師，』方絲縈在椅子中坐了下來。『這是根本不必要的。愛琳是個好妻子，而你也需要一個妻子，亭亭需要一個母親，所以，你該把她留在身邊……』

『我有妻子，亭亭也有母親，』他趨近她，坐在她的對面，他抓住了她的手。『妳就是我的妻子，妳就是亭亭的母親，我何必要其他的呢？』

方絲縈用力的抽出自己的手來。

『你肯好好的談話嗎？』她嚴厲的問：『你答應不動手動脚嗎？』

『是的，我答應。』他忍耐的說，嘆了口氣。『妳是個殘忍的，殘忍的人，妳的心是鐵打的，妳的血管全是鋼條，妳殘酷而冰冷，我有時眞想揉碎妳，但又拿妳無可奈何！假若妳知道我對妳的熱情，對妳的癡狂，假若妳知道我分分秒秒、時時刻刻所受的煎熬，假若妳知道！只要知道千分之一、萬分之一，不，十萬分之一、百萬分之一就好了！』

『你說完了嗎？』方絲縈靜靜的問。

『不，我說不完，對妳的感情是永遠說不完的，但是，我現在不說了，讓我留到以後，每天說一點，一直說到我們的下輩子。好了，我讓妳說吧！不過，假若妳要告訴我什麼壞消息，妳還是不要說的好！』

『不是壞消息，是好消息。』

『是嗎？那麼，說吧！快說吧！』

『我要結婚了！』

他屏息了幾秒鐘，他臉上的肌肉僵住了，然後，很快的，他恢復了自然，用急促的聲音說：

『是的，當然，我們要重新舉行一次婚禮，一次隆重而盛大的婚禮，我保證……』

『你弄錯了，先生，我不是和你結婚，我要回美國去，亞力有信來，他正等着我去完婚，所以，我已經訂了下禮拜天的飛機票。正心那兒，我也已經上了辭呈了。』

方絲縈一口氣把要說的話都說了出來，然後，室內好安靜，靜得讓她心驚。她看着柏霈文，他坐在那兒，深靠在椅子裏，一動也不動，像是突然被巫師的魔杖點過，已經在一刹那間成了化石，他的臉上毫無表情，那失明的眸子顯得呆滯，那薄薄的嘴唇閉得很緊，那臉色已像一張紙一般蒼白。他不說話，不動，不表情，只有那沉重的呼吸，急促的、迅速的掀動了他的胸腔。

方絲縈幾乎是痛苦的等着時間的消逝，似乎好幾千、好幾萬個世紀過去了。柏霈文才深深的吐出一口氣來，他的聲音暗啞而枯澀：

『別開這種玩笑，含煙，這太過分了。』

『不是玩笑，先生。』方絲縈的聲音有些兒顫抖，她的心臟在收緊。『我確實已經訂了飛機票，我的未婚夫正在國外等着我。』

柏霈文的牙齒咬住了嘴唇，咬得那樣緊，那樣深，方絲縈又開始覺得緊張和軟弱。他的臉色益形蒼白了，額上的青筋在跳動着，他的手指緊抓了椅子的扶手，手背上的血管也都凸了起來。

『說清楚一點，』他說：『妳到底是什麼意思？』

『我的意思是——』她困難的說，喉頭緊逼着，緊逼得疼痛。『我要回美國去了，我在台灣的假期已經結束了，我看過了亭亭，我相信她以後會過得很好，所以——所以，我已經無牽無掛，我要回到等我的那個男人身邊去。就是這樣，不夠清楚嗎？』

『等妳的男人！妳應該弄清楚，到底誰才是眞正等妳的男人！』他傾向前面，他的手抓住了她的胳膊，立即，他的手指加重了力量，捏緊了她，他用了那樣大的力氣，似乎想把她捏碎。他的聲音咬牙切齒的從齒縫裏迸了出來：『含煙！看看我！我才是等妳的男人！我等了妳整整十年了！含煙！妳看清楚！』

方絲縈的手臂疼痛，痛得她不由自主的從齒縫中吸着氣，她軟弱的說：

『你弄痛了我！』

『我弄痛了妳？是的，我要弄痛妳！』他更加重了力量。『我恨不得弄碎妳，妳這個沒有心、沒有情感的女人！妳要我怎樣求妳？怎樣哀懇妳留下？妳要我怎樣才能原諒我？要我下跪嗎？要我跟妳磕頭、跟妳膜拜嗎？妳說！妳說！妳到底要我怎樣？要我怎樣？』

『我不要你怎樣，』方絲縈忍着痛說，淚水在眼眶中旋轉。『我早就說過，我已經原諒你了。我回美國去，與原諒不原諒你是兩回事！』

『怎麼兩回事？妳既然已經原諒我了，爲什麼不肯留下？』

『愛情。』她輕聲的、痛苦的吐出這兩個字來。『愛情，你懂嗎？』

『愛情？』他咬牙。『什麼意思？』

『爲了愛情，我必須回去！』

他的手指更用力了。

『妳的意思不是說，妳愛那個——』他再咬牙。『那個見鬼的亞力吧！』

『正是。』她說，吸了口氣，痛得咧了咧嘴。『正是這意思！』

『妳撒謊！』他惡狠狠的說，臉色由白而紅，他用力的摔開了她，跳起來，他走向桌子前面，在桌子上重重的捶了一拳，咆哮着說：『妳撒謊！撒謊！撒謊！』在桌前的椅子裏坐了下來，他用兩隻手緊緊的抱住了頭，痛苦的把臉埋在桌面上。『含煙，妳撒謊，妳不該撒這樣的謊！妳承認吧，妳是撒謊，是嗎？是嗎？』他的聲音由暴怒而轉爲哀求。『是嗎？』

『不是。』方絲縈閉上了眼睛，把頭轉向了一邊，她不敢再看他。『很抱歉，我說的是眞的，你不可能希望十年間什麼都不改變，尤其是愛情。』

他的頭抬了起來，一下子，他衝回到她的身邊，蹲下身子，他握住了她的雙手，把一張被熱血所充滿的面龐對着她，他的聲音裏夾帶着苦惱的熱情，急促的說：

『想想看！含煙，回憶回憶我們新婚時的日子！妳還記得那支歌嗎？含煙？妳最愛唱的那一支歌？我倆在一起，誓死不分離，花間相依偎，水畔兩相攜……記得嗎？含煙，想想看！我雖不好，我們也曾有過一些甜蜜的時光，是嗎？含煙？想想看，想想看……』

『哦，』她站了起來，擺脫開他，一直走到窗子前面。『這是沒有用的，霈文，我抱歉！』

他追到窗前來，輕輕的攬住她的肩。

『不要馬上走。』他在她的耳畔說，他的下巴緊貼在她的鬢邊，他的聲音變得十分十分的溫柔，在溫柔之餘，還有份動人心魄的摯情。『再給我一段時間，我請求妳。含煙，不要馬上走。或者妳會再愛上我。』

『哦，不行，霈文，我將在下星期天走。』她說，痛苦的嚥了一口口水。

『我可以打電話去退掉飛機票。』

『沒有用的，霈文，沒有用。』她猛烈的搖着頭。

『妳的意思是，妳再也不可能愛上我？』

方絲縈閉了一下眼睛，她覺得好一陣暈眩。

『是的！』她狠着心說。

他攬着她的肩頭的手揑緊了她，他的呼吸停頓了一下。

『爲什麼？』他的聲音仍然溫柔，溫柔得讓人心碎。

她用力的搖頭。

『不爲什麼，不爲什麼，只是——只是愛情已經消逝了，如此而已！』

『愛情還可以重新培養。』

『不行，霈文，不行。我抱歉，眞的。我要走了，只希望……』她的聲音有些兒哽咽。『在我走後，你和愛琳，好好的照顧亭亭，多愛她一些，霈文，那是個十分脆弱又十分敏感的孩子。』

『妳留下來，我們一起照顧她。』他震顫的說。

『不行，我必須走！』

『完全沒有轉圜的餘地？』

『我抱歉，霈文。』

他的手捏緊了她的肩膀，他的嘴裏的熱氣吹在她的耳際，他的聲音裏有着風暴來臨前的窒息與戰慄：

『別再說抱歉，給我一個理由！什麼原因妳不能接納我的愛？我不要妳愛我，我不敢再作這種苛求，我只求妳留下，讓我奉獻，讓我愛妳，妳懂嗎？留下來！含煙，留下來！』

『不，哦，不！』她掙扎着，在他的懷抱中掙扎，在自己的情感中掙扎。『我必須走，因爲我已經不再愛你！不再愛你了！』

『我知道，』他屏着氣說：『因爲我是一個瞎子！是嗎？是嗎？』

方絲縈咬緊了牙，故意不回答。她知道這種沉默是最最殘忍的，是最最冷酷的，是最最無情的。但是，讓他死了這條心吧！她閉緊了嘴，一句話也不說。

『我說中了重點，是不是？』他的聲音喑啞而淒厲。她的沉默果然收到了預期的效果，他受到了一份最沉重、致命的打擊。

『我不再是妳夢裏的王子，我只是個瞎了眼睛的醜八怪！妳另有英俊的男友，妳不再看得起我！對不對？』他用力捏住她的肩膀，他的聲音狂暴而愴惻：『妳老實說吧！就是這原因！妳不要一個殘廢！對不對？對不對？對不對？妳說！妳說！』

『我……啊，請放手！』她勉强的扭動着身子，淚在臉上爬着。『我抱歉！』

他猛力的把她一把推開，那樣用力，以至於她差點摔倒，她踉跟的收住步子，扶住桌子站在那兒，喘息的，她望向他，他蒼白的臉上遍佈着絕望的、殘暴的表情，那咬牙切齒的模樣是讓人害怕的，讓人心驚膽戰的。他像一個瀕臨絕境的野獸，陷在一份最淒慘的、垂死的掙扎中。站在那兒，他哮喘着，頭髮散亂，呼吸急促，他發出一大串驚人的、撕裂般的吼叫：

『妳給我滾出去！滾出去！滾出去！妳要走！馬上走！離開我遠遠的！別再讓我聽到妳的聲音！走吧！走吧！趕快走！走得越遠越好！聽到了嗎？』他停住，然後，集中了全身的力量，他大叫：『走！』

方絲縈被嚇住了，她從沒有看過他這種樣子，一層痛苦的浪潮包裹住了她。在這一刹那，她有一個强烈的衝動，她想衝上前去，抱住這個痛苦的、狂叫着的野獸，撫平那滿頭的亂髮，吻去那唇邊的暴戾，安撫下那顆狂怒的心和絕望的靈魂。但是，她什麼都沒有做，只是用手握住了自己的嘴，壓制住那即將迸裂出來的啜泣，然後，她逃出了那間房間，一直衝回自己的臥房裏。

直到中午，亭亭和愛琳回來了，方絲縈才從她的房裏走出來。亭亭穿着一件簇新的小紅大衣，快樂得像個小天使，看到方絲縈，她撲上來，用胳膊抱着方絲縈的脖子，不住口的叫着：

『老師！妳看我！老師！妳看我！』

她旋轉着，讓大衣的下襬飛了起來。然後，她又直衝到柏霈文的房門口，叫着說：

『爸爸！我買了件新大衣！你摸摸看！』

一面喊着，她一面推開了門，立即，她怔在那兒，詫異的說：

『爸爸呢？』

方絲縈這才發現，柏霈文根本不在屋裏，她和愛琳交換了一個眼光。走下樓來，亞珠才說：

『先生出去了。一個人走出去的。』

『沒穿雨衣嗎？』愛琳問：『雨下得不小呢！』

『沒有。』

愛琳看了看方絲縈，低聲的問：

『妳告訴他了？』

『是的。』她祈求的看了愛琳一眼：『妳去找他好嗎？』

『妳認爲他會在什麼地方？』

方絲縈輕咬了一下嘴唇。

『含煙山莊。』她低低的說。那山莊自從雨季開始，就暫時停工了，現在，只豎起了一個鋼筋的架子，和幾堵砌了一半的矮牆。

愛琳沉吟了片刻，她的眼中飄過了一抹難過的、困擾的表情，然後，她嘆了口氣：

『好吧！我去！』

披了一件雨衣。她去了。一小時之後，她獨自折了回來，雨珠在她雨衣上閃爍。她帶着滿臉怒氣的，滿眼的暴躁和煩惱，氣呼呼的把雨衣脫下來，摔在沙發上，灑了一地的水珠。她那暴躁易怒的本性又發作了，對着方絲縈，她大聲的叫着說：

『讓他去死吧！』

『他在嗎？』方絲縈担心的問。

『是的，像個傻子一樣坐在一堵牆下面，淋得像個落湯鷄，我叫他回家，妳猜他對我說什麼？他大聲的叫我滾！叫我不要管他！說我們都是千金貴體，要他這個瞎子幹什麼？他像隻野獸，他瘋了！我告訴妳！他已經瘋了！讓他去死吧！那個不知好歹的渾球！我再也不要管他的事！永遠也不要管他的事！他那個沒良心的混蛋！』瞪着方絲縈，她喘了一口氣：『我沒有辦法叫他回來，所以我把他好好的大罵了一頓！』

『妳罵他什麼？』方絲縈的心臟提昇到了喉嚨口。

『我罵他是個瞎了眼睛的怪物！我告訴他誰也不在乎他！那個瞎子！那個殘廢！所以我叫他去死，趕快去死！』

呵！不！方絲縈腦中轟然一響，頓時覺得天旋地轉。呵！不！這太殘忍了，太殘忍了！一個人已經夠了，怎能再加一個！愛琳，妳才是渾球！妳才是傻瓜！啊，不！這太殘忍！抓起了沙發上那件雨衣，她對門外衝了出去。跳進了花園內的汽車，她對老尤說：

『快！去含煙山莊！』老尤發動了車子，風馳電掣的，他們到了山莊前面的大路上，跳下了車子，方絲縈對老尤說：

『你也來，老尤，我們把柏先生弄回家去！』

老尤跟着方絲縈向山莊內走，可是，才走了幾步，柏霈文已經從裏面跌跌衝衝的，大踏步的邁了出來，他的衣服撕破了，他渾身都是雨水和汚泥，他的頭髮滴着水，臉上有着擦傷的血痕，顯然他曾摔了跤，他看來是狼狽而淒慘的。他的面色靑白而可怖，有股可怕的蠻橫，那呆滯的眸子直勾勾的瞪着，他是瘋了！他看來像是眞的瘋了！方絲縈奔上前去，一把拉住了他的手腕，她心如刀絞。含着淚，她戰慄的喊：

『霈文！』

『滾開！』他大聲說，一把推開了她，他用力那樣大，而下過雨的地又濕又滑，她站不住，摔倒在地下，老尤慌忙過來攙扶她。同時，柏霈文已掠過了他們的身邊，一直往前衝去，他筆直的撞在汽車上，撞了好大的一個踉蹌，他站起身來。於是，方絲縈看到他打開車門，她尖叫着說：

『老尤，別管我，去拉住柏先生，快！』

老尤衝了過去，可是，來不及了，柏霈文已經鑽進了駕駛座，立即，他熟練的發動了車子。方絲縈從地上爬了起來，奮力的追了過來，哭着大喊：

『霈文！不要！霈文，聽我說……霈文！』

車子『呼』的一聲向前衝出去了，方絲縈尖聲大叫，老尤追着車子直奔。方絲縈一面哭着，一面跑着，一面叫着，然後，她呆立在那兒，透過那茫茫的雨霧，看着那車子直撞向路邊的一棵大樹，再急速的左轉彎，衝向山坡上的一塊巨石，然後轟然一聲巨響，車子整個傾覆在路邊的茶園裏。

30

好一陣的混亂、慌張、匆忙！然後是血漿、紗布、藥棉、急救室、醫生、護士、醫院的長廊，等待，等待，又等待！等待，等待，又等待！急救室的玻璃門開了合了，開了，又合了，開了，又合了！護士出來，進去，出來，又進去……於是，幾千幾百個世紀過去了，那蒼白的世紀，白得像醫院的牆，像柏霈文那毫無血色的嘴唇。

而現在，終於安靜了。

方絲縈坐在病床邊的椅子上，楞楞的看着柏霈文，那大瓶的血漿吊在那兒，血液正一滴一滴的輸送到柏霈文的血管裏去，他躺在那兒，頭上、手上、腿上，全裹滿了紗布，遍體鱗傷。那樣狼狽，那樣蒼白，那樣昏昏沉沉的昏迷着，送進醫院裏四十八小時以來，他始終沒有清醒過。

病房裏好安靜，靜得讓人心慌。方絲縈一早就强迫那始終哭哭啼啼的亭亭回家去了，愛琳也不知道在什麼時候離開了。現在，已經是深夜，病房裏只有方絲縈和柏霈文，她始終用一對帶淚的眸子，靜靜的瞅着他。在她心底，她已經唸過了各種禱告的辭句，禱告過了各種她所知道的神祇。她這一生全部的願望，到現在都滙成了唯一的一個：

『柏霈文！你必須活下去！』

兩天兩夜了，她沒有好好的闔過眼睛，沒有好好的睡過一下。現在，在這靜悄悄的病房裏，倦意慢慢的掩了上來，她靠在椅子中，闔上眸子，進入了一種朦朧而恍惚的狀態中。

時間不知道過去了多久，病床上的一陣蠕動和呻吟使方絲縈驚跳了起來，她撲到床邊上，聽到他在喃喃的、痛苦的呻吟着，夾着要水喝的低喊。她慌忙倒了一杯水，用藥棉蘸濕了，再滴到他的唇裏，他的嘴唇已在發熱下乾枯龜裂，那好蒼白好蒼白的嘴唇！她不住把水滴進去，却無法染紅那嘴唇，於是，她的眼淚也跟着滴了下來，滴在他那放在被外的手背上。

他震動了一下，睜開了那對失明的眸子，他徒勞的在室內搜尋。他的意識像是沉浸在幾千萬呎深的海底，那樣混沌，那樣茫然，可是，他心中還有一點活着的東西，一絲慾望，一絲渴求，一絲迷離的夢……他掙扎，他身上像綁着幾千斤燒紅的烙鐵，他掙扎不出去，他呻吟，他喘息，於是，他感到一隻好溫柔好溫柔的手，在撫摸着他的面頰，他那發熱的、燒灼着的面頰，那隻溫柔而清涼的小手！他有怎樣荒唐而甜蜜的夢！他和自己那沉迷的意識掙扎，不行！他要撥開那濃霧，他要聽清楚那聲音，那低低的、在他耳畔響着的啜泣之聲，是誰？是誰？是誰？他掙扎，終於，大聲的問：

『是誰？』

他以爲自己的聲音大而響亮，但是，他發出的只是一聲蚊蟲般的低哼。於是，他聽到一個好遙遠好遙遠的聲音，在那兒啜泣着問：

『你說什麼？霈文！你要什麼？』

『是誰？是誰？』他問着，輕哼着。

方絲縈捧着他的手，那隻唯一沒受傷的手，她的唇緊貼在那手背上，淚水濡濕了他的手背。然後，她清清楚楚的說：

『是我，霈文，是我，含煙。』

這是第一次，她在他面前自認是含煙了。這句話一說出口，她發現他的身子不再蠕動，不再掙扎，不再呻吟，她恐慌的抬起頭來，他直挺挺的躺在那兒，眼睛直瞪瞪的。他死了！她大驚，緊握着那隻手，她搖着他，恐懼而惶然的喊：

『霈文！霈文！霈文！』

『是的，』他說話了，接着，他長長的吐出一口氣來，夢囈似的說：『我有一個夢，一個好甜蜜好瘋狂的夢。』

方絲縈仰頭向天，謝上帝，他還活着！撲到枕邊，她急促的說：

『你沒有夢，霈文，一切都是眞的，我在這兒，我要你好好的活下去！聽着！霈文，你要好好的活下去，爲我，爲亭亭，爲——我們的未來。』淚滑下她的面頰，她泣不成聲：『你要好好活着，因爲我那麼愛你，那麼那麼愛你！』

他屏息片刻，眞的淸醒了過來。血液重新在他的血管中流動，意識重新在他的頭腦裏復活。他從那幾萬呎深的海底昇起來了，昇起來了，昇起來了，一直昇到了水面，他又能呼吸，又能思想，又能慾望，又能狂歡了！他捉住了那甜蜜的語音，喘息着問：

『含煙，是妳嗎？眞是妳嗎？妳沒有走嗎？是妳在說愛我？還是我的幻覺又在捉弄我？』

『是我，眞的是我！』方絲縈——不，含煙迫切的回答。許許多多的話從她嘴中衝了出來，許許多多心靈深處的言語。她不再顧忌了，她不再逃避了，她也不再欺騙自己了。『我不再離去，十年來，我從沒有忘記你，我從沒有愛過另一個人！霈文！從沒有！這就是爲什麼我會在結婚前跑回國，爲什麼逗留在這兒，不願再回去，我從沒有停止過愛你！也從沒有眞心想嫁給亞力過！從沒有！從沒有！從沒有！』

她一連串的說着，這些話不經考慮的從她嘴中像倒水般傾出來，連她自己都無法控制，都覺得驚奇。但是，當這些話一旦吐了出來之後，她却忽然感到輕鬆了。彷彿解除了自己某一項重大的問題，和感情上的一種桎梏。她望着他，用那樣深情的眼光，深深的、深深的看着他。然後，她俯下頭來，忘情的把自己柔軟而濕潤的唇貼在他那燒灼的、乾枯的唇上。

『我愛你，』她哭泣着說：『我將永不離開你了，霈文，我們重新開始！重新開始！你要趕快好起來，健康起來，因爲——我需要你！』

『含煙！』他低呼着，從心靈深處絞出來的一聲呼號。『我能相信我自己的耳朶嗎？我不是由於發熱而產生了錯覺嗎？含煙！告訴我！告訴我！向我證實！含煙！幫助我證實它！』他急切的：『否則我會發瘋，我會發狂！含煙，幫助我！』

『是的，是的！』她喊着，拿起他的手來，她用那滿是淚痕的面頰依偎它，用那發熱的嘴唇親吻它，俯下身去，她不停的吻他的臉，吻他的唇，嘴裏不住的說着：『我吻你，這不是幻覺！我吻你的手，我吻你的臉，我吻你的唇！這是幻覺嗎？我的嘴唇不柔軟不眞實嗎？噢，霈文，我在這兒！你的含煙，你那個在晒茶場上撿來的灰姑娘！』

『哦，我的天！』柏霈文輕喊，生命的泉水重新注入了他的體內，他雖看不見，但他的視野裏已是一片光明。他以充滿了活力的、感恩的聲音輕喊：『我不該感恩嗎？那在冥冥中操縱着一切的神靈！』然後，他的面頰緊倚着含煙的手，淚，從他那失明的眸子裏緩緩地、緩緩地流了下來。

當黎明來臨的時候，醫生跨進了這間病房，他看到的是一幅絕美的圖畫。病人仰臥着，正在沉沉的熟睡中，在他身邊的椅子上，那嬌小的含煙正仆伏在椅子的邊緣上，長長的頭髮一直垂在病床上，那白皙的臉龐上淚痕猶新，烏黑的睫毛靜悄悄的垂着，她在熟睡，而她的手，却緊握着病床上病人的手。早上初昇的太陽，從窗口斜斜的射了進來，染在他們的頭上、手上、面頰上，有一種說不出來的寗靜與和平。

醫生輕咳了一聲，含煙從椅子裏直跳了起來，緊張的看向床上，她失聲的問：

『他——死了嗎？』

『哦，不，』醫生說，微笑着：『他睡得很好。』他診視他，然後，他轉過頭來，對含煙溫柔而鼓勵的笑着：『妳放心，柏太太，他會好起來。』

『沒有危險了嗎？』含煙急切的問。

『是的，他會復元的！』

哦，謝謝天！她站在床邊，那樣狂喜的看着在熟睡中的柏霈文，她忽略了醫生對她的稱呼，也忽略了醫生對她的道別，她只是那樣欣慰的、那樣帶笑又帶淚的看着柏霈文。這樣不知看了多久，她才突然醒悟的衝到電話機邊，她必須把這個好消息告訴亭亭！立刻告訴她們。她撥通了號碼，立即，那面傳來了愛琳的聲音：

『怎樣了？』

『哦，他會好！』她喘息着說：『醫生說沒有危險了！妳告訴亭亭一聲吧！等會兒妳帶亭亭來嗎？』

『哦，可能，或者。』愛琳的聲音有些特別。『總之，現在大家放心了。』

『是的。』含煙不能掩飾自己語氣裏的興奮：『醫生說，他很快就會復元，他現在睡着了。』

『好的，』愛琳輕聲說：『那麼再見吧！』

『再見！』

掛斷了電話，她坐回到床邊的椅子裏，凝視着柏霈文，她現在已經了無睡意。撫平了柏霈文的枕頭，拉好了他的棉被，她深深的、深深的望着那張飽經憂患的臉龐。然後，一層烏雲輕輕的、緩緩的、悄悄的移了過來，罩住了她。哦，天！她曾對他有怎樣的允諾！有怎樣的招供！而事實上呢？她將如何向愛琳交代？愛琳，她同樣有權佔有她的丈夫呀！哦，天！問題何嘗解決了？她曾對愛琳保證過她將離去，她曾發誓要成全另一份婚姻，而現在，自己對霈文說了些什麼？永不分開！永不離去！但是……但是……但是……愛琳又將怎樣？

她的心混亂了起來，而且越來越煩躁不安了！她眼前浮起了愛琳那對冒火的大眼睛，耳邊似乎聽到了她那壞脾氣的指責與詬罵。呵！無論如何，愛琳畢竟是個合法的妻子，自己只是個天涯歸魂而已！而現在，而現在……到底自己將魂歸何處呢？

柏霈文在枕上蠕動，吐出了兩聲輕輕的囈語：

『含煙？含煙。』

她把頭湊過去，含淚望着那張依舊蒼白的臉。呵，霈文，霈文，郎情如蜜，妾意如綿，爲什麼好事多磨，波折迭起？我們已經經過了十載相思，和兩次生離死別的考驗，難道直到今天，仍然必須分手？呵，呵，霈文！難道我們竟無緣至此？

她把手伸到唇邊，下意識的用牙齒咬着自己的手指。她的思緒越來越像一堆亂麻，越整理就越凌亂，而她的感情却越來越强烈，越鮮明，她不願離開他！她愛他！就這樣，她坐在那兒，不知想了多久，直到門上傳來了輕微的敲門聲。

她跳起來，愛琳來了，她知道。她將退開了，那個『妻子』來了。她嘆息，無奈的走到門邊，打開了房門。立刻，她呆了呆。門外，是亞珠牽着亭亭，沒有愛琳的影子。她奇怪的問：

『太太呢？』

『她走了！』亞珠說：『她把她所有的東西都帶走了！她說她不再回來了！』

『什麼意思？』她瞪着亞珠。

『我也不知道，她叫我把這封信交給妳。』亞珠遞給她一個厚厚的信封，含煙狐疑的接了過來，看看封面，上面寫的是：

『章含煙女士親展』

她握住了信封，好一陣心神恍惚。然後，她把亭亭拉了進來，吩咐亞珠仍然回家去料理家裏的事。關上房門，她叫亭亭不要驚醒了柏霈文。亭亭乖巧的點頭，這孩子，自從知道父親脫險後，就已經笑逐顏開了。搬了一張椅子，她坐在柏霈文的身邊，安安靜靜的看着他，一聲大氣也不出。含煙坐回到椅子裏，迫不及待的，她拆開了愛琳的信。首先，她抽出了一張信箋，上面是這樣寫的：

『含煙：

眞奇怪！我今天會寫信給一個有這個名字的女人！含煙，含煙！我必須承認，這名字始終是我所深惡痛絕的，是我愛情生命上的一個惡瘤，但是，現在，我寫這封信的時候，上帝知道！我已經不再仇視妳了，奇怪嚒？含煙？

記得那天晚上，妳在我屋裏，我們曾經第一次開誠佈公的談過，妳告訴我，妳不再愛霈文了，「懇求」我留下，妳說，他還會愛上我，我不該輕易的放掉了我的愛情。啊，含煙，妳說服了我。（現在想來，我是有點傻氣的，不過，妳比我更傻！）於是，我留下，徒勞的去築我那堵愛情的牆。但是，含煙山莊的鋼架都豎了起來，我這堵牆却依然連地基都沒有！含煙！我慚愧！我不是個好的建築師！

於是，我發現了，我在他心中根本連一絲一毫的地位都沒有，我永不可能走進他的心靈，今生，今世，連來生，來世都不可能！他心裏只有妳！等到車禍事件發生以後，我就更明白了。含煙，妳欺騙了我，妳愛他遠勝過我愛他！既然妳如此愛他而肯退讓，只爲了我一時醉後失言！妳這樣的胸襟，我還有什麼話好說？含煙，妳折服了我。

今晨，我無意間在妳的教科書中看到一張紙條（隨函附上），一切十分鮮明了！妳的心願、妳的意圖也表明無遺。霈文是對的，我留下，是三顆心靈的破碎，我離開，是一個家庭的團圓！所以，我走了！永遠不再回來了。

告訴他，我不要工廠，我不要金錢，我什麼都不要了！我並不窮困，這些年來，我手邊也積了不少錢，我會過得很好。也不必爲我難過，誰知道命運怎樣安排呢？說不定離開霈文以後，我會找到一份眞正屬於我的愛情，建立起我的「含煙山莊」！

再見了！含煙。我承認，當我寫這封信時，我心中酸楚。但是，我也有份快感，我想，最起碼，我走得漂亮！我做得瀟灑！

最後，我祝福你們。請珍惜你們這份好不容易得來的幸福吧！有位作者最喜歡在書中提兩句話，是：「願天下有情人皆成眷屬，是前生注定事莫錯姻緣！」我也將這兩句話送給你們！

再祝福你們一次！

愛琳』

一口氣將這封信看完，含煙說不出她心中的感覺，只覺得心靈悸動，而熱淚盈眶。再拿起那個信封，她抽出的是一張愛琳已簽好名、蓋好章的離婚證書。另外，那裏面附了一張紙條，打開來，竟是含煙在一個多月前，隨意寫下的那首小詩：

『多少的往事已難追憶，
多少的恩怨已隨風而逝，
兩個世界，幾許癡迷？
十載離散，幾許相思？
這天上人間可能再聚？
聽那杜鵑在林中輕啼：
「不如歸去！不如歸去！」』

是的，她已經歸來了，從另一個世界裏歸來了。她捧着那些信封信箋，俯身向柏霈文。剛好霈文醒來，他用担憂的聲音喊：

『含煙？』

『是的，我在這兒呢。』她用帶淚的、輕快的聲音回答。一面緊握住了他的手。一面，她把亭亭——那個滿臉驚詫的孩子——也緊擁在懷中。

三顆頭顱緊靠在一起，不，是三顆心緊靠在一起。

於是，我們的故事完了。

於是，新的含煙山莊建造了起來，比以前的更華麗，更雅致，更精美。因爲，除了用磚頭石塊建造以外，這山莊還用了大量的愛——這是世界上最美麗的華屋。

於是，在一個新的、五月的清晨，那些在山坡上採茶的姑娘，都不由自主的抬起頭來，對那棟樹木葱蘢、花葉扶疏的花園望去。因爲，在那庭院深深之處，正飄出一個小女孩銀鈴似的笑聲和高呼聲：

『爸爸，媽！你們藏在那兒呀？好，給我抓到了！』

接着，是一大串的笑聲。和一個孩子快樂的歌聲：

『我有一隻小毛驢，